„. . . ALDAAR IS VRIJHEID"

„. . . Aldaar is vrijheid”

Amsterdamse opstellen voor Ernst J. Beker,
na zijn afscheid als hoogleraar aan de
theologische faculteit van
de Universiteit van Amsterdam

Onder redactie van Jan van Heemst

UITGEVERSMAATSCHAPPIJ J. H. KOK – KAMPEN 1985

CIP

Deze uitgave is mede tot stand gekomen dankzij
de Generale Financiële Raad der Nederlandse Hervormde Kerk, 's-Gravenhage
het J.C. Warmoltsfonds, Amsterdam
de Faculteit der Godgeleerdheid van de Universiteit van Amsterdam

Het portret van professor Beker bij de titelpagina is getekend
door Els van Strien

UGI 553
ISBN 90 242 2935 9

INHOUD

TEN GELEIDE

Deze bundel verschijnt als een verlaat afscheidscadeau voor prof. dr. E. J. Beker, van 1974 tot 1984 hoogleraar in de dogmatiek aan de theologische faculteit van de Universiteit van Amsterdam. Doorgaans verschijnen dit soort boekwerken *bij* een afscheid, maar Ernst Beker, wars van *officialia,* was al lang en breed vertrokken voor er iemand ook maar één voorbereiding in die richting had kunnen treffen. En zo zijn het amsterdamse opstellen *na* zijn afscheid geworden. Beter laat dan nooit, want het zou kwalijk zijn geweest als Ernst Beker van enig weerwoord verstoken zou zijn gebleven. Daarvoor heeft hij een té markante positie aan de theologische faculteit ingenomen. Als één der laatsten was hij namelijk zowel vanwege de staat als vanwege de kerk benoemd. Daardoor was hij in de unieke gelegenheid de dogmatiek als een door en door *confessiekritisch* vak te beoefenen. Dat wil zeggen, als een nuchtere kritiek op de wetenschappelijkheid van het universitaire curriculum en op het (s)preken van de kerk. Ernst Beker heeft deze mogelijkheid met beide handen aangegrepen. Waar mogelijk is hij *vrijmoedig* in de hele faculteit een open en vruchtbaar debat aangegaan met de verschillende disciplines van het ene theologische programma. Van deze lastige taak heeft hij zich in het heilzame licht van de Jongste Dag gedurende tien jaar op een, om een typische term van hemzelf te gebruiken, *jolige* wijze gekweten. In het besef, dat dogmatische beslissingen voor het moment van groot politiek gewicht kunnen zijn.
Deze bundel laat zien dat met het afscheid van Ernst Beker dat dispuut niet is verstomd. Een aantal auteurs is aangezocht om vanuit hun specifieke kennis en vaardigheid een bijdrage te leveren aan een colloquium over *vrijheid*, dat in de dogmatiek of waar dan ook verre van gemakkelijke begrip. Met uitzondering van prof. dr. J. M. Hasselaar, Bekers onafscheidelijke gabber *in dogmaticis,* hebben zij allen een *amsterdamse* achtergrond gemeen. Dit zal de één aanbevelenswaardig vinden, de ander verdacht. De lezeres of lezer beoordele het resultaat in kwestie: bijdragen uit de exegese, de kerk- en dogmengeschiedenis, de cultuurgeschiedenis, de praktische theologie en de geschiedenis van de filosofie. Ik hoop dat dit materiaal tenminste Ernst Beker te denken geeft en dat hij er in zijn vervroegde rust de handen aan vol heeft.

Jan van Heemst, *november 1984*

EEN OPEN BRIEF

J. M. Hasselaar

Beste Ernst,

Een open brief mag ik toevoegen aan de amsterdamse hommage, die oudleerlingen, vrienden en bekenden je willen bewijzen. Zij bundelen hun geleerde bijdragen om te tonen wat ze van jou geleerd hebben in theologische navolging. Natuurlijk – want anders zou je door die navolging alleen maar geërgerd worden – met een eigen vrije armslag, dus ook hier en daar in tegenspraak. Laat mijn bijdrage dan mogen gaan over de *amicitia*, die jij mij zo'n vijfentwintig jaar bewezen hebt. Want een kwart eeuw hebben wij samen opgeroeid. Opgeroeid en, althans dat hopen wij, *in theologicis* een beetje opgegroeid. – Het contact werd gelegd, toen ik in 1958 na een indonesische tijd een tijdelijk onderkomen had gevonden in 'Het grote bos' te Driebergen. Aan de naam Beker had ik een vage herinnering uit de studententijd, oorlogstijd, tenslotte sluitingstijd vanwege de bezetter. Je viel toen op door een opgewekt voorkomen en dat is in de loop der jaren zo gebleven. Opgewektheid gaat samen met openheid en jouw openheid is in ieder geval het plezier in ontmoetingen. „Wahrheit in der Begegnung" schreef Brunner, die een grote gelijkenis vertoont met de door jou geliefde ethische theologie. Persoonlijkheid-worden door de ontmoetingen is toch wat jij vanuit een serieus 'ethisch' nest hebt meegekregen en zelf als categorische imperatief hebt erkend? Vandaar dat niemand wil dat je nu zo maar met stille trom vertrekt. Een jongere generatie wil wel weten, dat ze jou inderdaad ontmoet hebben. – In de bibliotheek van 'Kerk en wereld' ontdekte ik, dat Beker zich gewaagd had aan een dissertatie over de christelijke vrijheid en dat daarover een geding gaande was aan weerszijden van de *Atlantic*. Dat geding bleek veel met Barth en de natuurlijke theologie te maken te hebben. In 1958 bladerde ik dus in dit werkstuk van je en met lichte schaamte moet ik bekennen, dat het bij bladeren gebleven is. Misschien gaan we, wanneer we beiden als emeriti werkelijk niets meer om handen hebben, elkaars dissertaties eens eventjes op de korrel nemen. Dan kan in ieder geval ingehaald worden wat op de promotie achterwege gebleven is. En dat is niet weinig. We doen het dan wel in besloten kring, want wie kijkt gaarne terug op de tekortkomingen van zijn jeugd?
In het donkere bomenbos van Driebergen zat ik een beetje in zak en as, op schoen en slof, en toen belde jij mij als studentenpredikant op. Dat was een verrassing, een lichtstraal, een perspectief. Je wilde me in het kerkelijk academie-werk betrekken. Dat was de start van onze *amicitia* in de wisselende gunst der tijden. Toen hoorde ik voor het eerst, dat ook jij indonesische ervaring had opgedaan, maar dan wel hemelsbreed verschillend van mijn

betrekkelijk rustige ambtspraktijk onder de tropenzon. Je hebt met militairen hun gevaren gedeeld en de kerk *nolens volens* vertegenwoordigd aan het front en op marsroutes. Je weet wat sluipschutters zijn. Ik neem de vrijmoedigheid om twee dingen mee te delen, omdat ze zo kenmerkend voor je zijn. Teruggekeerd op vaderlandse bodem werd je uit de gemeente plotseling opgeroepen om naar Den Haag te komen. Je ging in vrees en beven, want nu zou – zo dacht je – van overheidswege het conflict, dat je met een hoge officier tijdens een politionele actie gehad had (kerk en staat!), nog eens op tafel komen. Misschien wel een tuchtzaak of zoiets. Want je had hem recht in het gezicht gezegd, dat wij Nederlanders niet van de nazi's verlost waren om nu zelf daden te doen, die aan hun praktijken herinneren. Maar je werd met eer ontvangen en kreeg een lintje op de borst gespeld voor de bewezen moed als zielszorger. Zo is er temidden van alle onrecht ook recht gedaan. Het tweede betreft je diepe teleurstelling te moeten ervaren, dat menselijke verbondenheid blijkbaar aan de situatie gebonden is en bij situatieverandering opgezegd kan worden. In het gevaar had je een compaan door dik-en-dun, die jou zelfs – naar je zegt – het leven heeft gered. Maar terug in Nederland verbrak hij in proletarisch bewustzijn het contact. Klassenstrijd, standsverschil, de wrok tegen kerk en establishment! Het heeft je pijn gedaan en je voelde het als een schending van de onontbeerlijke humaniteit. Een ethische kater.

Wat zal ik zeggen van onze utrechtse jaren? Je had een studentengemeente opgebouwd, compleet met commissie en kerkeraad. Je beschikte toen over weinig studietijd voor jezelf, want in het pastoraat was het een va-et-vient van jonge mensen, die op jouw bijstand rekenden en deze ook rijkelijk ontvingen. In die periode was ik in een zekere 'Entdeckerfreude' met Rosenstock-Huessy bezig en ik zie ons nog na het predikantenministerie samen op de waranda of de studeerkamer zitten, terwijl ik je van de rosenstockse geheimenissen deelgenoot maakte. Het riep ook jouw enthousiasme voor deze alzijdige socioloog wakker. Naast de (nog steeds levende) bijbelkring hebben we dus enkele jaren een Rosenstock-kring gevormd, waaraan onder anderen de onvergetelijke dompredikant Hans van der Werf deelnam. Er zijn nogal wat theologen, die het bij een kennismaking met Rosenstock laten afweten. Zij zijn te weinig theoloog om op gezette tijden zich te laten dwingen hun theologische paden te verlaten. Dat confessionalisme is jou vreemd. Wat er bij Rosenstock te leren valt over tijd en taal, over namen die geschiedenis stichten, over liturgie die aan reflexie voorafgaat – kortom, over de niet-automatische voortgang van ware geschiedenis – het viel bij jou in vruchtbare aarde. De klankbodem bezat je allang. Hoe zou het ook anders vanuit je 'ethische' erfenis, waarin de eis gesteld wordt dat geloof en leven onafscheidelijk zijn en dus ook – in pregnante zin verstaan – kerk en cultuur. Je kreeg van huis uit het parool mee, dat een persoonlijke en dagelijkse omgang met de heilige Schrift primair is en van hieruit Shakespeare, Schiller, Voltaire en Rousseau voor de dienaar van het evangelie geen vreemden mogen blijven. Maar dan ook Marx, zeggen jonge barthianen. Het zal geen toeval zijn, dat je het toekomstig *otium* in ieder geval hoopt te vullen met cultuurhistorische studie en ik zie je, o late leerling van

Gunning, nog eens geheel en al verzonken in Dante en de incubatietijd van de Renaissance.

Wat zal ik verder zeggen over je ambtelijke utrechtse jaren? Dat je het predikanten-ministerie nogal eens shockeerde door een uitgesproken studentikoze woordkeus, maar ook heel goed wist wie in deze tafelronde de diepere, bevindelijke geesten waren. Dat je de gevoelige, specifiek utrechtse voorzitter van de centrale kerkeraad (gezegend zij onze nagedachtenis aan Van Endt) losweekte uit de gevarenzône van de regentenatmosfeer en bij hem een entree, een open oor vond voor al je plannen en perspectieven. Ik vermoed, dat je in dit collegiaal verband achter gesloten deuren menigmaal voor anderen op de bres gestaan hebt. Plotseling was je – ik begon net op jouw hardnekkig initiatief aan het experiment van universiteitspredikant – naar Amerika vertrokken voor vrij lange tijd. De theologische en kerkelijke verhalen, waarmee je terugkwam, konden mij niet zo erg boeien, maar des te meer wat je overkomen was onder de mensen, eerst de zwarten en dan de blanken; en welke hachelijke avonturen, ongetwijfeld met behulp van een beschermengel, overleefd waren. Want avontuurlijk, bewust of verrast risico nemend ben je, en een beschermengel mag dan wel niet aangeroepen (laat staan geprovoceerd), maar wel met dankbaarheid verondersteld worden. Over risico's gesproken: waarom steevast een woelig, agressief voetbalstadion opgezocht en nooit (tenzij om je te scharen bij een door jazzmuziek extatische menigte) een rustige, klassieke concertzaal betreden? Je weet toch, dat de sportieve aardigheid, de spelende ernst eraf is, sinds een voetbalkundig manager het parool uitgaf, dat voetbal oorlog is en deze geweldenaar niet meteen de laan werd uitgestuurd. Je moet er dus niet over klagen, wanneer je in de meute af en toe in een bedreigde positie terechtkomt. Het zal je toch niet lukken, je schreeuwende buurman ervan te overtuigen, dat sport een aandeel heeft in het verhinderen van oorlog! –
Je vertrok – ook vrij plotseling – naar Amsterdam als wijkpredikant. Dat werd voor mij de tijd van het minste contact. Je had er gelijk in, dat het studentenwerk een tijdgevoelige bezigheid is, en dat de scandering van het arbeidzame leven in sabbatsjaren niet voor niets in Israël een gebod is. Dus weer gewoon wijkpredikant worden, met niemand minder dan Frits Mehrtens als cantor-organist. Hoewel je geen hoge liturgische eisen stelt (verlang je iets meer van een kerkelijke samenkomst dan een goede preek, eerbiedige en zakelijke gebeden en welgekozen liederen?) was er een goede verstandhouding tussen jou en deze kunstenaar, die theologisch en esthetisch hoge eisen stelde. Je mag wel weten, dat Mehrtens, niet lang voor zijn overlijden aanwezig bij jouw inaugurele rede als hoogleraar, met warme sympathie over je sprak. –
In Buitenveldert hadden Josien en jij meer een onderdak gevonden dan een aan jullie levensstijl beantwoordende woning. Nochtans: daar werd jullie leven grondig gewijzigd door de grote vreugde een dochter te mogen ontvangen. Had Josien toen nog tijd om in kritische aandacht haar luisterend aandeel te leveren in de voorbereiding van de preek, die de komende zondag gehouden moest worden? Want dat heeft zij jarenlang als predikantsvrouw gedaan en voor jou was haar kritisch oor onmisbaar. Ik herinner mij, dat jullie op instigatie van

Josien in Utrecht de zondagavond besloten met een gemeenschappelijke meditatie – bijvoorbeeld enkele bladzijden uit het werk van Guardini. Dat was dan ook voor haar een stil moment in haar voor anderen zo wijd opengesteld en gastvrij huis. Waarmee ik maar zeggen wil, dat – als er wat te roemen valt over je theologisch werk en kerkelijke weg – de buitenwacht met dankbaarheid erkennen moet, dat iedere dag, week en jaar Josien samen met jou op weg was en nog is. Zij verdient in deze openbare brief waarlijk meer dan een incidenteel open doekje, de op feestelijke gelegenheden gebruikelijk aangeboden ruiker. In geen geval schrijf ik immers over een Ernst Beker-in-abstracto, dat wil zeggen, over een predikant en hoogleraar als 'Einzelgänger'. Ik schrijf over een man, die zich gesteund weet en wien daarom soms ook de voet dwars gezet wordt! Gelukkig de man, die . . .! –

Rector De Jong haalde je naar Hydepark. Voor die functie was je als het ware in de wieg gelegd, anderzijds was het grenzeloze van dit arbeidsveld ook een gevaar voor je. Een abundantie van ontmoetingen, die ook de bedreiging van een zondvloed kan aannemen. In die jaren zocht ik je bungalow nogal eens op en ik herinner me geen bezoek, waarin ik je alleen thuistrof. Ook stond je er lange tijd alleen voor, je moest het overlijden van De Jong verwerken en tenslotte de twee nieuwe rectoren inwerken. Je greep de kansen om in gespreide aandacht voor predikanten van allerlei snit en modaliteit studiecursussen van de grond te krijgen. Wij begonnen samen aan een Barth-, een Rosenstock-, een Gunningcursus en speelden elkaar in soepel legatospel de bal toe. In jouw leerschool stond de motivatie van de schrijvers en hun teksten voorop. Een nauwkeurig en geduldig luisteren naar hun stem, voordat wij zelf de mond opendoen. Een hoge lof uit de mond van een gereformeerde-bondscollega: „Als Beker met ons teksten van Calvijn besprak, dan was hij een zorgvuldige luisteraar naar Calvijn en niet anders. Althans, voorlopig niets anders." Je hebt in dit vormingswerk, dit vormingsproces, laten zien, dat de ontlediging en afzwering van vooropgezette meningen een voorwaarde is voor authentieke persoonlijkheidsgroei. Alle registers van je inlevingsvermogen stonden daarbij open, in actie door het constant beroep op je pastorale gaven. En daartussendoor het *perpetuum mobile* van beraadslagingen over de voortdurende aanpassing van het bedrijf aan de interne en externe omstandigheden. Materieel moest toen immers alles nog uit de kerkekas komen. Je wist tenslotte nauwkeurig hoeveel sinaasappels er in een kist gaan. Maar de sobere liturgie in de dagelijkse kapeldiensten had evenzeer je zakelijke aandacht. – Hoewel zij onze moeder is, is de kerk soms een harde zakenvrouw. In ieder geval, dit nooit aflatende nadenken over hoe het allemaal moest werd voor je gezondheid een slijtageslag. In een ziekteperiode van een klein jaar werd je op jezelf teruggeworpen. Herstel van integratie door nevelachtige vervreemding heen. Tenslotte viel mij (en de utrechtse faculteit) het voorrecht ten deel je te begroeten als door de synode benoemde hoofdmedewerker in de dogmatiek. Vanuit de seminarie-ervaringen stond je duidelijk voor ogen wat in de kerkelijke opleiding voor verbetering vatbaar was. Evenals mij stond jou een doorleefde en actuele aansluiting op de traditie voor ogen. Heppe! Dat viel goed in Utrecht.

Gevolg: een niet gering aantal enthousiast gemaakte studenten stortte zich onder jouw leiding op de geestelijke nalatenschap van de immer boeiende Gunning. Ik hoor het je zeggen: „Jongens, soms is Gunning dieper dan Barth, zelfs dieper en van breder allure, hogere wiekslag, dan de reformatoren." Dat niemand je dit parti-pris kwalijk neme! Velen werden onder deze leiding schatgravers in de negentiende eeuw en ik denk, dat menige jonge predikant in de pastorie de band met de oud-ethische theologie niet meer missen wil. Althans, wat anders aankijkt tegen de strijd der geesten in de vorige eeuw. Het moet een geduchte prestatie genoemd worden, het leven en spreken van theologen zó nabij te kunnen brengen in de overbrugging van een eeuw kerk- en cultuurgeschiedenis. Zodoende heb je het bewijs van je eigen verwantschap met Gunning overtuigend op tafel gelegd. Een tweede gevolg: je skepsis tegenover de scholastiek van Heppe als *leerboek* smolt weg. Een arsenaal van begrippen en opgeworpen problemen, die een grondige kennismaking waard zijn en alleen dodelijk voor de studiosus, die zijn ziel eraan verkoopt. Alles keurig op een rij en in gelid om dan natuurlijk met vreugde de absoluut nodige wanorde in die rij aan te brengen – we werden het eens, dat dit onze taak was in de collegezaal. Met andere woorden: alleen in een verwerking van de traditie kunnen en mogen we nieuwe woorden (een gekwalificeerde uitdrukking van jou) laten klinken. Dat beschermt ons zowel tegen willekeur als tegen repristinatie en verburgerlijking. Wat was je geërgerd als bleek, dat de bereidwilligheid zich nieuwe inzichten toe te eigenen toch eigenlijk schijn was – omdat er in de vaststaande leer geen omwentelingen mochten plaatsvinden. Je ergernis verdubbelde zich als je merkte, dat daarachter angst voor de kerkelijke achterban zat. Een derde gevolg van je rentree in Utrecht: het spontaan pastoraat in de theologische studentenwereld. Dit behoorde niet tot je formele opdracht; maar waar een charisma geschonken is, daar biedt nu eenmaal de vulling van een hogere opdracht zich spontaan aan. Dat heeft ook met je karakter te maken en we zullen ons er niet het hoofd over breken hoe natuur en genade daarbij ineengestrengeld zijn. Je maakt ongewild anderen er wel opmerkzaam op, dat de ontmoeting met de medemens ook een atmosferische kwestie is, die een fijnafgestemde antenne vereist. Een aanvoelen van het nog niet uitgesprokene, dat toch op een bevrijdende wijze uit zijn schuilhoek moet komen. Ik houd het ervoor, dat deze ontvankelijkheid in wijdere betekenis ook een onmisbare waarde in de cultuur is. Van de erflater Gunning mag je je met recht en reden een late erfgenaam noemen. En wil je het zelf niet doen, dat anderen je zo zien kan je niet verhinderen. – Als ik op onze utrechtse jaren nog even terugkom, dan mag ik niet voorbijgaan aan de betekenis van Van Ruler. Onze theologische verhouding tot hem is een hoofdstuk apart, maar hij was de intens belangstellende voorzitter van de commissie Kerk en Universiteit. Altijd genegen tot een debat, een advies, een meedenken over de taak van vandaag en morgen. Hij respecteerde je, want hij waardeerde je persoonlijkheid. En over je docentschap, inclusief de dogmatische aanpak, zou hij zeker een 'binnenpretje' gehad hebben. We zijn hem beiden persoonlijk en zakelijk veel dank verschuldigd en hebben ons best gedaan in de collegezaal zijn theologische betekenis naar waarde te schatten. Dat wij niet zonder theocratische beseffen rondlopen (wie nadenkt over kerk en staat, staat en maatschappij, maatschappij en universiteit, kan daar niet buiten) hebben we aan deze utrechtse chef te danken. Van Ruler rekende genadeloos af met een slordig en modezuchtig denken. Ik denk voorts aan je omgang met Hans Hoekendijk, in mijn herinnering geboekstaafd als een kolonel van het heilsleger 'höherer Ordnung'. Hij was je niet zozeer, als Van Ruler, tot steun, maar wel een kameraadschappelijke kritikaster. Die vrije kameraadschap ergens in hetzelfde vooruitgeschoven bataljon zal wel de reden geweest zijn, dat je hem verschillende keren in Amerika hebt opgezocht.

Utrecht en ondergetekende moesten na enige jaren alweer van jou afscheid nemen. Je zette je op de dogmatische leerstoel van de amsterdamse faculteit met een vrolijke lach over de schoonheid van het oud-kerkelijk dogma. Wie je goed kenden, zullen zich over die theologische vrolijkheid rondom een oeroude christologie niet verbaasd hebben. Zou een ander met dezelfde intentie plechtstatig van onmisbare waarheidskennis hebben gesproken, jij nam het woord vrolijkheid in de mond. Er kan immers een lach op af, als concilievaders in de vierde en vijfde eeuw filosofische schematiek grondig verstoren. Behalve een loflied schuilt er ook een bevrijdende lach in het dogma van de vroege kerk vanwege het unieke in de verschijning van Jezus Christus. De geseculariseerde onwetende lacht schamper over de incarnatie als 'Geheimnis und Wunder', maar jij lacht met de kerk mee over zoveel genade van boven. Zie ook menige engel in het romaanse beeldhouwwerk, wiens vreugde des te volkomener is omdat hij zich geen speculatieve zorgen hoeft te maken. Dat laatste is wel onze taak, maar heb je niet willen zeggen, dat wij op de lange weg van Chalcedon naar Amsterdam ons de lach der dankbaarheid niet moeten laten ontroven? *Communio sanctorum*. – De benoeming tot hoogleraar heb je beslist niet als een 'Sternstunde' op je levensweg opgevat. Kwalificeert zulk een benoeming ook een roeping? Dat was voor jou geen abstracte vraag. En zal de taak in Amsterdam even duidelijk zijn, evenzeer beantwoordend aan jouw theologische habitus, als in Utrecht? Of misschien duidelijker en grotere vrijheid biedend? Het vrezen en beven heeft een diepere grond dan psychologische twijfelmoedigheid en geringschatting in eigen oog. Je hebt namelijk een hoge dunk van het vak zelf. Dus van de opdracht, die de kerk (jawel, de kerk en niet de theologische wetenschap als een zichzelf instandhoudende grootheid) verleent in het doceren van de dogmatiek en andere z.g. kerkelijke vakken. Die opdracht laat zich – naar je stellige overtuiging – wel invoegen in wat elders als wetenschappelijk onderzoek geldt, maar laat zich daardoor niet 'inpakken'. Laat staan: diskwalificeren, seminariseren. Hier melden zich in je principiële achtergrondsoverwegingen de inzichten van De la Saussaye Sr., Gunning en Barth. Je bent in hun spoor – zoals reeds gezegd – niet genegen om bepaalde (hoewel aan juridische fixatie zich onttrekkende) theocratische perspectieven *a limine* af te wijzen. Nu kan ik er niet omheen te zeggen, dat de verwarring op dit terrein tussen de zichtbare kerk en de van overheidsmaatregelen afhankelijke faculteit je in hoge mate heeft aangegrepen. Hoeveel malen heb je niet betoogd, dat het gaat om de levenwekkende beademing. Inderdaad, waar en

hoe ademt een levende theologie in en uit? Wat gebeurt er als die adem stokt? Wanneer bij alle geleerdheid een doodse sprakeloosheid komt aansluipen? En die sprakeloosheid komt als de wettelijke *duplex ordo* gehanteerd wordt als liberale splijtzwam. Wat er dan niet allemaal in kwade trouw gebeuren kan, maakt ook sprakeloos in psychologische zin. Ik bedoel verontwaardiging en verdriet. – Als je amsterdamse leerlingen, met name in de zeventiger jaren, je meenamen of soms meesleurden in heftige maatschappelijk-politieke discussies (alsjeblieft geen kerk en theologie op zalige afstand van hun rechte of slechte maatschappelijke bepaaldheid) – dan erkende je zeer zeker de noodzaak van het engagement, een denken omdat er iets beslissend te doen valt – maar op voorwaarde, dat het geheim van de mens als onbetaalbare persoonlijkheid geëerbiedigd en niet geschonden wordt. Humaniteit is immers geen product van een proces. Hiervoor heb je altijd op de bres gestaan. Ik heb de indruk, dat de meesten dit van je begrepen hebben en daarom niet alleen jouw leiding aanvaardden, maar zonder valse sentimenten op blijvende wijze aan je verknocht raakten. Zij waren het toch ook zelf, die jij bedoelde in het pleidooi voor de vrijgemaakte persoonlijkheid, zonder wierookbranden voor apriorische stellingen. Als zichzelf de weg banende, beginnende theologen waren ze aanwezig in de vele college-uren, die je met de daartoe bereid zijnde rijkshoogleraren besteedde aan een collegiaal dispuut. Naar elkaar luisteren, omdat in het luisteren de luister der theologie schuilgaat. De scopus van zo'n dispuut ligt in het opmaken van de rekening in hetgeen wij als oudere en jongere theologen nu eigenlijk aan het doen zijn. In het vak en met het vak aan het doen zijn; in de theologie en met de theologie aan het doen zijn. Eigenlijk omgekeerd: of zij iets met ons aan het doen zijn. –
„Aldaar is vrijheid!" Rondom Beker of in de theologische 'Haltung', die hij vertegenwoordigt? Baarlijke onzin. Wie zou het van zichzelf durven beweren of – als er enige mensenkennis is – van een ander kunnen zeggen? Dat 'aldaar' is natuurlijk niet Herengracht 514-516, noch de dogmatische prestatie van welke meester dan ook. Het 'aldaar' mogen wij niet naar ons toetrekken tot een 'ziehier' of 'ziedaar'. Het is niet van ons. Het is een allen toegerekende vrijheid, vrijplaats, schuilplaats. Het is van ons en voor ons, voorzover wij van Jezus Christus zijn en diens Geest ons gebruiken wil. Dat deze belijdenis anthropologische en zeker ook politieke consequenties met zich brengt, staat vast. Toch mogen die consequenties, waarbij de ethiek nooit pas achteraf en dus te laat aan het woord komt, niet verwisseld worden met de vrijheidsbron zelf. In de vaak rumoerige werkplaats had je het daarom wel eens moeilijk als oudere dwarsligger, die een bepaalde progressiviteit of linksigheid móést kritiseren. Geen slinksigheden noch ter rechterzijde, noch ter linkerzijde, om aan het eigen theologische gebod te ontkomen! Gods openbaring kan geen omweg zijn om ónze doeleinden te behartigen. De vrijheid, onder wier tucht jij je wilt stellen, behelst en behoudt de van hogerhand geschonken verrassingen. Als dat niet begrepen wordt, komt er onwilligheid in alle meegaandheid bij je boven. Eerbiediging van de 'unaufhebbare Subjektivität Gottes'. –
Wij hebben ons tenslotte samen gezet aan een dogmatische serie, bedoeld als didactische leidraad. Het mag wel gezegd zijn, dat dit initiatief van jou is

uitgegaan en dat de beloften aan de uitgever en aan de theologanten ons vrij zwaar op het geweten drukken. Lichtvaardig uitgesproken? De oogst van je amsterdamse jaren zal onder andere bestaan in wat je zeggen kunt in het komende deel van onze dogmatiek over verschillende bevrijdingstheologieën in het kader (onbruikbare term in de theologie!) van de pneumatologie. Want dat heeft momenteel je centrale aandacht: het werk van de Geest, die ons aan de regering van Christus bindt en een bijzonder spoor trekt in de geschiedenis. Pneumatologisch is docetisme even onmogelijk als repristinatie. Eigenlijk is dit toch weer het oude ethische thema van 'christendom en cultuur' en ik ben benieuwd hoe je dit thema positief en kritisch (vergeet Gunning's agonie niet!) zult behandelen.
Want op de post-barthsche wateren zul je de vlag van Barth's kerugmatische theologie niet willen strijken. En vergis ik mij als ik je de laatste tijd enthousiaster over Calvijn hoor spreken dan in het verleden het geval was?

Ars longa, vita brevis. De historicus Jacques Presser zag het begin van iedere nieuwe levensfase als een novitiaat. Wij emeriti zijn dus nu noviten. Wij moeten nog het een en ander leren. Laten we het erop houden, dat het emeritaat nieuwe 'eenmalige gelegenheden' biedt. Natuurlijk: de jaren snellen als op een weversspoel. Daarover te jammeren is niet goed. We moeten integendeel leren dat God het begrensde leven goed maakt. Met die kennis gewapend was je een pastor voor velen en een vriend voor mij. Wij hebben ons daarbij verwarmd aan jouw vitaliteit, die de kritische vraag stelt naar de kwaliteit van onze levensdagen. Gescandeerd in sabbatsdagen en werkdagen. Zo zijn onze tijden (meervoud!) in de beste handen.
En het 'Sekor Dabar' blijve ons nog enige tijd gegeven.

Augustus 1984 In kameraadschap *Hans*

BEVRIJDENDE LEZING

Dirk Monshouwer

De titel van deze bundel, waarmee het afscheid van Ernst Beker verguld wordt, is genomen uit een buitengewoon spannende passage, die zowel de betekenis van het Oude Testament voor de christelijke theologie aan de orde stelt, alsook aanleiding geeft tot een pregnante christologie en pneumatologie in één adem, en die bovendien van invloed is geweest op de christelijke schilderkunst. Precies op dit knooppunt wordt de vrijheid gevonden. „Aldaar is vrijheid" staat geschreven in 2 Cor. 3,17, althans volgens de handschriften, die tezamen de zogenaamde 'Mehrheitstext' vormen, die aan de Statenvertaling ten grondslag lag en daardoor ons geheugen mede bepaald heeft. De deskundigen zijn het met de oudste handschriften eens, dat *ἐκεῖ* (aldaar) niet tot de oorspronkelijke tekst behoort.

De vrijheid staat in een contekst. Zij komt niet uit de lucht vallen, maar houdt verband met de voorlezing van Mozes en de profeten. Paulus gebruikt het woord niet dikwijls en deze keer in een gedeelte, dat met recht een *midrasj* genoemd is. Aan de hand van de Schrift wordt het verstaan van de Schrift uitgelegd.

Men heeft in de christelijke uitleg doorgaans weinig aandacht geschonken aan de verbinding van de vrijheid met het zogenaamde Oude Testament (deze benaming heeft zijn wortel in 2 Cor. 3,14!); zie bijvoorbeeld Schlier,[1] die *ἐλευθερία* geheel verstaat in het kader van de vigerende filosofie van die tijd en daarmee de deur wijd open zet om in elke tijd het begrip 'vrijheid' naar believen in te vullen. De christelijke iconografie laat zien, dat dit een zeer lange traditie is. 'Vrijheid' is een exclusief christelijk goed, geen joods erfgoed, en staat tegenover de gebondenheid aan de wet. De synagoge wordt naar aanleiding van 2 Cor. 3,13-15 afgebeeld met een blinddoek, tegenover een ziende kerk.[2]

In een tweetal studies wordt wel ruime aandacht gegeven aan de joodse achtergrond van dit hoofdstuk. Van Unnik concentreert vooral op de 'vrijmoedigheid' van de apostel in zijn werk.[3] McNamara werkt de parallellen met

1. H. Schlier, *ἐλεύθερος κτλ.*, *TWNT* Bd. II. 484-500; de lange lijst Literatur-Nachträge in Bd. X/2, 1073-1076 wekt niet de indruk, dat er sinds 1935 veel veranderd is.
2. Zie J. J. M. Timmers, *Christelijke symboliek en iconografie*, Haarlem 1978[3], 121-123.
3. W. C. van Unnik, „*With Unveiled Face", An Exegesis of 2 Corinthians iii 12-18*, NovTest 6 (1964), 153vv. (= *Sparsa Collecta* I, Leiden 1973, 194-210). Vgl. idem, *De Semitische achtergrond van ΠΑΡΡΗΣΙΑ in het Nieuwe Testament*, Mededelingen der Koninklijke Nederlandse Akademie van Wetenschappen, afd. Letterkunde, Nieuwe Reeks, Dl. 25 (1962), 585-601 (= *Sparsa Collecta* II, Leiden 1980, 290-306); en idem, *The Christian's Freedom of Speech in the New Testament*, BJRL 44 (1962), 466-488 (= *Sparsa Collecta* II, 269-289). In het vervolg te citeren als Van Unnik, *Sp. Coll.*

de Palestijnse Targum verder uit.[4] Gebruik makend van hun bevindingen wordt hieronder de lectuur van 2 Cor. 3 hernomen.
De perikoop kan niet kleiner genomen worden dan 3,1 - 4,15. Alleen zo vallen alle teksten, waarin SCHRIFT/LETTER naast en tegenover GEEST staat, binnen het gezichtsveld. Bovendien is de geleding van de tekst duidelijk: na de entree van het hoofdmotief (3,1-3) volgt de expositie in vier perikopen, die alle beginnen met de woorden „wij hebben deze/een zodanige . . ."; het object is achtereenvolgens „vertrouwen" (3,4), „verwachting" (3,12), „dienst" (4,1) en „schat" (4,7). Het geheel wordt afgesloten met dezelfde formulering, waarbij nog eenmaal GEEST en GESCHREVEN klinken: „nu wij déze GEEST van het geloof hebben naar het SCHRIFTWOORD . . ." (4, 13), en eindigt met een lofprijzing: „. . . tot heerlijkheid van God" (4,15).
In de delen B en C (3, 12-18 en 4, 1-6) gaat het vooral over de openlijke heerlijkheid tegenover de bedekking. In de delen A en D is het gemeenschappelijke motief de bescheidenheid van de apostel. Het raam en hoofdmotief van het geheel is de positie van Paulus ten opzichte van de gemeente in Corinthe. Het loopt via de *persoon*. Welk recht van spreken heeft hij?

2 Corinthiërs 3,1 - 4, 15

3,1 Beginnen wij weer onszelf aan te bevelen?
Of moeten wij – zoals sommigen –
met aanbevelingsbrieven bij u of van u te werk gaan?
2 Gij zijt onze brief,

GESCHREVEN in onze harten, *(Jer. 31,33)*
bekend bij en te lezen voor alle mensen.
3 Het blijkt duidelijk, dat gij een brief van de messias zijt,
door onze dienst,
GESCHREVEN
niet met inkt
maar met de GEEST van de levende God,
niet op stenen tafelen *(Ex. 31,18; 32,15; 34,27; 24,12)*
maar op harte-tafelen van vlees (en bloed).

(A) 4 Een zodanig vertrouwen hebben wij
door de messias in onze God.
5 Niet dat wij van onszelf geschikt zijn
iets als uit onszelf te tellen,
maar onze geschiktheid is uit deze God,
6 die ons geschikt gemáákt heeft
als dienaren van het nieuwe verbond, *(Jer. 31,31)*

4. M. McNamara, „The Midrash on the Veil of Moses; 2 Cor. 3, 7-4,6 and PT Ex 33-34; TJI Nm 7,89", *The New Testament and the Palestinian Targum to the Pentateuch*, An. Bibl. 27A, Rome 1978², 168-188.

niet van de LETTER maar van de GEEST;
want de LETTER doodt,
de GEEST maakt levend.

7 Indien de dienst van de dood,
met LETTERS op stenen gegrift, *(Ex. 32,16)*
al geschiedde in heerlijkheid,
zodat de kinderen Israël de blik niet gericht
konden houden op het *aangezicht* van Mozes, *(Ex. 34,30)*
vanwege de heerlijkheid van zijn *aangezicht,*
die toch *verdwijnen* zou; –

8 hoeveel te meer zal dan niet de dienst van de GEEST
in heerlijkheid zijn.

9 Want indien er door de dienst van de veroordeling
heerlijkheid is,
hoeveel te meer zal de dienst van de rechtvaardiging
overvloedig zijn in heerlijkheid.

10 Immers, wat de overtreffende heerlijkheid betreft,
inzoverre was het verheerlijkte niet verheerlijkt; *(Ex. 34,29.30.35)*

11 want als wat *verdwijnt* via heerlijkheid (gaat),
hoeveel te meer (is) wat blijft in heerlijkheid.

(B) 12 Nu wij dus een zodanige verwachting hebben,
gaan wij met volle vrijmoedigheid te werk, *(Lev. 26,13)*

13 en niet zoals Mozes een *bedekking* op zijn *aangezicht* deed,
(Ex. 34,33.35)
opdat de kinderen Israël hun blik niet gericht zouden houden
op het uiteindelijke doel van wat *verdwijnen* zou.

14 Hun zinnen waren echter verhard. *(Ex. 33,3.5; 34,9)*
Want tot op de huidige dag blijft dezelfde *bedekking*
op de voorlezing van het oude verbond
en wordt niet ont-dekt;
in de messias *verdwijnt* zij.

15 Maar tot op heden:
zo dikwijls Mozes wordt voorgelezen
ligt een *bedekking* op hun harten;

16 zo dikwijls hij zich echter wendt tot de HEER
wordt de *bedekking weggenomen.* } {(Ex. 32,31; *Ex. 34,34).*

17 En de HEER is gelijk de GEEST,
en waar de GEEST van de HEER (is)
(is) vrijheid:

18 wij allen (aanschouwen en) weerspiegelen
met onbedekt *aangezicht* de heerlijkheid van de HEER,
(en) naar hetzelfde beeld ondergaan wij een gedaanteverandering
van heerlijkheid tot heerlijkheid,
zoals de GEEST van de HEER dat doet.

(C) 4,1 Nu wij derhalve deze dienst hebben,
bij wijze van onverdiende gift,
versagen wij niet,
2 maar zweren de schaamtevolle verheimelijkingen af;
wij wandelen niet in listigheid,
noch vervalsen wij het woord van God,
maar door de waarheid te laten blijken
bevelen wij onszelf aan
bij elk geweten van mensen
ten overstaan van God.
3 En indien ons evangelie toch nog bedekt is,
dan is het bedekt voor degenen die ten onder gaan,
4 bij wie de God van deze wereldtijd de zinnen verblind heeft;
van de ongelovigen namelijk,
opdat zij niet zien (en dus uitstralen)
de verlichting van het evangelie,
de heerlijkheid van de messias:
hij is het beeld van God.
5 Wij verkondigen immers niet onszelf,
maar Jezus als messias, als Heer, –
en onszelf als uw knechten terwille van Jezus.
6 Want de God die spreekt:
„uit duisternissen zal licht schijnen", – *(Gen. 1,3; Jes. 9,1; Ps. 112,4)*
die schijnt in uw harten
tot verlichting van het verstaan van de heerlijkheid van God
in het *aangezicht* van [Jezus] de messias.

(D) 7 Wij hebben deze schat in aarden vaten, *(Klaagl. 4,2)*
opdat de overtreffende kracht van God zij en niet uit ons.
8 In alles onder druk maar niet vastgelopen,
om raad verlegen maar niet radeloos,
9 vervolgd maar niet in de steek gelaten,
terneergeworpen maar niet verworpen, –
10 zo dragen wij te allen tijde het sterven van Jezus
aan den lijve met ons mee,
opdat ook het leven van Jezus
lijfelijk aan ons zal blijken.
11 Want altijd worden wij levenden aan de dood overgeleverd,
terwille van Jezus,
opdat ook het leven van Jezus zal blijken
aan ons sterfelijk vlees (en bloed).
12 Zo werkt de dood in op ons
en het leven op u.

13 Nu wij déze GEEST van het geloof hebben,
naar het SCHRIFTWOORD:

„Ik heb geloofd, daarom heb ik gesproken", – *(Ps. 116, 10; = LXXΨ 115,1)*
geloven ook wij,
en daarom spreken wij ook.
14 Wij weten, dat Hij die de Heer Jezus opwekte
ook ons met Jezus zal opwekken
en samen met u voor zich stellen.
15 Dat alles immers terwille van u,
opdat de genade,
vermenigvuldigd door de dankzegging van steeds meerderen,
overvloedig wordt,
tot heerlijkheid van God.

Aantekeningen bij de vertaling

( ) duiden woorden aan die terwille van het Nederlands of ter explicatie toegevoegd.
3,2 Hier begint het argument, zinspelend op Jer. 31,33, waaruit zich de tegenstelling *γραμμ-/πνευμα* ontwikkelt. GESCHREVEN, LETTER, SCHRIFTWOORD komt steeds van dezelfde stam *ΓΡΑΜΜ-*. In de sfeer van GEEST liggen ook de woorden: leven, hart, vlees (en bloed).
3,13 „Wat verdwijnt" is de heerlijkheid, die verdwijnen moet, zie 3,10v. De nieuwe heerlijkheid overtreft de oude daarin, dat hij niet verdwijnt, een onvergankelijke bekleding is (vgl. Rom. 8,21-23; 2 Cor. 5,2-5).
3,13 „niet zoals Mozes . . . deed"; de constructie is in het Grieks even slordig. In het Nederlands kan dit nog enigszins opgevangen worden door *ἐτίθει* met „deed" te vertalen. De strekking is: zoals Mozes deed, die een bedekking op zijn aangezicht deed.
3,13vv. *Bedekking* op het *aangezicht* contrasteert met *verdwijnen*; deze woorden dragen de spanning in deze passage. De heerlijkheid van Mozes verdwijnt, maar de bedekking vanwege deze verdwijnende heerlijkheid wordt juist niet weggenomen, tenzij in de messias.
3,18 en 4,4 *Κατοπτριζέσθαι* kan zowel 'weerspiegelen' als '(in een spiegel) aanschouwen' betekenen. Dezelfde dubbelzinnigheid schuilt in *αὐγάζειν*: 'zien' of '(uit)stralen'. De dubbelzinnigheid is beide keren bedoeld en van betekenis. Vgl. „bekend en te lezen" (3,2); eerst valt het accent op de receptieve kant, vervolgens in één adem op het bemiddelende aspect.
3,18 „van heerlijkheid tot heerlijkheid", d.w.z. van de bedekte, voorbijgaande heerlijkheid tot blijvende, openlijke heerlijkheid. „Zoals . . .", de constructie is even lastig als in 3,13, met een verzwegen werkwoord. Men leze: „zoals (gedaan wordt) van de kant van des HEREN geest".
4,1 De 'aarden vaten' komen uit Klaagl. 4,2 en daarmee uit een context, die spreekt van de teloorgang van het oude verbond. Leem contrasteert met goud, dat een beeld is voor de Torah (vgl. Ps. 19,8-11; 119,72). Wanneer Israël weigert zich te houden aan Zijn woord, wordt dat uitgebeeld met een gouden kalf (Ex. 32,31).

4,1 „bij wijze van onverdiende gift"; letterlijk: „gelijk ons barmhartigheid/aalmoes geworden is".
4,4 De drie opeenvolgende genitieven worden het beste zo gelezen: „. . .van het evangelie, dus van de openbare, onbedekte heerlijkheid van de messias". Hoewel uit het vorige vers blijkt, dat dit geen automatisme is; het evangelie kan ook bedekt zijn.
4,5 Een moeilijk te vertalen confessie; vgl. Fil. 2,11: Heer Jezus Messias. Hier ligt het accent op Jezus, de persoon die gezien is van aangezicht tot aangezicht, zoals blijkt uit de volgende regel, waar enkel de persoonsnaam genoemd wordt.
4,6 [Jezus] De varianten in de handschriften laten zien, dat nu het accent ligt op de functie *messias* = hij-die-de-heerlijkheid-Gods-reflecteert. Dat sluit Jezus uiteraard in, maar anderen niet uit. Er is veel voor te zeggen met A,B,33 en Tertullianus (en Nestle t/m 25e editie) enkel *χριστοῦ* te lezen.
4,13 „déze" wijst vooruit, nl. van het schriftwoord.

In het kader van de voorlezing

Het is hier niet mogelijk op alle details in te gaan. Wij zullen de grote lijn van Paulus' uitleg proberen te volgen. Die lijn begint met een zinspeling op Jer. 31,33 'geschreven in onze harten'.[5] In Jer. is het object 'Mijn wetten', in het Hebreeuws 'Mijn Torah's'. De gedachtengang verloopt in drie fasen. De brief waar Paulus over schrijft is (a) geschreven in onze harten; (b) geschreven niet met inkt maar met geest. Het blijft gaan over wat geschreven is en daaruit ontwikkelt zich de tegenstelling (c) LETTER / GEEST, als uitleg van het nieuwe verbond. Deze laatste uitdrukking komt eveneens uit Jer. 31,31. In het volgende vers wordt het 'oude' verbond omschreven als „gesloten met de vaderen toen zij uitgeleid werden uit het land Egypte" (Jer. 31,32), en kenmerkend er voor is „dat zij niet bleven in Mijn verbond" (LXX Jer. 38,32: *ὅτι αὐτοὶ οὐκ ἐνέμειναν ἐν τῇ διαθήκῃ μου*). Dit motief van 'niet blijven' wordt door Paulus op het verbond zelf aangewend. Als zij niet blijven, verdwijnt de heerlijkheid van het verbond. Dan moet er een nieuw verbond komen (een dienst van de geest en van de rechtvaardiging) met een *blijvende* heerlijkheid. Tot zover geeft Paulus enkel uitleg van de profetie. Maar in het kader daarvan noemt hij de stenen tafelen, symbool van het met letters geschreven verbond (Ex. 32,15v.;[6] 31,18; 34,27; 24,12). Niet dat het geschreven is maakt dit verbond 'oud', maar dat het op steen gegrift was.[7] De bediening van dit 'oude' verbond geschiedde in heerlijkheid, af te lezen aan het gelaat van Mozes. Zijn aangezicht straalde, toen hij de beschreven stenen ter hand genomen had, zozeer dat Israël er niet naar durfde kijken (Ex. 34,30).
Vanuit deze verwijzingen naar Ex. 34 (en 32) volgt een tweede gedachtengang. Israël mocht het aangezicht van Mozes niet steeds zien. Hier ontstaat een

5. LXX Jer. 38,33: *καὶ ἐπὶ καρδίας αὐτῶν γράψω αὐτούς.*
6. 2 Cor. 3,7: *ἐν γράμμασιν ἐντετυπωμένη λίθοις* - LXX Ex. 32,15v.: *πλάκες λίθιναι καταγεγραμμέναι* (. . .) *καὶ ἡ γραφὴ γραφὴ θεοῦ ἐστιν κεκολαμμένη ἐν ταῖς πλαξίν.*
7. De stenen tafelen waren bovendien ten tijde van de tweede tempel reeds letterlijk verdwenen.

paradox, want men kan niet lezen alsof er zou staan: zij mochten de heerlijkheid niet zien omdat deze slechts voorlopig was. De uiteindelijke heerlijkheid was juist aan Mozes te zien, en toch zou deze verdwijnen. Deze paradox werkt door alles heen als een logisch en historisch probleem. Mozes was de bemiddelaar in het verbond, hij sprak van aangezicht tot aangezicht met de HEER en met de gemeente. Hij trok zich ook terug en wat bleef waren de woorden van de Torah, datgene wat door en over Mozes geschreven is. Paulus verwijst naar de messias, en stelt keer op keer dat hijzelf hoogstens de woordvoerder is. Ook bij Paulus blijft tenslotte niets anders over dan een brief, geschreven en voorgelezen, evenzeer uitgeleverd aan het gevaar een dode letter te worden. Het blijft een vraag hoe men met de schrift omgaat.

Het is ook de vraag, of Paulus' interpretatie van *κάλυμμα* ('bedekking') de betekenis van Ex. 34,29vv. wel treft. Het lijkt meer een gelegenheidsverklaring, die eerst langs een omweg bij de oorspronkelijke betekenis uitkomt: Het weerspiegelen van de heerlijkheid Gods, die middellijk laten zien.[8] Verder in Ex. (24,15v.; 40,34) heeft het motief 'bedekken' *(καλύπτειν)* niet in de eerste plaats de functie 'aan het oog onttrekken', maar beeldt het integendeel de presentie van de heerlijkheid uit.

In de uitleg van Ex. 34,30-35 worden drie stappen gezet:
(a) Mozes deed een bedekking voor zijn aangezicht;
(b) deze bedekking blijft op de voorlezing van het oude verbond;
(c) een bedekking ligt op hun harten bij de voorlezing van Mozes. Daarmee zijn wij weer terug bij het uitgangspunt. Er zijn twee manieren om de Schrift te horen: als een geschrift, geschreven door de geest in *onze* harten; of onder een dekmantel op *hun* harten. Hier komt de zin van het merkwaardige *ἡμῶν* in vs. 3 tot uiting. Er zijn twee groepen, twee manieren van horen in de synagoge, en Paulus rekent zichzelf en zijn lezers uiteraard tot de openhartige hoorders, anders had zijn hele verhaal geen zin.

Nog altijd speelt deze kwestie in de gemeente, telkens wanneer de Schrift wordt voorgelezen. Gerekend wordt op de goede verstaander. Maar op grond waarvan, en hoe wordt men een goed verstaander? Deze zaak wordt uitgelegd aan de hand van de Schrift zelf, via Mozes en de profeten. Tweemaal volgens hetzelfde procédé: een tekst die in drie etappes wordt uitgewerkt en toegepast. In de vertaling is geprobeerd dit enigszins zichtbaar te maken met hoofdletters en cursieve druk.

De eerste ronde gaat aan de hand van een profeten-woord, de tweede tekst komt uit de Torah. Dat is vanzelfsprekend in de synagoge, waar de Torah gelezen wordt, gevolgd door een *haftarah* uit de profeten.[9] De combinatie van Ex. 34,30-35 met Jer. 31,31-34 heeft een aanknopingspunt in de traditie. Volgens een aantal bronnen is Jer. 31,31(32) de *haftarah* bij *seder* 70, Ex.

8. Paulus schrijft tweemaal, dat Israël niet kon *kijken (ἀτενίσαι)*. Ex. 34,30 zegt, dat men vreesde om *dichterbij te komen* (מִגֶּשֶׁת/*ἐγγίσαι*).
9. In de eerste eeuw AD werden de profeten ongetwijfeld in de synagoge voorgelezen, al is het niet zeker dat de *haftarot* op dezelfde manier vastlagen als in later tijd. Str.Bill. IV, 168vv.; R. Zuurmond, *De drie-jaarlijkse cyclus van Thora-lezingen,* Eredienst 8 (1974), 96.

34,27.[10] Hoe oud deze combinatie is, kan niet met zekerheid vastgesteld worden, maar het lijkt of hij op een gegeven moment in onbruik is geraakt en vervangen door alternatieve *sedarim* uit de omgeving.[11] Men kan zich ook beter voorstellen, dat Paulus van een bestaande *seder & haftarah* gebruik maakte, die vervolgens later in de synagoge niet meer bruikbaar waren vanwege de christelijke claim het nieuwe verbond in pacht te hebben, dan de omgekeerde gang van zaken.[12]
Paulus beroept zich voor zijn recht van spreken op de Schrift en misschien dus wel bewust op de *seder & haftarah*, die in de synagoge tezamen gelezen werden. Aan het einde van (C) geeft hij weer een gecomprimeerde toespeling op TeNaCH (2 Cor. 4,6) en hij rondt zijn uitleg af met een uitdrukkelijk citaat: „deze geest naar het schriftwoord" (2 Cor. 4,13).

Het geding om de Torah: vrijheid is recht van spreken

In de hierboven geschetste uitleg heeft vs. 17 de functie van verbindend argument. Eerst ging het over de geest, het citaat van vs. 16 noemt de HEER. Nu moet duidelijk gemaakt worden, dat deze beiden synoniem zijn.[13] Misschien mag men, vooruitgrijpend op later spraakgebruik, formuleren: *de geest der profetie*[14] en JHWH (die de Torah gegeven heeft) zijn één, dus Jer. 31 en Ex. 34 spreken dezelfde taal. Waar zo de Schrift wordt gelezen, daar is vrijheid. In de volgende zin (vs. 18) wordt 'vrijheid' zo omschreven: „nl. wij allen weerspiegelen met onbedekt aangezicht de heerlijkheid van de HEER", omdat de Torah ons hartsgeheim is. *Ἐλευθερία* is verregaand synoniem met *παρρησία* (3,12); *vrijheid* en *vrijmoedigheid* beduiden beiden recht van spreken. *Παρρησία* is de Griekse weergave van een Aramese uitdrukking, die letterlijk luidt „met onbedekt hoofd" (בראש גלי).[15] Het contrast tussen 'vrijmoedigheid' en 'Mozes die zijn aangezicht bedekt' is zo evident, evenals het verband tussen vs. 12 en 18.
Ἐλευθερία blijft een zeldzaam woord en het is de moeite waard het nog verder na te gaan. In de LXX komt het éénmaal voor als vertaling van een Hebreeuws

10. Zie de fragmenten uit de Cairo Geniza, de Qerobhot van Yannai en manuscripten uit de collectie Taylor-Schechter (Cambridge). Zuurmond, Eredienst 8 (1974), 113v., 121; J. Mann, *The Bible as Read and Preached in the Old Synagogue,* Vol. I, (1940) New York 1971, 530vv.; Ch. Perrot, *La Lecture de la Bible dans la synagogue*, Hildesheim 1973, 67.
11. Mann, o.c., p. 531.
12. In de vierde eeuw draait rabbi Juda ben Simon de zaak om en gebruikt Hos. 8,12 om het tegendeel aan te tonen. De mondelinge traditie is „Torah in de harten geschreven" en niet de christelijke bijbel. Maar dan zijn we veel verder in de geschiedenis en is het NT een gegeven grootheid en de combinatie OT + NT een begrip (Tanchuma, Ki Tissa § 34). Zie Mann, o.c., p. 144f., 532.
13. McNamara (o.c., 182vv., 300) noemt een aantal teksten uit PT Ex. 33-34, die aannemelijk maken, dat 'geest' een vervangende aanduiding kan zijn voor JHWH.
14. H. Parzen, *The Ruaḥ Haḳodesh in Tannaitic Literature,* JQR ns 20, 1929, p. 51-76; P. Schäfer, *Die Termini 'Heiliger Geist' und 'Geist der Prophetie' in den Targumim und das Verhältnis der Targumim zueinander,* VT 20 (1970), 304-314.
15. Van Unnik, *Sp.Coll.* I, 203; idem II, 294-301.

woord, in Lev. 19,20 voor חֻפְשָׁה, dat in het Nederlands terecht wordt vertaald met 'vrijbrief'. Het gaat over iets dat geschreven is als bewijs van bevrijding. De vrijgelaten slaaf heet חָפְשִׁי, in het Grieks: *ἐλεύθερος*. Heel deze terminologie komen wij tegen in 1 Petr. 2,16, dat door Delitzsch met behulp van deze Hebreeuwse woorden wordt terugvertaald. De slaven worden bevrijd tot slaven van de HEER – dat is daar vrijheid.

Wanneer bij Paulus sprake is van *ἐλευθερία*, gaat het niet in de eerste plaats om de bevrijding van slaven, hoewel dat uiteindelijk een accent-verschil blijkt. In Rom. 8,21 is de vrijheid: dat de schepping haar uiteindelijke heerlijkheid bereikt. In 1 Cor. 10,29 gaat het over gewetens-vrijheid. Gal. 2,4 en 5,1.13 is de vrijheid voor de Torah aan de orde. Uit het voorgaande is reeds duidelijk, dat wij onmogelijk zomaar zouden kunnen zeggen: vrijheid *van* de Torah. Het is een geding om het rechte, bevrijdende verstaan van de Torah. De volmaakte Torah is die van de vrijheid, schrijft Jakobus (1,25; 2,12): *νόμος ἐλευθερίας*, door Delitzsch terugvertaald met: תּוֹרַת הַחֵרוּת.

Delitzsch vertaalt ook in 2 Cor. 3,17 *ἐλευθερία* met חֵרוּת. Eigenlijk is dat geen Hebreeuws maar Aramees. (א)חֵירוּתָ is het Aramese woord voor 'vrijheid'. Uiteraard heeft het te maken met bevrijding, het wordt bijvoorbeeld in de Targumim gebruikt in verband met de bevrijding uit Egypte. In de jaren 132-135 speelde het woord een rol als globale aanduiding van het tijdsgewricht op de munten van de vrije joodse staat.[16] Targum Onkelos gebruikt het in Lev. 26,13, een bijzondere tekst, waarin alle motieven bijeen komen: de uittocht uit Egypte, bevrijding uit de slavernij, het verbond dat van kracht blijft (Lev. 26,3-13). In de verschillende oude vertalingen komen ook alle woorden bij elkaar; dit is de enige keer dat de LXX *παρρησία* gebruikt.[17]

Er is met betrekking tot חֵירוּת een aardig te volgen traditie, naar aanleiding van Ex. 32,16. Lees niet חָרוּת (gegrift), maar lees חֵירוּת (vrijheid), want men vindt geen vrij man behalve degene die zich verdiept in de studie van de Torah.[18] De zegsman is rabbi Jozua ben Levi, die geplaatst wordt in Palestina rond 250. Hetzelfde woordspel staat in iets ander verband in de Babylonische Talmud.[19] De oudste bron is een discussie tussen rabbi Juda en rabbi Nehemia (beiden ± 150). De vraag is, of חרות betekent: vrij van ballingschap of vrij van de engel des doods? (ExR 32.1 en 41.7).[20] Beide passages in de grote Midrasj houden verband met de Torah. De eerste betoogt n.a.v. Ex. 23,20 (= Ex. 33,2)[21] en Ps. 82,6, dat wie de geboden houdt eeuwig leven, dat wil zeggen goddelijk bestaan

16. McNamara, o.c., 299; A. S. van der Woude, *TWNT* Bd IX, 514.
17. Lev. 26,13 MT: קוממיות - rechtop gaand
LXX: *μετὰ παρρησίας* - met vrijmoedigheid
TO: בחירותא - in vrijheid
TN/TJI: בקומא זקופא - rechtop
TNgl: בקומא זקופא ובראש גלי - rechtop en met onbedekt hoofd.
18. mAbot 6.2 (H. Danby, *The Mishnah,* Oxford (1933) 1980[13], 459; J. Bonsirven, *Textes Rabbiniques,* Roma 1955, § 43; ook geciteerd bij Str.Bill.II, 522.)
19. bT Erub 54a: rabbi Acha ben Jakob (± 330); geciteerd bij Str.Bill. III, 509.
20. Vertaling van S. M. Lehrman in *The Midrash Rabbah*, Vol.II, London etc. 1977, 404, 476.
21. „Zie, Ik zend mijn engel voor uw aangezicht".

verdient.[22] In de tweede tekst staan de verschillende motieven bijeen. Rabbi Jozua ben Levi wordt omgekeerd geciteerd: wie de studie van de Torah verwaarloost, wordt verworpen, zoals het luidt ... Ex. 32,16. Dan volgt de discussie over de betekenis van 'gegrift = vrijheid' tussen rabbi Juda en rabbi Nehemia.[23] Tenslotte heet het bij monde van rabbi Eleazar ben Jose Hagelili (± 150): de engel des doods heeft greep „op elk volk op aarde, behalve op deze natie aan wie Ik heb gegeven *vrijheid* (חֵירוּת) – dat is de betekenis van *gegrift* (חָרוּת) op de tafelen".

Wellicht weerspiegelt deze traditie van woordspel met חרות, die kennelijk in de tweede eeuw zijn oorsprong heeft en geen anti-christelijke spits lijkt te hebben, iets van de situatie na de opstand van Bar Kochba, toen de vrijheid, na het politieke avontuur, weer geheel in de studie van de Torah gevonden moest worden. Dat is echter louter speculatie. Waar het hier om gaat, is het onmiddellijk verband, dat gelegd wordt tussen wat geschreven is en geestelijke vrijheid. In de joodse traditie is dat verband inderdaad onmiddellijk. Enige bespiegeling over de *bedekking* ontbreekt. Dat is een eigenaardigheid, die alleen bij Paulus gevonden wordt. Overigens ligt in de synagoge als de heerlijkheid van Mozes ter sprake komt, de nadruk op het blijvend karakter daarvan. Door Paulus wordt niet ontkend, dat er maar één uiteindelijke heerlijkheid Gods is, maar voor hem ligt tussen de voorlezing van de Torah en de vrijheid de bedekking, die in de messias verdwijnt. Vrijheid is recht van spreken op grond van het rechte lezen van de Torah, en dat impliceert ook een verkeerde manier van lezen. In Paulus' dagen was dit nog een geding binnen de synagoge, dat pas later in zekere zin geïnstitutionaliseerd is in de tegenstelling kerk en synagoge.

Ook later heeft de kerk de synagoge op dit punt weinig te verwijten. Wanneer de synagoge zich verliest in een tamelijk rigide orthopraxie van gedragsregels en de Torah niet meer wordt dan een reservoir van bewijsplaatsen voor de halacha, bouwt de kerk met de letters van het zogenaamde Nieuwe Testament een even steriele orthodoxie, een gevangenis voor de geest en voor de harten, waarvoor het zogenaamde Oude Testament ligt als een hardstenen stoep. Het NT is evenzeer een systeem van bewijsplaatsen voor de christologie geworden, en het OT leverancier van enige messiaanse voor-spellingen. Overigens is dit gedeeltelijk het beeld (εἰκών), dat kerk en synagoge van elkaar hebben (hadden), tenderend naar een karikatuur. In beide delen van de gemeente waren er telkens opwekkingen, die dit algemene beeld heilzaam corrigeren, die dan soms ook weer om de vrijheid te herwinnen en uit het keurslijf uit te breken de woorden geweld moeten aandoen. Letterknechterij en geestdrijverij houden elkaar in stand.

Het gaat Paulus om het geestelijk verstaan van wat geschreven is, zonder letterknechterij. Dat gebeurt daar waar de sluier van het oude verbond wordt weggenomen, in de messias.

22. Deze tekst lijkt ook goed te passen naast Rom. 8,21: de vrijheid van de heerlijkheid van de kinderen Gods. Vgl. Ps. 82,6, goden // kinderen van de Allerhoogste.

23. Hier blijkt enige onnauwkeurigheid. De tekst verraadt zich als relatief jong in deze samenstelling.

Bevrijdende lezing is messiaanse lezing

De vrijheid, die is de vrijmoedigheid van allen die openlijk de heerlijkheid weerspiegelen, is het werk van de geest van de HEER. De sluier wordt in de messias weggenomen. De boeken van Mozes gaan ópen; de voorlezing van het oude verbond wordt evangelie, een nieuw verbond, nl. ook onzerzijds onherroepelijk, blijvend.
Dit is één en hetzelfde bevrijdende gebeuren; precies hier functioneert de messias en zet de messiaanse interpretatie in. De messiaanse lezing is iets anders dan een geïsoleerde christologie, waar de pneumatologie als noodzakelijke aanvulling opzettelijk naast gezet moet worden. Elke christologie die niet in dezelfde adem pneumatologie is, is op grond van deze perikoop verdachte theologie. Messiaanse interpretatie is evenmin een overtreffende trap van openbaring.[24] Wanneer men al van 'meer' of 'hoger' wil spreken, moet ook aangegeven worden waarin het nieuwe verbond 'meer' en 'hoger' is, nl. daarin dat de bevrijding tot vrijmoedigheid krachtens de Schrift in de messias openbaar *werkzaam* is gebleken. Ook zal men niet via de messias synagoge en kerk tegen elkaar uitspelen, alsof zij vaste grootheden waren.[25] Paulus spreekt nog geheel in de ruimte van de synagoge. Het is niet zo simpel, dàt ieder die zich tot de messias bekeert in de zin van Jezus aanvaarden als de messias, daardoor reeds het geestelijk begrip van de Torah deelachtig wordt.
'Messias' in 2 Cor. 3,14 duidt niet exclusief op Jezus, maar op het inclusieve messiaanse concept, waarvan Mozes de eerste getuige is. Mozes deed de bedekking pas op zijn aangezicht, nadat hij Israël had toegesproken en zij zich tot hem gewend hadden (Ex. 34,31). Tenminste éénmaal heeft hij hen openlijk gezegd al wat de HEER gesproken heeft op de berg: de Tien Woorden en de Naam. Dat is Mozes in zijn messiaanse rol, die concreet wordt in de 'omkeer'. Paulus gaat er van uit, dat de bedekking op de voorlezing van Mozes weggenomen wordt *telkens wanneer hij zich wendt tot de HEER* (2 Cor. 3,16). Dat is een gecompliceerd citaat, dat zowel samengevat Ex. 34,34 bevat als ook Ex. 32,31. *'Επιστρέφειν*[26] (Hebreeuws: שׁוּב) komt niet voor in Ex. 34,34, maar staat in Ex. 34,31 voor de „bekering" van Aäron en de vorsten, en in Ex. 32,31 voor het pleiten van Mozes bij de HEER, terwille van het volk, waarbij hij hun plaats waarneemt. Het woord heeft daardoor de klank van „weer op je plaats gaan staan'. Dat geldt in de eerste plaats van Mozes in zijn messiaanse rol, en daardoor vervolgens voor Aäron en de vorsten. Door Mozes' toewending en voorbede kunnen zij zich omkeren en horen.

24. Dit is o.a. de conclusie van Van Unnik, *Sp.Coll.* I, 210.
25. Vgl. bijvoorbeeld de wijze waarop K. Barth *(KD* I, 2, 572) deze zaak bespreekt.
26. Bij Paulus verder nog: Gal. 4,9 en 1 Thess. 1,4; steeds gebruikt voor de toewending tot God of andere goden. Sommige oudere vertalingen, bijvoorbeeld de Statenvertaling, lezen 'het' als onderwerp; Luther tekent daarbij aan: „(Es) Das Herz". Nieuwere vertalingen vullen een onbepaald 'men' of 'iemand' in (bijvoorbeeld NBG, KBS, GNB); maar dan wordt de samenhang tussen Mozes en ieder, die op die weg verder gaat, verstoord en suggereert men haast een tegenstelling tussen Mozes enerzijds en wie zich bekeert anderzijds, alsof Mozes zijn messiaanse taak niet vervuld zou hebben.

Zo blijft onduidelijk, hoe men 2 Cor. 3,16 nu precies moet vertalen. Gelet op de parallellie in vs. 15 en 16, is telkens Mozes subject van de eerste helft van de zin, en bedekking van de tweede helft.
15 *ἡνίκα ἄν ἀναγινώσκηται Μωϋσῆς, κάλυμμα ... κεῖται* -
16 *ἡνίκα δὲ ἐὰν ἐπιστρέφῃ ..., περιαιρεῖται τὸ κάλυμμα.*
Maar Mozes is present via de voorlezing van de Schrift. Er is in de tekst geen onderscheid tussen de persoon en de boeken. Zo is de hoorder niet uitgesloten, integendeel inbegrepen. Ieder door en aan wie Mozes wordt voorgelezen zal zich toewenden tot de HEER.[27]
Wanneer wij Paulus zo verstaan, blijven wij in een oude traditie aangaande Ex. 32-34. Zie TJI Ex. 33,7:[28] „en ieder die zich omkeerde in berouw met een volkomen hart voor JHWH ging uit naar de tent, het huis van het onderricht buiten de legerplaats, belijdende zijn schuld en biddende voor zijn schuld, en biddende werd hij vergeven." 'Bekering' is dus, vanuit de Schrift gezien en in de traditie waarin Paulus spreekt, iets anders dan 'Jezus voor de messias houden'. Het is toewending tot de HEER en de gang naar het Leerhuis.
Dit is de messiaanse ommekeer, niet primair *tot* maar *van* de messias. Deze omkeer is gedaan door Mozes, toen hij zich tot de HEER wendde om voor het volk vergeving te vragen, te pleiten op de Naam en zichzelf als plaatsvervanger aan te bieden (Ex. 32,31). Zodoende leerde Mozes de woorden en de Naam nieuw te spellen. Dezelfde omkeer is exemplarisch gedaan door Jezus, toen hij zich tot de HEER wendde en gehoor vond en zodoende woorden van vergeving over allen leerde spreken. Deze omkeer vindt plaats waar de woorden gaan leven en de mensen tot leven wekken. De letter doodt (niet de mensen maar) de woorden van de Torah, de geest maakt levend om levende woorden te leren spreken.
Dat dit legitieme interpretatie van 2 Cor. 3,15v. is en daarmee van *ἐν χριστῷ* (vs. 14), wordt bevestigd door de twee schriftwoorden, die tenslotte nog volgen. In 2 Cor. 4,6 klinkt een samengesteld citaat: Torah, profeet en psalm in één adem. God die spreekt, nl. (het eerste woord, Gen. 1,3) van *licht*. Dat licht verlicht en schijnt over hen,[29] die in duisternis zaten (Jes. 9,1) en wier harten dus toegedekt waren; dat licht schijnt voor de oprechten (Ps. 112,4), d.w.z. voor diegenen, die recht van spreken hebben, hun Heer recht in de ogen kunnen zien, geen slinkse wegen gaan om dingen te verbergen, kortom rechtop (Lev. 26,13) door het leven gaan (ישׁר). In Ps. 112,4 blijkt *licht* bovendien synoniem met de NAAM: 'genadig, barmhartig, rechtvaardig'; vgl. Ex. 34,6! Dus het licht (= de Naam), dat straalt van het gelaat van de messias, laat het komen tot openlijke weerspiegeling van het beeld Gods. Weer blijkt Paulus zich in zijn woordgebruik aan te sluiten bij de traditie van de Palestijnse Targum. *Εἰκὼν* (2 Cor. 3,18; 4,4) komt voor in TJI Ex. 34,29.30.35 als

27. Vgl. W. G. Overbosch, *Aan de hand van Mozes*[2], Mededelingen van de Prof. Dr. G. van der Leeuw-Stichting, Afl. 46, 7-10.
28. Zie *Targum du Pentateuque,* t.II, SC 256, Paris 1979, 263; vgl. R. le Déaut, *Traditions targumiques dans lè Corpus Paulinien?,* Bib 42 (1961), 43-47; McNamara, o.c., 180f. noemt deze passage 'pre-Christian'.
29. Vgl. Num. 6,25 en Deut. 33,1-5!

vertaling van קָרַן (huid).[30] 2 Cor. 4,4-6 van achter naar voren parafraserend: in het aangezicht van de messias (= Mozes, Jezus en ieder, die de Torah ter harte neemt) komt het tot verlichting van de harten, komt het tot uitstralen van die verlichting van het evangelie, nl. van de heerlijkheid van de messias die is het beeld Gods. Messiaanse mensen als Mozes en Jezus tonen op hun gelaat Gods beeld. Dat vertrouwen, die verwachting, die dienst, die schat ... geldt alle lezers.

Zo luidt Paulus' conclusie, als hij het leerhuis is binnengegaan en zijn lezers heeft meegenomen in de uitleg. Wij hebben deze zelfde geest van het geloof, die spreekt zoals geschreven staat (2 Cor. 4,13 = Ps. 116,10). Zo zullen wij spreken, woorden uit het hart van de zaak zelf, geestelijk volgens hetgeen geschreven is. Zo heeft God de gelovige lezers gezalfd, mee opgenomen in het messiaanse concept, hen gestempeld en aan hen de geest als onderpand gegeven (2 Cor. 1,21v.; 5,5).[31] De geest is onderpand van de Torah (en die staat voor heel TeNaCH), die het uiteindelijk erfdeel en bezit is (Deut. 33,4; vgl. Ef. 1,13v.).

De vrijheid is daar, waar TeNaCH zo wordt voorgelezen, dat de messias oplicht op het gelaat van de lezer.

30. איקונין, cf. McNamara, o.c., 172f.; *TgPent.* II, 275.

31. Dit zijn de beide plaatsen in de wijdere context van de perikoop, waar 'geest' voorkomt, tezamen met 'geven'. Dat houdt verband met 'hebben' want wie iets heeft moet het eerst gekregen hebben. Met *ἀρραβῶν* (onderpand) komen nog andere verbindingen met lezingen uit Ex. in het vizier, in combinatie met teksten, die al eerder aan de orde waren. Het Aramese woord voor 'onderpand' is מַשְׁכֵּן, dat rijmt op מִשְׁכָּן (tent, tabernakel). De enige keer, dat Paulus *σκῆνος* gebruikt *(σκηνή* nooit), is 2 Cor. 5,1.4. Zie ExRab 31. 10 (n.a.v. Ex. 22,24, over het lenen van geld; Lehrman, p. 389): God zal Israël nooit verwerpen, onder verwijzing naar Jer. 31,37; want de tempel is het onderpand, zie Lev. 26,11. Lees niet: מִשְׁכָּנִי maar מַשְׁכֵּנִי. En hoor Bileam's woord: „Hoe goed zijn (...) uw woningen (מִשְׁכְּנֹתֶיךָ), o Israël" (Num. 24,5). Verderop in ExR (35.4; n.a.v. Ex. 26,15; Lehrman, 432) keert deze zaak terug: Lees voor לַמִּשְׁכָּן: לְמַשְׁכֵּל, want rabbi Hosjaja (Palestijns, derde eeuw) zei: „het heiligdom staat er als onderpand". Maar als noch tabernakel, noch tempel er meer zijn? Dan zijn de rechtvaardigen het onderpand. (Ook geciteerd bij Str.Bill.II, 279.)

VRIJHEIDSDRANG OF BEHOUDZUCHT?
De kloosterhervorming bij vlaamse cisterciënserinnen in de vijftiende eeuw (± 1460-1510)*

Maaike van Rossem

„Rien n'est stable sur la terre. Pendant que la mort moissonne les existences, le temps opère son oeuvre d'effrayante dissolution sur les monuments, les institutions, sur les villes, les royaumes et les états. Dans l'ordre moral, la loi du péché tend toujours à reprendre son empire sur les âmes que Christ a élevées à la sainte liberté des enfants du Dieu. Les cloîtres eux-mêmes ne sont pas à l'abri de la loi commune. Grâce à l'humaine fragilité, l'ascétisme y perd peu à peu de sa vigueur, l'élan généreux des âmes s'affaiblit, l'austérité des premiers temps se mitige, et un jour l'Eglise désolée se demande: Comment le sel de la terre s'est-il affadi?" [1]

Met deze woorden begint Abbé Hautcoeur zijn in 1874 gepubliceerde studie over de abdij van Flines, een vermaard vrouwenklooster van de orde van Cîteaux in het noordwestelijk deel van Frankrijk. Daarmee is de toon gegeven waarin de rest van zijn boek geschreven is. Hautcoeur was niet alleen een toegewijd wetenschapper, maar ook een getrouw dienaar van de kerk. Als rector was hij nauw betrokken bij het geestelijk welzijn van de zusters van Flines. Hoewel uitvoerig gedocumenteerd, is zijn verhaal dan ook niet zonder meer een waarheidsgetrouw verslag van de feiten; men zou het eerder een heilsgeschiedenis van de monialen van Flines kunnen noemen, en daarin staat voorop dat de betrokken personen allereerst op hun morele en religieuze mérites beoordeeld worden.[2]
De moderne lezer zal bij bovenstaand citaat een flauwe glimlach misschien niet kunnen onderdrukken. Een dergelijk godsdienstig pathos komt ons vreemd voor en men zal het niet vaak bij een hedendaags historicus aantreffen. Toch ontkomt deze er evenmin aan om termen te gebruiken die uitdrukking geven aan zijn oordeel en die zijn historisch relaas kunnen kleuren. Dit geldt temeer waar het onderwerpen betreft die de belangstelling danken aan de maatschappelijke actualiteit, in dit geval 'vrouwengeschiedenis'. De huidige aandacht voor de plaats van de vrouw in onze samenleving bevordert tegelijkertijd een interesse in haar geschiedenis. Dat draagt er toe bij dat een studie over vlaamse cisterciënserinnen nu op een breder en andersoortig publiek kan rekenen dan destijds in de dagen van Hautcoeur.
Daarmee raken we de kern van de problemen bij dit soort onderzoek. We onderzoeken een periode in de geschiedenis die in bijna alles van de onze verschilt, maar onze onderwerpskeuze is mede ingegeven door hedendaagse opvattingen en interesses. Het is de vraag of onze glimlach over Hautcoeur niet wat voorbarig is. Zolang wij zelf geen vraagtekens zetten bij het begrippenap-

* *Nota bene:* dit artikel wil niet meer dan een voorbereidende studie zijn. Volledigheid, ook in bibliografisch opzicht, hoop ik in een later stadium van onderzoek te bereiken.
1. E. Hautcoeur, *Histoire de l'abbaye de Flines*, Parijs etc. 1874, 1.
2. Ibid., Préface, X-XI.

paraat waarmee wij het verleden benaderen, lopen wij niet minder het gevaar om van onze geschiedenis van een moraal een moralistische geschiedenis te maken. In concreto, bij een studie over leven en denken van cisterciënserinnen in de vijftiende eeuw, moeten wij ten eerste de vraag stellen in hoeverre termen als vrijheid, emancipatie en zelfbewustzijn – waarachtig geen tijdloze begrippen – ons onderzoek beïnvloeden, ten tweede of dat onvermijdelijk of misschien zelfs wenselijk is, en tenslotte hoe het mogelijk is desondanks een zo betrouwbaar mogelijk beeld van deze vrouwen te geven.
Met het volgende onderzoek wil ik een eerste aanzet geven deze vragen te beantwoorden. Een geschiedenis van twee naburige cisterciënserinnenkloosters, beide van hoog aanzien, op het eind van de vijftiende, begin zestiende eeuw. Centraal staat de houding van de kloosterzusters tegenover de hervormingsmaatregelen, hun door hun manlijke superieuren opgelegd. Vooral het voorschrift van de strikte clausuur vormde voor velen een struikelblok. De reacties waren verdeeld. De zusters van Flines ondersteunden vol vuur het nieuwe beleid van kloosterhervorming, maar in het andere klooster, Marquette bleef men zich verbeten verzetten. Althans, zo schijnt het. Maar waren de monialen van Flines wel zo volgzaam en die van Marquette wel zo dwars? In dit artikel wil ik, na een korte inleiding over de stichtingsgeschiedenis van Flines en Marquette, proberen tot een analyse te komen aan de hand van de mij beschikbare bronnen.

Een blik in Van der Meer's *Atlas de l'ordre cistercien* levert een opmerkelijk beeld op van de cisterciënser abdijen in de Nederlanden. Waren rond 1400 in Frankrijk de mannenkloosters in de meerderheid, meer naar het noorden overheersten de vrouwenkloosters. Met name in de Zuidelijke Nederlanden zien wij tientallen abdijen van cisterciënserinnen, vaak op nog geen 10 kilometer van elkaar.[3]
Dit is des te merkwaardiger, omdat de cisterciënsers langdurig geweigerd hebben om vrouwen in de orde op te nemen.[4] wel waren er reeds vanaf de twaalfde eeuw vrouwen, meest uit de hoge adel, die de strenge levenswijze van de cisterciënsers navolgden, maar dit gebeurde vooral op eigen initiatief. Er zijn geen aanwijzingen dat dit van officiële zijde werd aangemoedigd of ondersteund, en in de statuten van de twaalfde eeuw komen deze vrouwen zelfs niet eens voor. Deze afwerende houding had verscheidene redenen. Een daarvan was dat de toelating van vrouwen de *cura monialium*, de zorg voor de nonnen, met zich meebracht, zoals het afnemen van de biecht en het leiden van kerkelijke bijeenkomsten. Dit zou de monniken verplichten regelmatig in de

3. F. van der Meer, *Atlas de l'ordre cistercien*, Amsterdam-Brussel 1965, II-III.
4. Vgl. voor het onderstaande o.m.: S. Thompson, „The problem of the cistercien nuns in the twelfth and early thirteenth centuries", *Medieval Women*, ed. D. Baker (Studies in Church History, Subsidia 1), Oxford 1978, 227-252; R. W. Southern, *Western society and the Church in the Middle Ages*, Harmondsworth 1970, 314-318; E. G Krenig, „Mittelalterliche Frauenkloster nach den Konstitutionen von Cîteaux", *Analecta Sacri Ordinis Cisterciensis* X (1954), 1-105, spec. 1-15; L. F. Lekai, *The Cistercians, Ideals and Reality*, Kent State University Press 1977, 347-360.

nabijheid van vrouwen te verkeren, hetgeen in hun ogen een ernstige bedreiging voor hun kuisheid en hun streven naar monastieke perfectie betekende. De eerste helft van de dertiende eeuw geeft een geleidelijke verschuiving te zien in de richting van aanvaarding van vrouwen in de orde. Van harte ging dat zeker niet, en men krijgt de indruk dat de orde vaak gezwicht is voor het overwicht van politieke machten en pauselijke bevelen. Vooral sinds de orde der premonstratenzers in 1198 de poorten voor vrouwen gesloten had, vormden de kloosters der cisterciënserinnen voor weduwen en dochters van de adel in veel gevallen een fatsoenlijk onderkomen.
Vanuit de orde reageerde men slechts met tegenzin op deze toegenomen druk. Daar had men behalve disciplinaire ook zeer praktische gronden voor. Gemeenschappen die nu aanspraak maakten op de privileges van Cîteaux, hadden zich tot nu toe aan de periferie bewogen. Zij betekenden voor de bestuurders slechts een randverschijnsel, waar men geen verantwoording voor wilde dragen. Noodgedwongen hadden zij vaak hun eigen traditie gevormd buiten het directe toezicht van Cîteaux of een van de andere moederkloosters. Daar het hier bovendien om niet te verwaarlozen aantallen ging, moeten zij voor hen een element geweest zijn dat moeilijk in te passen was in de strenge discipline der cisterciënsers.
Men deed een poging het dilemma op te lossen door de incorporatie van vrouwenkloosters te verbinden aan de strikte clausuur. Maar voor zover al toegepast, had deze maatregel voor de monniken in de praktijk het effect, dat hun werk en hun verantwoording zwaarder werd. De nonnen, door de clausuur in hun vrijheid van handelen beperkt, moesten de verdediging van hun rechten nu volledig overlaten aan hun manlijke ordegenoten, en dit vormde voor de aangewezen kloosters vaak een onevenredig grote belasting.
Al met al waren deze complicaties voor het Generaal Kapittel, het gezaghebbend orgaan van de orde, voldoende aanleiding om te trachten het aantal vrouwenkloosters binnen de orde tot een minimum te beperken. Hun verordeningen hadden evenwel nauwelijks effect. Pas na 1251, dankzij een definitieve uitspraak van de paus, is men enigszins in staat de toeloop van vrouwen tegen te houden. Maar dan is de ergste druk al geweken. De volgende generaties zouden zich wenden tot de nieuwe orden die in en rond de steden ontstonden. De cisterciënsers zelf konden zich nu bezig houden met het handhaven en bijschaven van de bestaande regels.

In de dertiende eeuw zijn vooral in de Zuidelijke Nederlanden veel vrouwenkloosters in de orde opgenomen, waaronder ook de abdijen van Flines en Marquette.[5] Hun geschiedenis vertoont nogal wat verwante trekken, omdat zij

5. Voor de geschiedenis van de abdij L'Honneur Notre Dame de Flines, vgl. J. Blanpain, „Flines", *Dictionnaire d'histoire et de géographie ecclésiastiques* (DHGE) 17, Parijs 1971, 492-496; Hautcoeur, o.c.. Niet beschikbaar was: Th. Leuridan, „L'abbaye de Flines de 1233 à 1909", *Questions ecclésiastiques* 3 (1909), 151v.v.. Bronnen over Flines zijn te vinden in: E. Hautcoeur, *Carticulaire de l'abbaye de Flines*, 2 dl. Lille 1873; id., „Documents sur la réforme introduite à l'abbaye de Flines, en 1506", *Analectes pour servir à l'histoire ecclésiastique de la Belgique (AHEB)* 9 (1872), 210-261; id., „Nouveaux documents sur la réforme introduite à

beide eeuwenlang door dezelfde vorstenfamilies beschermd werden. Volgens traditie gaat hun ontstaan terug op de stichting door respectievelijk de oudste en de jongste dochter van Boudewijn van Constantinopel, graaf van Henegouwen.
De eerstgenoemde, Johanna van Constantinopel, zou Marquette gesticht hebben, maar volgens de oorkonden van dit klooster is er niet zozeer sprake van stichting als wel van heroprichting.[6] Deze noemen haar samen met haar echtgenoot Ferdinand van Portugal in de eerste instantie degene die de reorganisatie van het klooster ter hand heeft genomen. Volgens Vanhaeck die de bronnen heeft uitgegeven, moeten er zelfs enige tijd vóór 1200 kloosterzusters bij de rivier de Marcq geleefd hebben. Zij hielden zich bezig met de ontginning van het moerasachtige gebied bij de monding van de rivier in de Deûle, maar woonden minder afgelegen, namelijk bij de brug over de Marcq vlak vóór de stad Lille. Door het lage peil van de rivier hadden zij 's zomers vaak een nijpend watertekort en daarom hadden zij het plan opgevat om het water van de Deûle „in de Marcq te doen stromen". Deze ambitieuze onderneming zou voor Johanna aanleiding geweest zijn om het wat al te onafhankelijke klooster onder haar hoede te nemen. Na de dood van de abdis in 1226 stuurde zij Ode de Marbaix, profes uit een cisterciënserinnenklooster in Brabant, naar Marquette om de leiding van het klooster over te nemen. Kort daarvoor was het klooster al als dochterstichting door Clairvaux erkend en in de orde van Cîteaux opgenomen, hetgeen het verschillende privileges verleende. Men besloot de nonnen nu hun definitieve huisvesting te geven bij de uitmonding van de Marcq in de Deûle. Dit zou zowel hun watervoorziening als hun rust ten goede moeten komen.[7]
Ook voor het klooster Flines duurde het enige tijd voor een geschikte plek gevonden was. In tegenstelling tot Marquette heeft de ontstaansgeschiedenis van deze abdij een wat ordelijker verloop gekend. Zij begint met de donaties van Margaretha van Constantinopel, jongste dochter van graaf Boudewijn, en de bouw van de kloosterlijke onderkomens dicht bij Orchies, gevolgd door de erkenning van Clairvaux en de toekenning van de privileges van Cîteaux. Onder andere door conflicten met de plaatselijke geestelijkheid zag men zich later echter genoodzaakt om het klooster te verplaatsen en in 1254 treffen we de abdij op een afgelegen plek bij Flines aan, ten noorden van Douai.[8]

l'abbaye de Flines en 1506", *AHEB* 10 (1873), 443-447.
Voor de geschiedenis van de abdij Notre Dame du Repos de Marquette: *Gallia Christiana*, ed. P. Piolin, Parijs 1870-77, dl. 3, 313-316; M. Gousselaire *Histoire de l'abbaye de Notre Dame du Repos, à Marquette,* 1695, Bibl. Municipal Lille ms. 490; G. Lepointe, „Reflexions sur des textes concernant la propriété individuelle de religieuses cisterciennes dans la région lilloise", *Revue d'histoire ecclésiastique* 49 (1954), 743-769 (over Flines en Marquette). Bronnen te vinden in: M. Vanhaeck, „Carticulaire de l'abbaye de Marquette", 3 dl., *Recueil de la société d'études de la province de Cambrai* 46 (1937), 47 (1938), 50 (1940).
6. Vanhaeck, o.c. dl.1,7-10.
7. Ibid., Introduction, VI-VII.
8. Hautcoeur, *Histoire,* 15-38.

Op enige afstand van de bewoonde wereld lagen beide kloosters toch nog in de nabijheid van de steden waar Johanna en Margaretha hun residentie hadden. Zij konden zich er op gewenste ogenblikken terugtrekken en hun laatste dagen doorbrengen.[9] Ook vrouwelijke familieleden zouden hier terecht kunnen, en meermalen zien we deze dan ook voorname posten in het klooster bekleden.[10] Deze overwegingen van praktische aard waren onlosmakelijk verbonden met religieuze motieven. De materiële en juridische steun die de gravinnen aan hun stichtingen verleenden vormde voor hen ook een investering in eigen toekomst. Dag en nacht werd er in de kloosters gebeden, niet het minst voor henzelf, hun voorouders en hun nakomelingen.[11] De belangen lagen natuurlijk wederzijds. Zo kregen de nonnen voor een zielmis een beloning in de vorm van eten of wijn.[12] Maar er was ook sprake van een overeenkomst op langere termijn. Daarbij verplichtten de heersers van Vlaanderen zich telkens weer opnieuw de rechten van het klooster te eerbiedigen en zonodig te verdedigen. Van de bewoners van de abdij op hun beurt verwachtten zij dat zij hun gebeden ononderbroken zouden voortzetten.[13]
Ook aan pauselijke bescherming, in de vorm van privileges, ontbrak het de kloosters niet. Meest lagen deze in het verlengde van de rechten van de orde van Cîteaux en dienden zij de abdij te beschermen tegen de aanspraken van de locale clerus.[14] Veelal volgens standaardmodel geschreven vertonen deze pauselijke brieven aan beide kloosters nogal wat overeenkomsten. In grote lijnen kenden zij de kloosters dezelfde rechten en plichten toe. Eén ogenschijnlijk klein verschil verdient hier echter onze aandacht. Als deelgenoten van de privileges van Cîteaux waren de cisterciënserinnen natuurlijk ook gebonden aan de Regel, met inbegrip van de strikte clausuur. Dienovereenkomstig bepalen de pauselijke oorkonden dat niemand zonder toestemming

9. Margaretha had haar residentie in Orchies, Johanna in Lille. Beiden hadden voor zichzelf een woning laten bouwen binnen de omheining van het klooster en hadden zich hier ook laten begraven, vgl. Hautcoeur, o.c., 30,60; Vanhaeck, o.c., dl. 1,54, 63, 81.
10. Vgl. Vanhaeck, o.c., X; Hautcoeur, o.c., 20, 379-381 (verwanten).
Ibid. 55; id. *Carticulaire* dl. 1, 124, 382, 490, dl. 2, 941 (dochters resp. kleindochters van Margaretha als abdis van Flines).
11. Vgl. de vele donaties en stichtings- en beschermingsacten van beiden in Hautcoeur, *Carticulaire*, dl. 1, passim, en in Vanhaeck, o.c., dl. 1, passim.
12. Vgl. de vele donaties, o.a. Hautcoeur, o.c., dl. 1, 124-129 en 194-206 (testament van Margaretha). Later nam dit gebruik van een 'pitance' (een materiële beloning, bijv. geld, eten of wijn, voor het klooster voor een zielmis) dusdanige proporties aan dat er ook op de vastendagen vaak nog maar weinig te vasten viel. Voor het Generaal Kapittel een reden om te trachten om het gebruik af te schaffen, waarbij men trouwens wel een uitzondering maakte voor de stichters van een klooster. Vanaf 1400 schijnt het gebruik af te nemen (vgl. Hautcoeur, *Histoire* 100-102).
13. Vgl. bijv. Vanhaeck, o.c., 208-209; Hautcoeur, *Carticulaire*, dl. 1, 262-263, waarin de opvolgers van Johanna en Margaretha hun donaties aan het klooster bevestigen. Vgl. ook Hautcoeur, *Histoire*, 94 en *Carticulaire* dl. 2, 504, waaruit blijkt dat ook de koningen van Frankrijk, verwanten van de stichters, zich verplicht voelen het klooster te beschermen, in de eerste plaats om de voortgang van het *officium* te garanderen.
14. Vgl. Vanhaeck, o.c., dl. 1, 24-28, 96-102, 121-123, 125-126, 161-162, 175, 181; Hautcoeur, *Histoire*, 20-25, *Carticulaire* dl.1, 15, 19-22, 34, 40-43, 50-54, 58-59, 163-164, 168, 173-174 etc.

van de abdis het klooster mag verlaten.[15] Dat zegt nog niets over de praktijk. Maar de nonnen van Flines worden nog in een bevelschrift van de paus aan een naburig cisterciënserklooster bij wijze van aanbeveling 'ingesloten' genoemd; in de acten van Marquette komen we de term niet tegen.[16] Dat laatste kan natuurlijk op zuiver toeval berusten, tegelijk suggereren de acten uit dezelfde periode dat de monialen nog regelmatig het kloosterslot verlaten om hun akkerland 'eigenhandig' te bewerken.[17] Ging het hier mogelijk om een voortzetting van een oude traditie van Marquette vóór haar incorporatie? We weten het niet. Wel blijkt hieruit dat deze monialen al vrij vroeg een veel mildere vorm van clausuur hanteerden dan officieel vereist was. Dit kan een rol gespeeld hebben in de strijd van Marquette tegen de invoering van de clausuur.

Een geliefde uitdrukking in de geschiedschrijving over religieuzen in de late middeleeuwen is die van 'verval en hervorming'. Deze woordcombinatie veronderstelt een zuiverheid van leer en leven in het vroegste begin, waarvan men gestaag is afgedaald, tot men geschrokken door het resultaat, tot het oorspronkelijke ideaal tracht terug te keren. Zou men deze formulering ook kunnen toepassen op de geschiedenis van nederlandse cisterciënserinnen? Waarschijnlijk niet. Ten eerste waren er vaak al van meet af aan grote verschillen tussen de Regel van Cîteaux en de locale praktijken van een klooster. Ten tweede ging het juist in de Nederlanden vaak om gemeenschappen die zeker niet slecht functioneerden.[18] Wanneer men deze uitsluitend op hun cistersiënsisiche praktijk zou beoordelen, loopt men het gevaar het een ten koste van het ander te overschatten. Misschien dat de geschiedenis van Marquette en Flines tijdens hun hervorming dit kan verduidelijken.

Allereerst Marquette. Daar stond in 1462 een delegatie van cistersiëncers voor de poorten om de monialen de hervorming aan te zeggen. Overeenkomstig andere kloosterhervormingen was hun visitatie gericht op het herstel van de oude discipline. Voor de vrouwelijke tak van de orde betekende die niet alleen het afschaffen van particulier bezit en een sobere levenswijze, maar vooral een zeer strenge toepassing van de scheiding tussen klooster en wereld, tot uitdrukking gebracht in de regel van de strikte clausuur.[19] Het was vooral op dit punt dat men tegenstand kon verwachten, en de delegatie was dan ook wel voorbereid. Wij pogen de gebeurtenissen te reconstrueren.
Nadat in de eerste helft van de vijftiende eeuw de cisterciënsische kloosterhervorming was begonnen bij een aantal vrouwenkloosters in het graafschap

15. Hautcoeur, *Carticulaire* dl. 1, 20; Vanhaeck dl. 1, 24.
16. Hautcoeur, o.c., dl. 1, 172.
17. Vanhaeck, o.c., dl. 1, 24, 191.
18. Vgl. bijv. R. R. Post, *Kerkelijke verhoudingen in Nederland vóór de Reformatie,* Utrecht-Antwerpen 1954, 275-306.
19. Vgl. voor het onderstaande o.m. U. Berlière, ,,Benedictiner- und Cistercienser-Reformen in Belgien vor dem Trienter Konzil", *Studien und Mittheilungen aus dem Benedictiner- und dem Cistercienser-orden* 8 (1878), 317-327, 532-540; E. Brouette, 'Eustache', *DHGE* 16, Parijs 1967, 10-11.

Namen, had de beweging zich meer naar het westen uitgebreid. Uiteindelijk zouden alle abdijen van cisterciënserinnen in deze contreien, tot de oude gestrengheid teruggebracht moeten worden. Dat was tenminste de opzet van de abt van Clairvaux, als *'pater immediatus'* verantwoordelijk voor de handhaving van de kloostertucht in alle dochterstichtingen van Clairvaux. De noodzakelijke steun voor dit plan vond hij bij de abt van Cîteaux, zijn superieur, en Philips, hertog van Bourgondië, de toenmalige heerser over Vlaanderen. Een delegatie van speciaal daartoe aangestelde visitatoren moest de opdracht volvoeren. Zij stond onder leiding van Jean Eustache, in deze de gevolmachtigde van de abt van Clairvaux. Een succesvol kloosterhervormer, die zijn sporen reeds verdiend had als abt van het voormalige vrouwenklooster Jardinet bij Namen, en die goede connecties had met de hertog. Deze had hem dan ook machtigingsbrieven meegegeven voor de hervorming van Marquette. De delegatie werd bovendien nog gesteund door de biechtvader van de monialen, de abt van Loos, tevens vicaris-generaal van de orde in de Nederlanden, en vermoedelijk ook een aantal andere hoogwaardigheidsbekleders zoals de deken van de St. Pierre in Lille, de abt van het klooster Moulins en enkele vertegenwoordigers van de wereldlijke macht.[20]
Dit gezelschap moest in Marquette onderzoeken hoe het met de kloosterdiscipline gesteld was en de nodige maatregelen tot herstel treffen. Hoe de visitatie zelf precies verlopen is, weten we helaas niet, omdat de *Charta visitationis*, het rapport dat men gewoonlijk bij deze gelegenheid achterliet, verloren is gegaan. Maar volgens een latere kroniekschrijver van Loos, Delfosse, abt van Loos (1704-1724), die mogelijk de oorspronkelijke stukken onder ogen heeft gehad, waren de nonnen van Marquette zo onder de indruk van deze overmacht, dat zij toestemden in de nieuwe reglementen.[21] Deze anecdote, voor de auteur een illustratie van de onbetrouwbaarheid van de monialen, kan een grond van waarheid bevatten. Immers, later zouden de nonnen zich niet tegen de inhoud, maar tegen de uitvoering van het reglement keren. Bovendien ging er een zeer reële dreiging van de visitatoren uit. Een aantal kloosters van cisterciënserinnen was bij een dergelijk bezoek ontruimd en aan hervormingsgezinde monniken gegeven. Zo ook trouwens het klooster Jardinet, dat Jean Eustache nu als abt bestuurde. De bewoonsters werden daarbij naar andere kloosters overgeplaatst en bij hardnekkig verzet zelfs met de kloosterkerker bedreigd.[22] Hoe het zij, de toestemming van de nonnen was geen instemming en kort na de visitatie dienden de abdis van Marquette, Jeanne de Quienville, en haar monialen een klacht in bij de koninklijke rechtbank, het Parlement van Parijs.[23] Gousselaire, een tijdgenoot van Delfosse, vermeldt in zijn *Histoire de*

20. Vgl. Gousselaire, o.c., 137-140; I. Delfosse, *Description de Los et de quelques uns de ses abbez* (voltooid ± 1720), Bibl. Municipale Lille, ms. 151, dl. 3, 385.
21. Delfosse, o.c., 385.
22. E. Hautcoeur, „Documents concernant la substitution de religieux aux religieuses à l'abbaye de Moulins (Namur)", AHEB 8 (1971), 5-18. Vgl. ook Canivez, o.c., 325, 345, 355; Hautcoeur, *Histoire*, 153-156. Ook Flines zou later tijdens de kloosterhervorming met ontruiming bedreigd worden (z.o.).
23. Vanhaeck, o.c., dl. 3, 950-951.

Marquette een kopie van deze brief gelezen te hebben.[24] De nonnen zouden daarin protesteren tegen de uitvoering van de maatregelen van Jean Eustache. Zij beklaagden zich erover dat de heren visitatoren 'noviteiten' wilden invoeren, die volstrekt in strijd waren met hun oude gewoonten en de voorwaarden onder welke zij ingetreden waren. Het betreft hier vooral de invoering van de clausuur. Die zou voor hen betekenen dat zij zich niet meer vrijelijk „binnen de omheining van het eigen huis" – bedoeld wordt waarschijnlijk de buitenste kloostermuur – zouden kunnen bewegen, zoals zij dat altijd gewend waren. Bovendien, zeggen zij, reden om hun de clausuur op te leggen was er niet, daar er geen misstanden heersten, zij leefden regulier en respecteerden slechts de gewoonten van de abdij, zoals die sedert de stichting geweest waren.[25]
Met dit beroep op het Parlement van Parijs gingen de nonnen even effectief als illegaal te werk. Tegen de voorschriften van de orde was het omdat het de leden van de orde ten strengste verboden was kloosterlijke zaken aan de seculiere rechtspraak voor te leggen.[26] Effectief, omdat zij tegen de abt van Clairvaux en Philips van Bourgondië de hoogste politieke macht hadden ingeschakeld, namelijk de franse koning die er alle belang bij had de invloed van zijn hertog in het noorden te weerstreven.
In Parijs werd het beroep ontvankelijk verklaard, en beide partijen werden gesommeerd om voor de Bailli du Roi in Tournai te verschijnen.[27] Het vervolg laat zich slechts raden. Waarschijnlijk heeft de rechtszitting nooit plaatsgehad, omdat Jean Eustache zich als rechtgeaard cistersiëncer niet aan de seculiere rechtspraak zou onderwerpen. Een en ander betekende in ieder geval dat de monialen in Marquette – afgezien van wat wijzigingen op kleine schaal – voorlopig hun traditionele leefwijze konden voortzetten, met behoud van een zekere bewegingsvrijheid en, voor sommigen in ieder geval, in vrije beschikking van hun privé-eigendommen.[28]
Strandde de eerste hervormingspoging van Marquette, de decennia daarna lijken de abten van Loos en Clairvaux de banden met de abdij wat strakker te willen aanhalen. Zo vond er in 1481 een driedaagse visitatie plaats door de abt van Loos in opdracht van de abt van Clairvaux, waarbij Jeanne de Quienville toestemming vroeg om af te treden en de monialen een nieuwe abdis kozen.[29] Tien jaar later visiteerde de abt van Clairvaux het klooster in eigen persoon en liet hierbij een *Charta Visitationis* achter, waarin een aantal nieuwe regels vervat waren.[30] Wat die behelsden, en vooral wat daarvan terecht kwam, is onbekend. Maar ook toen wisten de monialen de clausuur in ieder geval buiten

24. Gousselaire, o.c., 137-140.
25. Ibid. 137; Vanhaeck, o.c., dl. 3, 950-951. Soortgelijke protesten tegen de invoering van de clausuur treffen we ook aan in de noordelijke kloosters van cisterciëncerinnen (Post, o.c., 284-306).
26. Hautcoeur, *Histoire*, 154.
27. Vanhaeck, o.c., dl.3, 950-951, Gousselaire, o.c., 138.
28. Gousselaire, o.c., 138; Vanhaeck, o.c., dl. 3, bijv. 968.
29. Vanhaeck, o.c., 985-989, 991. Vgl. voor de toenemende controle door de abt van Clairvaux, ibid., 969, 978-979, 991.
30. Vanhaeck, o.c., dl. 3, 1011. Vgl. Gousselaire, o.c., 141.

de poorten te houden. In 1508 werd nogmaals geprobeerd de nonnen aan de clausuur te onderwerpen. Maar weer protesteerden zij, ditmaal met een beroep op paus Julius II in Rome. Zijn antwoord verleende hen een kortstondig uitstel. Een aantal hoge geestelijken in Lille zouden de zaak moeten onderzoeken en een uitspraak moeten doen. Ook die uitslag is ons onbekend gebleven.[31] Veel zou het waarschijnlijk niet meer uitgemaakt hebben, want vanaf 1511 was het de abdis zelf die ernst maakt met de kloosterdiscipline, de clausuur misschien inbegrepen. Daarmee was de strijd toch nog niet voorgoed beslecht. Later hebben de nonnen herhaaldelijk geprotesteerd tegen de clausuur, en zelfs Delfosse kan nog verbitterd klagen dat de nonnen in zijn tijd even ver van de clausuur verwijderd waren als in de dagen van Jean Eustache.[32]

Beperken we ons tot de periode van 1460 tot 1510, dan zien we dat het verzet van de monialen zich vooral keerde tegen de invoering van de clausuur. Andere zaken, zoals de gemeenschap van goederen en de uitbanning van wereldse zaken en verfijnde kleding, evenals elders ongetwijfeld ook hier onderdeel van de hervorming, riepen kennelijk minder weerstand op. In hun protest beriepen de nonnen zich vooral op hun traditie die hen rechtvaardigde de strikte clausuur tot nieuwlichterij te bestempelen. Zij lijken die ook meer als straf dan als een element van hun religieuze leven te ervaren. Op zijn plaats misschien in kloosters, waar wantoestanden heersten, maar niet in Marquette, dat aan alle normen voldeed.
Wat dat laatste betreft, men kon hier zeker niet spreken van een verarmde of verwaarloosde gemeenschap die volledig ingeteerd was, zoals elders soms wel het geval was. Zeker de laatste decennia van de vijftiende eeuw getuigen de oorkonden van een zekere rijkdom, en in ieder geval vonden de adel en de hoge burgerij Marquette nog netjes en welvarend genoeg om haar dochters aan toe te vertrouwen. In 1481 zijn er afgezien van kloosterdienaren, conversen, die het grovere werk deden, en novicen meer dan 25 monialen in het klooster.[33] Dat was minder dan in de dagen van Jeanne van Constantinopel, maar voor deze tijd zeker geen slechte bezetting.[34]
Iets anders was of Marquette als religieuze instelling voldeed. De nonnen vonden van wel. Zij wezen met nadruk op hun reguliere levenswijze, waarmee ze waarschijnlijk meer op hun liturgische dan op hun ascetische verplichtingen doelden. De visitatoren hadden daar andere gedachten over. Hun maat was de oude cisterciënsische gestrengheid, zoals zij die aantroffen in de geschreven traditie van Cîteaux. Voor hun vrouwenkloosters, veronderstelden zij, hield dat een terugkeer naar de oude, zeer strenge clausuur in, dezelfde clausuur, die door de nonnen van Marquette als vreemd aan hun traditie verworpen werd. Daarmee zijn we bij de kern van het conflict aangeland. Van beide partijen zou

31. Hautcoeur, *Histoire,* 154, noot 2.32. Delfosse, o.c., 385
32. Delfosse, o.c., 385.
33. Gousselaire, o.c., 135-136 (over de kloosterlijke rijkdommen); Vanhaeck, o.c., dl. 3, 987, noemt 25 monialen, die de abdis mogen kiezen, bij name, gevolgd door een „ (. . .) etc.".
34. Vanhaeck, o.c., dl.2, 372-373: het maximum aantal bewoners van de abdij wordt in 1322 vastgesteld op 60 monialen, *scolares* en novicen, 10 manlijke en 8 vrouwelijke conversen.

men kunnen zeggen dat zij veel waarde hechtten aan de traditie. Alleen, zij gaven daar een andere inhoud aan. Voor 'les dames de Marquette', zoals zij genoemd worden, was de locale traditie normatief. De Regel van Cîteaux was daar een onderdeel van, dat men met souplesse moest hanteren. Uitzonderingen daarop zou men dan ook voldoende kunnen rechtvaardigen met een beroep op het verleden, waarin de sporen van bij voorbeeld de clausuur of de gemeenschap van goederen ver te zoeken waren. Voor de kloosterhervormers van hun kant moet dit gewoonterecht onaanvaardbaar geweest zijn, omdat het de oude onveranderlijke wetten van de orde hun geldigheid ontnam.
Tenslotte moeten er bij dit conflict, dat de clausuur als inzet had, ook materiële belangen een rol gespeeld hebben. Wij kunnen hier voorlopig slechts enkele vermoedens uitspreken. Over het geheel gezien bedreigde de clausuur de relatieve autonomie van Marquette ten aanzien van haar superieuren in Loos en Clairvaux. De nonnen zouden ook economisch meer van hen afhankelijk worden, doordat de clausuur hun het zicht en de greep op hun bezittingen zou ontnemen.[35] Het spreekt vanzelf dat ook dit vooruitzicht de monialen tot verzet tegen de clausuur moest prikkelen.
Was Marquette een steen des aanstoots voor de kloosterhervormers en hun biografen, in Flines verliep de operatie zonder slag of stoot. De procedure was gestart in 1505, ruim vijfendertig jaar na Marquette, met een visitatie door Jean Foucault, abt van Clairvaux, die zelf de stand van zaken kwam opnemen.[36] Een van de dingen die hij toen geconstateerd had, was een zekere verwaarlozing door de nonnen van hun liturgische plichten. Verder moet de situatie vergelijkbaar geweest zijn met die van Marquette. Geen wantoestanden, maar genoeg onregelmatigheden om een officiële hervorming te rechtvaardigen. Zo hield men zich niet aan de clausuur en heerste er geen materiële gelijkheid onder de monialen. Sommigen kregen misschien zelfs vanwege hun aanzienlijke afkomst of persoonlijke welstand een betere behandeling dan anderen. Dit kon ten koste gaan van de zorg voor de oude en zieke leden van de gemeenschap. Bovendien had men bij de toelating van een aantal nonnen vaak meer belang gehecht aan de hoogte van hun lijfrente dan aan het gehalte van hun vroomheid. Ook wereldse smaak was de monialen niet vreemd. Zij kleedden zich in fijne stoffen, omgespt met zilveren gordels. En zij aten vlees, gebakken in plaats van gekookt. In plaats van conversen of oblaten, mensen die alleen de zaak van de religie en het klooster dienden, had men seculier personeel in dienst, getrouwde mannen en vrouwen, die zich voor hun arbeid lieten betalen. Tenslotte, voorzover er dan nog conversen waren, was ook bij hen een sobere levensstijl ver te zoeken.
Een aantal van deze misbruiken had men in het verleden al proberen te bestrijden, maar met even weinig succes als in Marquette. Nu zou men de zaak grondiger aanpakken. Jean Foucault verleende Guillaume van Brussel, biechtvader van de monialen, en de abt Nicole van het klooster Nizelle, dat veel kloosterkapellanen aan Flines leverde, alle noodzakelijke volmachten om het

35. Vgl. de onderstaande hervormingsgeschiedenis van Flines.
36. Vgl. voor het onderstaande: Hautcoeur, *Histoire*, 152-163. Id., „Documents".

klooster te hervormen. Op 15 december 1506 konden zij de nieuwe reglementen aan de nonnen voorlezen. Behalve aan de liturgische getijden, zoals al eerder voorgeschreven door Jean Foucault, moesten de nonnen zich voortaan precies houden aan de strikte clausuur, immers „premier fondement et la chose plus nécessaire de la sainte réformation".[37] Dit op straffe van excommunicatie. Voor de monialen hield dat in dat ze zich nooit buiten het slot van het klooster zouden mogen begeven, voor buitenstaanders, dat niemand zonder dringende noodzaak het kloosterlijk terrein mocht betreden. Ook dan nog was toestemming van de biechtvader vereist.[38]

Om dit eerste gebod voor de monialen kracht bij te zetten drongen de visitatoren er bij de abdis en de andere gezagsdraagsters op aan zo snel mogelijk met de vervaardiging van speciale vensters, tralies en draaideuren te beginnen. Dit was al veel eerder een opdracht van de abt van Clairvaux geweest, maar men had weinig haast gemaakt met de uitvoering. Nu dreigde men echter met afzetting van de oversten en was uitstel niet meer mogelijk.[39] Zo werd er een scheidsmuur opgetrokken tussen het klooster en de buitenwereld. Andere regels ademden dezelfde geest. De wereldlijke bedienden moesten plaats maken voor regulier personeel, en zelfs ten opzichte van priesters, monniken en andere religieuzen schreven de nieuwe regels terughoudendheid voor. Wel moesten zij gastvrij ontvangen worden, maar meer dan eervolle bezoekers waren zij niet. Zij mochten de monialen in geen geval de biecht afnemen, en preken mochten zij slechts met bijzondere toestemming van de biechtvader.[40]

Een tweede fundament van de kloosterhervorming was de instelling van de gemeenschap van goederen, en in verband daarmee, de afschaffing van particulier bezit. Van nu af aan zouden de opbrengsten van de lijfrentes, die de monialen vaak van hun familie kregen, bestemd zijn voor de gemeenschappelijke kas. En ook alles wat zij verder kregen of zelf maakten, was niet voor henzelf, maar voor de gemeenschap bestemd. Bovendien zou men nu ook geen enkele vorm van simonie, of toelating tegen betaling, meer gedogen, en als enige criterium de religieuze motivatie van de vrouwen hanteren.[41]

Verder waren de meeste maatregelen gericht op afschaffing van de eerdergenoemde misbruiken, zoals het eten van gebakken voedsel en het dragen van andere kleding dan de eenvoudige linnen habijten. Opmerkelijk in de nieuwe regels is de positie van de biechtvader, die de abdis welhaast lijkt te overschaduwen. Bij alle belangrijke beslissingen die de abdis in overleg met haar religieuzen nam, moest zij hem raadplegen, anders was haar besluit van nul en gener waarde. De biechtvader was ook een sleutelfiguur op de grens van klooster en wereld. Het was aan hem alleen te beslissen wie er binnen het klooster mocht komen, of het nu om monniken, priesters, religieuzen of zelfs postulanten ging.[42] Hij was het ook die in het laatste geval bepaalde of iemand

37. Hautcoeur, „Documents", 214.
38. Ibid.
39. Ibid., 214-215.
40. Ibid., 215, 218.
41. Ibid., 215.
42. Ibid., passim.

geschikt was voor het kloosterleven. Tenslotte was het ook zijn monopolie conversen of kloosterdienaren aan te nemen of weg te sturen.[43]
Zo zou, in grote lijnen, de nieuwe manier van leven van de monialen van Flines er uit moeten zien. Opdat de ideeën van de visitatoren geen dode letter zouden blijven, verbonden zij zware sancties aan hun bevelen. Welke straffen de kloosteroversten konden bedreigen, hebben we reeds gezien. De monialen stonden soortgelijke straffen te wachten. Van driedaagse kloosterlijke excommunicatie, waarbij zij aan de abdis of de biechtvader hun sluier moesten afstaan, tot en met een onherroepelijke uitstoting uit de gemeenschap. Opmerkelijk is dat deze dreigementen zich vooral richtten tegen monialen die de nieuwe discipline zouden aanvechten door buitenstaanders bij het gebeuren te betrekken of door kloostergenoten tot samenzwering op te zetten.[44]
Maar zover kwam het niet. Men aanvaardde de hervorming van leven, misschien zelfs met graagte. Dat was wellicht te danken aan het uitwisselingsbeleid dat de abt van Clairvaux met de cisterciënserinnen van Wauthier Braine voerde.[45] Deze leefden al langer tijd volgens de nieuwe richtlijnen en misschien hebben zij met hun ervaring ook iets van hun religieus vuur aan de nonnen van Flines overgedragen. Zo was het in ieder geval Jeanne de Boubais vergaan, die in 1507 de leiding over de monialen van Flines kreeg. Haar verkiezing alleen al was een merkwaardig, zo men wil, voorbeeldig staaltje van kloosterlijke volgzaamheid.[46] Toen op 27 november van dat jaar de abdis overleden was, was het zaak zo spoedig mogelijk een nieuwe abdis te kiezen en te installeren. Twee dagen later vond de verkiezing plaats. Men volgde hierbij de officiële methode van de orde, waarbij de biechtvader en een abt de ceremonie moesten leiden. Hiertoe waren Guillaume van Brussel en Nicole van Nizelle door de abt van Clairvaux gemachtigd. De nonnen zelf konden bepalen aan welke kiesmethode zij de voorkeur gaven. De 'Weg van de Heilige Geest', waarbij zij allen gezamenlijk één kandidaat voordroegen, een anonieme stemming, of een kiesopdracht aan een of meerdere personen. Zij kozen voor het laatste en legden de beslissing in handen van Guillaume van Brussel, zijnde de vertegenwoordiger van de abt van Clairvaux. De biechtvader verklaarde hierop Jeanne de Boubais tot de geschikste en waardigste kandidaat voor het ambt. Alle monialen stemden hiermee in.

Op dat moment was Jeanne zelf nog bij de nonnen van Wauthier Braine, die haar de nieuwe levenswijze van de kloosterhervorming leerden. Misschien was zij hier zelfs naar toe gestuurd met het oog op haar toekomstige functie. Eenmaal abdis liet zij zich kennen als een even vurig als verstandig pleitbezorger van de hervormingsgedachte, en het was mede dankzij haar voorbeeld en beleid dat die onder de nonnen van Flines op den duur zou zegevieren.[47]
Het ontbreken van enig openlijk protest en de uitstraling van een Jeanne de

43. Ibid., 219.
44. Ibid., 218-219.
45. Ibid., 221-222.
46. Canivez, o.c., 158-159. Vgl. voor het volgende Hautcoeur, ,,Documents", 227-233.
47. Hautcoeur, *Histoire*, 164-183; id., ,,Documents", 241-261 (correspondentie van Jeanne de Boubais, o.a. met de abdis van Wauthier Braine).

Boubais moet ons echter niet tot al te gemakkelijke conclusies verleiden, als zou de hervorming van Flines helemaal geen hindernissen gekend hebben. We moeten niet vergeten dat de monialen onder zware druk stonden van de abt van Clairvaux. Dat zagen we al in de eerste hervormingsacten, maar ook later tegenover de nieuwe abdis vonden de hervormers het nodig met zwaar geschut te komen en te dreigen de abdij aan 'andere arbeiders', monniken, over te dragen, als men niet op de ingeslagen weg voortging.[48]
Hoe gegrond de zorgen van de hervormers waren, weten we niet precies. De monialen beklemtoonden bij latere gelegenheden hun vrije keuze voor de hervorming. Misschien met iets te veel nadruk. In ieder geval heerste er buiten het klooster enig wantrouwen ten aanzien van het nieuwe beleid, waardoor een voedingsbodem ontstond voor kwade geruchten. Dat had wellicht te maken met de nieuwe beslotenheid van de monialen en hun gewijzigd economisch beheer. Zoals een beschermingsacte uit 1508 van keizer Maximiliaan aangeeft, was de economische kwetsbaarheid van het klooster door de clausuur aanvankelijk groter geworden. De monialen konden nu niet meer zelf hun belangen behartigen, en de monniken aan wie zij dit nu moesten overlaten, mochten dan wel beproefde asceten zijn, in wereldse zaken waren zij minder bedreven, vooral wanneer zij machtige tegenspelers tegenover zich hadden.[49]
Wat ook de aanleiding van de geruchten was, zij vonden gehoor bij Margaretha van Oostenrijk, landvoogdes over de Nederlanden. Boze tongen spraken namelijk van een financieel schandaal, als zouden de nieuwe beheerders, monniken uit Nizelle, kloosterlijke schatten verkocht hebben en het klooster aan de rand van de afgrond gebracht hebben. Dit zou de voortgang van de eredienst, voor Margaretha en haar voorgangers bestaansreden van het klooster, in groot gevaar brengen.[50] Een delegatie van de overheid kreeg de opdracht de zaak te onderzoeken en op 4 december 1509 moest de biechtvader Guillaume de poorten voor deze afgevaardigden openen. Tijdig ingelicht had men in het klooster degelijke voorbereidingen getroffen. De nonnen hadden een protestbrief opgesteld, waarin zij zich unaniem achter het hervormingsbeleid schaarden. Ook over hun nieuwe reguliere beheerders en hun biechtvaders waren zij zeer te spreken. Kloosterlijke goederen waren nooit zonder hun instemming verkocht, en overigens was de welstand van het klooster er de laatste jaren enkel op vooruit gegaan. Desondanks verklaarden de monialen zich bereid opening van zaken te geven, al was het alleen maar om valse insinuaties te ontkrachten. In het hieropvolgende onderzoek werden zij aan een driedaags verhoor onderworpen en werden de beschuldigingen ingetrokken. Wel werd de abdij nog veroordeeld tot betaling van de gemaakte kosten.[51]
Het is nooit bekend geworden van wie de geruchten afkomstig waren. Op grond van de waarschuwingen in de hervormingsacten van 1506 zou men kunnen denken aan een poging van enkele monialen en hun verwanten het

48. Hautcoeur, „Documents", 234. Vgl. ook Id., „Nouveaux documents", 436, waar gezegd wordt dat een meerderheid van de monialen voor de kloosterhervorming had gekozen.
49. Hautcoeur, *Carticulaire* dl. 2, 878.
50. Hautcoeur, „Nouveaux documents", 434-435.
51. Ibid., 435-437.

nieuwe gezag in diskrediet te brengen, maar verder ontbreken alle aanwijzingen. Hoe dan ook, dit zou de enige zwarte bladzijde uit de hervormingsgeschiedenis van Flines zijn. Afgezien van de gebruikelijke conflicten met de omringende bevolking respecteerde men de clausuur en de besloten levenswijze van de monialen.[52] Onder Jeanne's voortvarend bewind ging het klooster economisch en cultureel een bloeiperiode tegemoet. De monialen bleven de voorname dames die zij altijd al geweest waren, maar zij hielden zich aan de clausuur, en leidden, geïnspireerd door het levende voorbeeld van hun abdis, een sober leven, waarbij zij er genoegen mee namen dat hun rijkdommen niet meer rechtstreeks naar henzelf, maar naar hun gemeenschap en haar kerken en kapellen vloeiden.[53]

Het beleid van Jeanne vond zijn voortzetting in Catharine de Lalaing, een vrouw uit de hoge adel, die Jeanne al in haar laatste levensjaar tot abdis had laten wijden. Sindsdien nam de reputatie van aanzien en striktheid van leven van de monialen alleen maar toe.[54] Zodat zij, in de loop van de zeventiende eeuw, terwijl Marquette in een kostbaar proces tegen de clausuur verwikkeld was, model stonden voor de nieuwe striktheid van de orde.[55]

Zo zien we rond 1700 de twee zusterkloosters als tegenpolen van elkaar. De geschiedenis die hier aan vooraf ging moet ons echter niet in verleiding brengen de tegenstellingen te antedateren.[56] Aan het eind van de vijftiende eeuw vertoonden beide kloosters nog meer overeenkomsten dan verschillen. De gedachte aan een straffe cisterciënsische discipline stond nog ver van hen af en beide probeerden zich dan ook zoveel mogelijk aan de nieuwe richtlijnen te onttrekken. Dat brengt ons tot de vraag waarom Flines zich op gegeven moment wel conformeerde en zich zelfs ontwikkelde tot een klooster van de Strikte Observantie avant la lettre, terwijl Marquette haar verzet met meer of minder succes volhield.

Voor Marquette is de vraag al ten dele beantwoord. Rond 1500 had men hier al een geslaagde oppositie achter de rug, waarbij men zich zowel door de traditie als door enkele belangrijke politieke machten gesteund wist. Doordat men de monialen niet had kunnen dwingen tot een strikte levenswijze, waren ook de religieuze grondgedachten van de beweging hun betrekkelijk vreemd gebleven. Zo konden zij de kloosterhervorming slechts zien als een aantasting van hun oude vrijheden en hun autonomie.

Dat lag anders in Flines, waar de monialen zich zolang het kon tot een tactiek van ontduiken en negeren hadden beperkt. Waarschijnlijk hadden zij weinig andere keuze. Zij konden zich immers moeilijk beroepen op hun traditie, want die noemde hen al in een vroeg stadium 'ingesloten', en het is de vraag of de politieke machten er belang bij hadden hen te steunen. Deze vonden het immers essentieel dat hun gunstelingen hun liturgische plichten volbrachten, en dat was juist iets waar de hervorming verbetering in zou brengen.

52. Vgl. voor territoriale conflicten bijv. Hautcoeur, *Carticulaire* dl.2, 882-892.
53. Hautcoeur, *Histoire*, 181-183.
54. Ibid., 182-189, 396.
55. Ibid., 217-219.
56. Vgl. de opm. van Post hierover, o.c., 246.

Bovendien moet ook het latere tijdstip en de methode van hervorming een rol gespeeld hebben. Vele kloosters van cisterciënserinnen hadden zich nu al aan de nieuwe regels onderworpen, vaak ook uit vrije wil, en hadden de nieuwe levenswijze een bron voor religieuze inspiratie gevonden. Met het oog hierop hadden de hervormers van Flines de nonnen in contact gebracht met vrouwelijke ordegenoten die in deze hervorming eveneens een nieuw religieus ideaal zagen. Een en ander moet de receptie van de hervormingsregels zeker vergemakkelijkt hebben. Stelden de monialen zich bij de eerste hervorming misschien weifelend of verdeeld op, later konden zij zeggen die van ganser harte geaccepteerd te hebben. Daarbij namen zij bij de winst aan religieus prestige het verlies aan autonomie en bewegingsvrijheid op de koop toe.

Tot zover enkele aspecten van de kloosterhervorming van Flines en Marquette. Het zal de lezer opgevallen zijn dat een aantal zaken buiten beschouwing gelaten zijn. Wat was bijvoorbeeld de invloed van het toenmalige religieuze klimaat op de ontwikkeling bij de cisterciënserinnen? En hoe reageerden andere kloosters, ook die van monniken, binnen en buiten de orde van Cîteaux, op de hervormingsbeweging? Immers niet alleen voor de cisterciënserinnen werd een terugkeer naar de oude kloostertucht bepleit.
'Witte plekken' te over. Hier heb ik slechts getracht de houding van de monialen in Flines en Marquette een plaats te geven binnen hun eeuwenlange traditie, en hun houding tegenover de clausuur binnen hun eigen ontwikkelingen te verklaren. Daarmee is slechts één laag van hun gecompliceerde geschiedenis aangeboord. In een onderzoek naar andere lagen, meer een dwarsdoorsnede, zullen de voorliggende resultaten vergeleken, beproefd, bevestigd, gevarieerd, en zonodig gecorrigeerd moeten worden.
Eveneens zal de lezer opgemerkt hebben dat een aantal begrippen uit onze vraagstelling in ons onderzoek niet meer terugkeerden. Zij bleken niet bruikbaar, beladen als zij zijn met onze moderne oordelen. Zo kan men de strijd van de nonnen van Marquette voor hun 'oude vrijheden' moeilijk interpreteren in termen van emancipatie, omdat dit een streven naar verandering veronderstelt, iets waar deze vrouwen zich juist tegen te weer stelden. Evenmin is het juist in Flines alleen anti-emancipatorische krachten te signaleren. Want we weten nu dat een aantal vrouwen de nieuwe clausuur als een essentieel element van hun religie beschouwden, en binnen dat systeem de kans zagen hun eigen religieuze cultuur te ontwikkelen.
Een aantal begrippen van onze tijd zijn dus voorlopig vanwege hun moderne lading vermeden. Daarmee is niet gezegd dat wij ons onderzoek begonnen zijn zonder vooringenomenheid. Bijna automatisch brengen wij begrip op voor de vrouwen van Marquette die tegen hun opsluiting streden, terwijl de nonnen van Flines meer onze verwondering wekken. De afstand die ons van hen scheidt is echter in beide gevallen nagenoeg gelijk. Waaruit blijkt, dat enige vooringenomenheid altijd zal blijven bestaan. Alleen, we kunnen de rol die dit speelt in het verloop van het onderzoek, trachten te beperken door begrippen als vrijheid door meer neutrale termen te vervangen. Hier zijn bijvoorbeeld de woorden autonomie en traditie gevallen. We scheppen daardoor wellicht een

kritische distantie ten aanzien van ons eigen parti-pris. Het gevaar van anachronisme, natuurlijk ook bij het gebruik van termen als emancipatie en zelfbewustzijn in sterke mate aanwezig, is daarmee echter niet volledig ondervangen. Wel kunnen we grove anachronismen op het spoor komen door ons begrippenapparaat telkens weer te toetsen aan de bronnen en zonodig bij te stellen. Men kan dan alsnog beslissen of een bepaald anachronisme gerechtvaardigd is, of dat men naar andere termen moet zoeken.

Langs deze omweg is het toch nog mogelijk dit artikel te besluiten met een woord over 'vrijheid' – nu zo veel mogelijk ontdaan van al te grootse en moderne voorstellingen. Iets van streven naar vrijheid is in de geschiedenis van beide kloosters wel te bespeuren. Voor de monialen van Flines was het een vrijheid binnen de vier muren van het klooster. Hierdoor beschermd konden zij zich volledig wijden aan de vernieuwing van hun religieuze cultuur, zoals ook in andere hervormde kloosters gebeurde. In Marquette had men een meer aardse voorstelling van het begrip vrijheid. Men wilde zich vooral vrij kunnen bewegen in de wereld rond het klooster en een zekere autonomie handhaven. Ook hier een streven naar vrijheid, ingebed in behoudzucht, en tegen elke vorm van vernieuwing gekant.

VOOR EEN VRIJE OMGANG MET HET GODDELIJKE
De egyptische contra-reformatie van Giordano Bruno

Leen Spruit

Tussen 1592 en 1600 staat, aanvankelijk in Venetië en later in Rome, de nolaanse filosoof Giordano Bruno (1548-1600) terecht voor een inquisitietribunaal. Wij weten dankzij een samenvatting van het proces, die pas in deze eeuw werd gevonden in de nalatenschap van een kardinaal, met vrij grote zekerheid wat hem precies ten laste werd gelegd.[1] Opvallend is, dat van de definitieve lijst met 34 beschuldigingen er slechts enkele zijn eigenlijke filosofie betroffen.[2] De hoofdmoot van de beschuldigingen was van theologische of disciplinaire aard. Uit de overgeleverde documenten kunnen wij voorts opmaken, hoe het proces in grote lijnen is verlopen: tussen 1592 en 1599 doet Bruno alle mogelijke pogingen om de 'onderhandelingen' open te houden en stelt hij zich over het algemeen soepel op, totdat hij eind '99 ineens halsstarrig weigert wat dan ook maar te herroepen.[3]
Waarom weigert Bruno zijn stellingen te herroepen en welke van de 34 stellingen worden door hem tot aan het einde verdedigd? Om te beginnen bij de laatste vraag. Tegenover de theologische en disciplinaire beschuldigingen is Bruno's gedrag bekend: ontkennen wat ontkend kan worden, onzekere kwesties benadrukken en vergeving vragen voor bewezen schuld. Verder legt Bruno er voortdurend de nadruk op filosoof te zijn en verklaart zich in Venetië zelfs incompetent in theologische kwesties.

Op filosofisch terrein is zijn verdediging een heel andere: hij ontkent noch zwakt af wat hij schreef of zei en weigert ten enenmale 'fouten' toe te geven, dat wil zeggen, hij weigert zich te laten overtuigen van de onverenigbaarheid van zijn filosofische stellingen met Schrift en theologie. De zekere en primaire waarheid, die van de eigen filosofie, was naar zijn mening in overeenstemming te brengen met de geopenbaarde waarheid, ook al zou dit op een frontale botsing met de gevestigde leer uitlopen.
Wij kunnen ons nu afvragen of er niet een zekere tegenspraak is te bespeuren tussen enerzijds afkeer van kerk en dogma en anderzijds een beroep op de Schrift. Bruno wil zichzelf en zijn filosofie verdedigen, zonder filosofie aan theologie dienstbaar te maken. Hij wil zich wel schikken in puur theologische zaken, maar kan en wil niet accepteren dat deze zelfde theologie hem de ruimte

1. Angelo Mercati, *Il sommario del processo di Giordano Bruno*, Città del Vaticano 1942.
2. Te weten: de pluraliteit van de werelden, de eeuwigheid van de wereld, aangaande de status van de menselijke ziel, de oneindigheid van het universum, de beweging van de aarde, de *ars divinitoria*. Voor de volledige lijst verwijs ik naar Mercati, o.c., 5-6.
3. Vergelijk eveneens *Documenti della vita di Giordano Bruno*, ed. V. Spampanato e G. Gentile, Firenze 1933, 183.

tot filosofische speculatie ontzegt. Dit levert het beeld op van een nu eens inschikkelijke dan weer weerbarstige Bruno tijdens het laatste procesjaar 1599. Bruno wil een open discussie en weigert toe te staan dat filosofische stellingen een dogmatisch karakter krijgen opgelegd; uiteraard een volstrekt onmogelijke eis aan een post-tridentijns inquisitietribunaal. Uiteindelijk weigert Bruno het gezag van zijn rechters te erkennen, aangezien hij ervan uitgaat dat zijn mening in de aangevallen stellingen minstens evenveel waard is als de hunne.

Uit de processtukken kunnen wij als voorlopige conclusie opmaken dat Bruno de dogmatiek een arbitraire aangelegenheid acht, zeker wanneer deze zich buiten strikt theologische kwesties begeeft, en dat hij een filosofie wil ontwikkelen los van de theologie. Maar dan dringt zich direct de vraag op, wat voor hem dan wel godsdienst is, als wij ervan uit moeten gaan dat de filosofie de primaire waarheid in pacht heeft. Bruno's gedrag in de kerkers van Venetië en Rome wijst wat dat betreft al in een bepaalde richting: getuigen spreken van ernstige blasfemie en ridiculisering van de christelijke geloofswaarheden.[4] Verder kunnen wij, vooruitgrijpend op wat volgt, constateren dat de rechters, die zijn filosofie wilden treffen door er de theologische consequenties van te trekken, zich wel degelijk op zijn geschriften konden beroepen, waarin menige bikkelharde aanval op het christendom wordt ondernomen.

Het proces is in de secundaire literatuur uitgebreid geanalyseerd.[5] In het nu volgende wil ik de resultaten presenteren van een verkennend onderzoek naar Bruno's denken over godsdienst in het algemeen en naar de filosofische criteria die hij hanteert bij de beoordeling van jodendom, christendom, katholicisme en protestantisme. Ik wil zo proberen tot begrip te komen van één van de eerste moderne vormen van een filosofisch denken, dat zich wil ontwikkelen los van welke theologische vooronderstelling of controle dan ook.

1. De centrale stelling van Bruno's godsdienstwijsgerig denken wordt gevormd door de superioriteit van de egyptische religie. Deze superioriteit wordt filosofisch onderbouwd: de Egyptenaren hadden een correct begrip van het goddelijke en van de relatie tussen God, de natuur en de mens. Door Egypte als *exemplum & summum* van de heidense antieke cultuur te bestempelen, formuleert Bruno een radicale herwaardering van de antieken. In *Lo spaccio della bestia trionfante*[6] rehabiliteert Bruno in Egypte de gehele antieke cultuur.

In *Spaccio* specificeert Bruno zijn denken over het goddelijke en over de relatie tussen God en de wereld niet nader. In het eerder gepubliceerde *De umbris*

4. Getuigenverklaringen tegen een inquisitietribunaal zijn natuurlijk niet altijd even betrouwbaar, maar het aantal getuigen en de vaak letterlijke overeenkomst tussen die uit Venetië en Rome doen vermoeden dat er in ieder geval een kern van waarheid in schuilt. Daar komt nog bij dat valse of afgeperste getuigenissen vrij onwaarschijnlijk zijn, gezien het secundaire belang wat men er aan hechtte.
5. Er kan volstaan worden met te verwijzen naar Luigi Firpo, *Il processo di Giordano Bruno*, Napoli 1949.
6. In: Giordano Bruno, *Dialoghi italiani*, ed. G. Aquilecchia, Firenze 1958.

idearum (1582)[7] en in *De la causa, principio et uno* (1584)[8] doet hij dit wel, en hier zien wij dat de aan de Egyptenaren toegeschreven correcte conceptie van het goddelijke niets anders is dan de projectie van zijn eigen filosofie op een ver verleden.

In *Spaccio* lezen wij dat de Egyptenaren terecht dieren en planten vereren, levende effecten van de natuur, die op haar beurt niets anders is dan *deus in rebus*.[9] Immers, zoals de goddelijkheid op een bepaalde wijze afdaalt, voorzover deze zich mededeelt aan de natuur, zo stijgt men middels de natuur op naar de goddelijkheid.[10] Bruno spreekt over de excellentie van de cultus van de Egyptenaren, die hun ceremonieën filosofisch correct wisten te funderen: „Die wijzen wisten dat god aanwezig is in de dingen en dat de goddelijkheid, latent in de natuur, de dingen deelgenoot aan zich maakt, aan het *zijn* (curs. L.S.), het leven en intellect, door een continue bezigheid en door op verschillende wijzen in verschillende subiecta op te lichten, middels verschillende fysische vormen en met een zekere orde;".[11]

De Egyptenaren waren er zich wel van bewust dat het goddelijke dat zij vereerden, de meegedeelde goddelijkheid was; zij vereerden geen krokodillen, hanen, uien en raapstelen, maar de goddelijkheid in dezen. „Zie derhalve, hoe een eenvoudige goddelijkheid, die men in alle dingen vindt, een vruchtbare natuur, onderhoudende moeder van het universum, oplicht in verschillende subiecta en verschillende namen aanneemt, al naar gelang zij zich mededeelt."[12]

Wat is nu voor Bruno het aantrekkelijke aan de Egyptische religie? Om deze vraag te kunnen beantwoorden, moeten wij een blik werpen op het metafysische kader, dat wij in de eerste latijnse geschriften van Bruno aantreffen. Dit kader wordt uitgemaakt door de (thomistische) participatietheorie en de lichtmetafysica: het goddelijk licht doortrekt de realiteit en maakt het de mens mogelijk om in de kennis op te klimmen en terug te keren naar de lichtbron, de uiteindelijke grond van de realiteit. Dit betekent dat elke kennis in laatste instantie begrepen moet worden vanuit de activiteit van het eerste intellect, de lichtbron. Kennis wordt zo de beschouwing der dingen naar *exitus & reditus*, hetgeen alleen mogelijk is, als wij de *ordo & connexio rerum* in het universum volgen. Een *ordo* die hoog en laag verbindt en die de eenheid van de realiteit uitdrukt. De realiteit wordt als een spanningsboog omsloten door twee polen: een *primum*, dat buiten de orde valt aangezien het deze fundeert, en een *extraemum*. Deze twee worden door Bruno in zijn boek *De umbris idearum*

7. In: Jordani Bruni, *Opera latine conscripta*, ed. F. Fiorentino, F. Tocco, H. Vitellia, V. Imbriani e C. M. Tallarigo, Napoli-Firenze 1879-1891, 3 voll., 8 tomi, II.i.
8. Giordano Bruno, *De la causa, principio et uno*, ed. G. Aquilecchia, Torino 1974.
9. *Dialoghi italiani,* 776.
10. *Dialoghi italiani*, 777.
11. „Conoscevano que' savii dio essere nelle cose, e la divinità, latente nella natura, oprandosi e scintillando diversamente in diversi suggetti, e per divere forme fisische, con certi ordini, venir a far partecipi de sé, dico de l'essere, della vita ed intelletto;" *(Dialoghi italiani*, 778).
12. „Vedi dunque come una semplice divinità che si trova in tutte le cose, una feconda natura, madre conservatrice de l'universo, secondo che diversamente si communica, riluce in diversi soggetti, e prende diversi nomi." *(Dialoghi italiani*, 780-781).

respectievelijk als *maximé ens* en *prope nihil* gedefinieerd. De *ordo* is derhalve een orde van zijnsgraden: de dingen *zijn* voorzover zij deel hebben aan wat waarlijk *is*. Het *eerste zijn* en het *niets* zijn de extreme punten van een serie intermediaire zijnden die gedefinieerd worden door hun afstand tot de beide polen.
De eisen die Bruno aan de menselijke kennis stelt heeft hij gemeen met Thomas: kennis is kennis van het ene, is algemeen van karakter *(ens)* en intellectueel van aard. In tegenstelling tot Thomas, hypostaseert Bruno echter *ens & unum* aan de top van de realiteit, hetgeen tot een fundamentele herdefiniëring voert van object, aard en aspiraties van de menselijke kennis. Binnen een dergelijk metafysisch kader kan algemeen geldige kennis alleen bereikt worden in een proces van *ascensus*, een progressieve opgang van het intellect, dat de uiteindelijke grond van de realiteit nooit op zich, maar slechts *asymptotisch* kan benaderen. Binnen dit korte bestek kunnen wij verder niet in details treden. Zo zou er bijvoorbeeld nog veel te zeggen zijn over de lezing die Bruno er van Copernicus in dit verband op nahield.
Wij laten het hier echter bij de vaststelling dat Bruno's metafysica beheerst wordt door de theorie van de participatie van het zijn, zowel vóór als ná de copernicaanse omwenteling, zowel in *De umbris idearum* van 1582 als in *Lo spaccio della bestia trionfante* van 1584, zoals wij hier boven hebben kunnen constateren.[13]
Nu wordt ook duidelijk wat voor Bruno zo aantrekkelijk is in de egyptische religie, of beter: in zijn weergave van de theoretische elementen hiervan. De aanwezigheid van het goddelijke in de natuur, zoals de egyptische religie dit veronderstelt, komt verrassend overeen met zijn interpretatie van de participatietheorie: God deelt zich gradueel mee aan de natuur, is als goddelijke direct bereikbaar in de gehele natuur, maar blijft in essentie onbereikbaar.
Vooruitgrijpend op wat hierna volgt, kunnen wij nu al stellen dat naar Bruno's mening jodendom en christendom ten onrechte een directe relatie God-mens veronderstellen, en zo bijgevolg de enig mogelijke relatie tussen mens en goddelijke, via de natuur, verwaarlozen.
Bruno's opmerkingen over de relatie tussen theologie en filosofie in *La cena de le ceneri* en *De la causa, principio et uno,* beiden uit 1584, kunnen over bovenvermelde meer duidelijkheid verschaffen.

2. In de vierde dialoog van *La cena de le ceneri* lijkt Bruno aan te willen sturen op een pact tussen zijn filosofie en de theologie. Enerzijds door een bepaalde taakverdeling voor te stellen, anderzijds door voor te geven dat nu juist zijn filosofie als geen andere de godsdienst zou bevorderen.[14] In *Cena* zijn de taken als volgt verdeeld.
De waarheid kan zijns inziens beter overgelaten worden aan op contemplatie gerichte mannen. De Schrift immers richt zich op de morele verheffing van het volk. Om dit te bereiken past zij zich in verregaande wijze aan bij onder het

13. Zie noot 11.
14. Giordano Bruno, *La cena de le ceneri*, ed. G. Aquilecchia, Torino 1955, 182-185.

volk levende overtuigingen aangaande de natuur en bij het gangbare wereldbeeld. Het doel van de Schrift is niet de waarheid, maar goed gedrag en beschaving. De filosoof contempleert de goddelijke orde, de gelovige is slechts geroepen tot beperkte practische finaliteit. De waarheid is voorbehouden aan de filosofie in het algemeen en – het zal niemand verwonderen – aan die van Bruno in het bijzonder. Juist om die reden bevordert zijn filosofie als geen andere de godsdienst. In Bruno's filosofie treffen wij namelijk een fundamentele correctie aan op een aantal vulgair-filosofische stellingen over het eindige universum als effect van de oneindige goddelijke oorzaak, een eindig aantal intelligentiën, de vergankelijkheid van de substantie van de dingen, de sterfelijke ziel, etc.[15]

In de tweede dialoog van *De la causa, principio et uno* vult Bruno de taakverdeling tussen theologie en filosofie op een andere wijze in dan in *Cena*. In de lijn van zijn denken in de eerste latijnse geschriften, sluit Bruno hier in *Causa* kennis van eerste principe en oorzaak uit. Zijn vertoog betreft alleen de natuurlijke oorzaken en principes. Alhoewel het eerste principe en de eerste oorzaak onze kennis te boven gaan, houdt Bruno toch op een enigszins halfslachtige wijze de mogelijkheid open van een *theologische* en *morele* kennis van het eerste principe en de eerste oorzaak. Waarom?
De fysische oorzaken en principes hangen van het eerste principe en de eerste oorzaak af, maar vanuit dingen die van God afhankelijk zijn, kunnen wij voor wat betreft de kennis van God slechts gevolgtrekkingen maken *per modo di vestigio*. Omdat de goddelijke natuur oneindig is en ver van zijn effecten afstaat, is onze godskennis welbeschouwd louter negatief[16] – God kan derhalve niet gedenoteerd of gedefinieerd worden.
In God is echter de explicatie van een oneindig universum noodzakelijk. Het ligt immers in de goddelijke essentie besloten zich oneindig te ontplooien. Dit betekent, dat het vertoog over de natuur het enig mogelijke vertoog over God is. De onmogelijkheid van een vertoog over God in zich correspondeert met de mogelijkheid van een vertoog over het universum als het beeld waarin zijn wetten heersen.
Deze onmogelijkheid om over God in essentie positief inhoudelijke uitspraken te doen, vormt de basis van Bruno's aanval op jodendom en christendom. De joden en de christenen zijn immers overtuigd van de mogelijkheid van direct contact tussen God en mens, ook al gaat het initiatief hierbij van God uit. Zij verwaarlozen bijgevolg de kennis van het goddelijke in de natuur. Waartoe deze passiviteit leidt zullen wij later nog zien.

In *La cena de le ceneri* stuurt Bruno aan op een pact tussen theologie en filosofie en suggereert zelfs een oplossing om de Schrift met de nieuwe copernicaanse kosmologie in overeenstemming te brengen: scheiding tussen letterlijke en allegorische exegese. In *Causa* wordt dit pact nader ingevuld, door

15. *Cena*, 188.
16. *Causa*, 62-63.

aan theologie en filosofie ieder een eigen domein toe te kennen, namelijk het natuurlijke en het bovennatuurlijke. Aangezien het wezen van de goddelijkheid het menselijk verstand te boven gaat, moet de filosofie streven naar kennis van het goddelijke in de natuur. Hiermee geeft Bruno direct het arbitraire karakter van theologische uitspraken aan en kwalificeert hij impliciet elke theologische waarheidsclaim als ongerechtvaardigd. Het pact tussen theologie en filosofie is derhalve niet meer dan een subordinatie van de eerste aan de laatste. De pretentie ten spijt, dat het nu juist zijn filosofie is, die de godsdienst optimaal bevordert.
Als de openbaring van God in het geloof in laatste instantie onkenbaar is, dan is de volgende stap snel gezet: godsdienst beschouwen als een inferieure vorm van spiritueel leven. De openbaring biedt geen theorie van de natuur, de profetische uitspraken dienaangaande hebben geen enkele autoriteit. Welbeschouwd kan geloof, zoals Bruno dit in *Cabala del cavallo pegaseo* (1585)[17] definieert, worden opgevat als verstandsarmoede, verachting van de wereld en fundamentele onwetendheid.

In de eerste italiaanse dialogen laat Bruno de theologie en de godsdienst min of meer voor wat zij zijn. Pas in de latere dialogen worden zij expliciet onderwerp van zijn reflectie. Daar is zijn toon direct veel feller en radicaler. Vanwaar deze radicalisering? Directe aanwijzingen of verklaringen zijn er niet. Wij kunnen zijn radicalisering hooguit verklaren uit het feit dat Bruno zich in de eerste dialogen vooral met kosmologische en metafysische kwesties bezighoudt en pas in de latere met ethische. Bruno gaat ervan uit dat de godsdienst de mensen op moet voeden. De opkomst van het protestantisme en haar afkeer van de katholieke waardering van de goede werken, baart hem daarom grote zorgen. Hij gaat op zoek naar historische wortels van deze positie en komt dan uit bij de joodse deviatie en corruptie van de egyptische godsdienst.
Kortom: corruptie van het enig correcte model van het goddelijke veroorzaakt een breuk op het niveau van de praktijk, theoretische deviatie veroorzaakt moreel verval.

3. De meest fundamentele kritiek op de gelovige mens vinden wij in *Cabala del cavallo pegaseo*. Binnen het kader van een aanval op de onwetendheid in het algemeen, waar ook de kabala, het scepticisme en de negatieve theologie ervan langs krijgen, formuleert Bruno een ongehoord scherp en sarcastisch oordeel over het geloof. Het geloof is niets anders dan *sant'asinità*, als zodanig *sant'ignoranza* en *santa stoltizia*; het meest getrouwe beeld van de gelovige is dan ook de ezel. „Werelddwazen zijn het geweest, die de religie hebben ingesteld, de ceremonieën, de wet, het geloof, de levensregel;".[18] In dit gepantserde offensief klinkt naar mijn idee een erasmiaans thema door, dat tegenover de *stultitia* en de passieve *humilitas* van de massa de superioriteit van een wereldse *sapientia* en de zelfverzekerde *superbia* van de renaissance-geleerde

17. In: *Dialoghi italiani*.
18. *Dialoghi italiani*, 852.

poneert, die er zich wel van bewust is tot een gesloten elite te behoren.
Elders, in *Sigillus sigillorum* (1583) en in *De immenso* (1591),[19] wijst Bruno op de gevolgen die de passiviteit van de gelovige ten opzichte van het goddelijke kan hebben, in een onderzoek naar de oorzaken van de perturbaties van de fantasie. De verwarring van de fantasie hebben volgens Bruno een fysische en een demonische oorsprong. Alleen een bijzondere organische gesteldheid maakt de interventie van een demon mogelijk. Maar wij moeten onderscheid maken tussen een man die met superieure vermogens is begiftigd en dergelijke interventies weet te manipuleren, en de dwaas, die niet meer is dan een vaas of doorlaatvat van de demon.
Religie die gekenmerkt wordt door een volslagen passiviteit, kan niet controleren of haar relatie met het goddelijke wel een reële relatie is. Dat wil zeggen: zij is niet in staat bedrog van demonen te ontmaskeren. De mystieke extase en de visioenen van de christenen kunnen volgens Bruno afdoende worden verklaard uit bedrog van demonen. Naïef vertrouwen in een passief ontvangen van het goddelijke maakt het onmogelijk dat de simpele gelovige nog weet te onderscheiden tussen een initiatief van God of een demonische interventie.
De tegenstelling tussen een autonoom werelds weten, zoals wij dat in de antieken aantreffen, en het afzien van een dergelijk weten, de weigering hierin het doel van de mens te zien, symboliseert Bruno met het beeld van de tegenstelling tussen Egypte en Israël. Bruno heeft weinig goede woorden voor het jodendom over. Naar zijn mening is hier de deviatie en corruptie van de ware, egyptische religie begonnen, omdat de Joden te dom waren deze te begrijpen. Bruno heeft verschillende bijtende passages aan het joodse volk gewijd in zowel *Cabala* als *Spaccio*. Hij vindt hiervoor naar eigen mening steun genoeg in het Oude Testament.
Niet dat het christendom er zoveel beter vanaf komt. Christus wordt vergeleken met de mythologische figuur Orion, die dacht zich voor Jupiter uit te kunnen geven, een bedrieger kortom.[20] De incarnatie, de hypostatische unie van de twee naturen wordt belachelijk gemaakt door haar te vergelijken met de twee naturen paard en mens in de centaur.[21]
De bittere toon van deze polemiek treft, dunkt mij, zelfs de moderne lezer vanwege haar uitzonderlijke felheid. Ik denk dat wij, zonder iets aan de ernst van Bruno's intenties af te doen, kunnen stellen dat wij hier met een stuk onvervalste rethorica te doen hebben. Het valt mijns inziens nauwelijks te ontkennen, dat het vaak stilistische motieven zijn die Bruno tot een dergelijke bijtende spot voeren. Anderzijds moet vastgesteld worden, dat het er Bruno niet alleen om te doen is via rethorische middelen schokeffecten bij zijn lezerspubliek teweeg te brengen. Een filosofische rechtvaardiging van zijn sarcastisch geformuleerde stellingen moet wel degelijk tot zijn bedoelingen worden gerekend, ook al wordt deze vaak niet expliciet uitgewerkt.
Zo is de incarnatie filosofisch beschouwd immers volstrekt onmogelijk, omdat

19. *Opera*, II.ii, 180-196; idem, I.ii, 291.
20. *Dialoghi italiani*, 803-806.
21. *Dialoghi italiani*, 823.

de wereld als manifestatie van God de mogelijkheid van de zijnsgrond geheel uitput. Zonder God en universum met elkaar te laten samenvallen, probeert Bruno in *Cena* en *Causa* de *potentia dei* radicaal te doordenken. De grens van de theistische religie, dat de absolute almacht zich niet kan reproduceren, wordt door Bruno overschreden. De zelfverwerkelijking van de goddelijke almacht is het universum en een persoonlijke incarnatie behoort derhalve tot het rijk der fabels. De oneindige oorzaak kan slechts een oneindig effect teweegbrengen. De titel van *La cena de le ceneri* roept herinneringen op aan de christelijke ceremonieën. Het is er echter de antithese van: God is niet op exclusieve wijze aanwezig in brood en wijn, maar in elk ding en in het hele universum.

Wij hebben gezien dat volgens Bruno alleen de egyptische religie uitging van een correct concept van het goddelijke door de goddelijkheid in de levende natuur te vereren. De krokodillen van Egypte representeren in ieder geval nog een glimp van de goddelijkheid. Dit laatste kan niet gezegd worden van de heiligen en de relikwieën van het christendom. Bruno doopt zijn pen in vergif om uiting te geven aan zijn afschuw van de verering van *cose morte* (relikwieën), *uomini morti* (heiligen) en *semihomines* (Christus).
De superioriteit van de egyptische religie vindt haar uitdrukking in onder andere een correct opgevatte idolatrie. Bruno's vertoog grijpt aan bij de zoölatrie van de Egyptenaren,[22] door de christenen als één van de meest verachtelijke elementen beschouwd van de heidense religie.[23] Bruno rehabiliteert en verdedigt de antieke zoölatrie tegenover de christelijke verering van dode mannen of dingen. Hij geeft er bovendien een algemeen filosofische rechtvaardiging voor, die is gebaseerd op de aanwezigheid van het goddelijke in elk deel van de natuur. Als God in essentie onbereikbaar is, blijft alleen indirect contact over als enige mogelijkheid. Dit indirecte contact wordt door Bruno gespecificeerd als idolatrie van de geparticipeerde goddelijkheid in de natuur. Bruno's strategie is erop gericht om duidelijk te maken dat de christelijke verdediging van eigen cultuurgoed en hun aanval op het heidendom als idolatrie, zich eigenlijk tegen hen keren: het christendom maakt zich schuldig aan een veel lagere, verachtelijkere vorm van idolatrie, die van dode dingen en van halve en dode mensen.[24]
Eerder duidden wij op de rol van stilistische en rethorische motieven in Bruno's polemiek met joden-, en christendom. Het aandeel daarvan moet zeker niet worden onderschat, maar, zoals wij zojuist zagen, ook niet worden overschat. Aan Bruno's ergernis liggen immers ook strikt filosofische bezwaren ten grondslag. Er is echter meer. Men moet niet vergeten dat Bruno in een door godsdienstoorlogen beheerste tijd leefde. Hij zoekt in *Spaccio* en *Cabala* naar

22. *Lo spaccio della bestia trionfante*, in: *Dialoghi italiani*, 777-783.
23. Bijvoorbeeld: Minucius Felix, *Octavius*, c. 26-28 en Tertullianus, *Apologeticum*, c. XVI. Zie eveneens paragraaf IV van dit artikel.
24. Cf. de volgende paragraaf voor de parallellie tussen de argumenten van Bruno en die van de vroeg-christelijke apologeten.

de wortels van de contemporaine twisten en slachtpartijen en vindt deze in het misverstaan van de ware, oorspronkelijke religie door joden en christenen. In *Spaccio* poneert hij de stelling dat het protestantisme van deze ontwikkeling het absolute dieptepunt vormt en dat nu alleen nog het einde van het christendom kan volgen, waarna de terugkeer van de ware religie is te verwachten. Toch maakt Bruno binnen het christendom, dat als geheel als een deviatie beschouwd moet worden, nog onderscheid tussen katholicisme en protestantisme, en spreekt zijn relatieve voorkeur voor het eerste uit. Godsdienst heeft namelijk, zagen wij, al berust zij niet op waarheid, nog een opvoedende taak en een praktische functie. Zij dient als *instrumentum regni* om de onwetende massa en het ruwe volk eronder te houden.[25] Als *lex* staat zij de praktijk der goede werken voor en bevordert als zodanig de sociale rust en de beschaving. Religie is kortom onmisbaar als educatieve praxis.
Het protestantisme nu ondergraaft de waarde van de goede werken. Volgens Bruno kan het doel van de mens nooit het vermeerderen van Gods glorie zijn zoals het protestantisme propageert, aangezien dit een onmogelijke opgaaf is. Bruno ontdoet elke innerlijke vorm van religie van waarde en geeft aan dat de enig mogelijke godsdienst, in letterlijke zin, het werken aan de uitbouw van de sociale samenleving en de beschaving is. Daarom waardeert Bruno het katholicisme als crypto-pelagianisme.
Maar hoe laat nu de in *Spaccio* geponeerde stelling over het einde van het christendom zich rijmen met verschillende beoordelingscriteria, ook al zijn deze puur praktisch, voor katholicisme en protestantisme? Gaat dit terug op het averroïstische idee van een aristocratische filosofie voor de geleerde en een vulgaire religie voor de massa? Wil Bruno of ziet hij het einde van het christendom? Of wil hij streven naar een gezuiverd katholicisme? Voorlopig kunnen wij stellen, dat Bruno twee niveaus van religie onderscheidt als foutieve filosofie èn als instrument om de ruwe massa eronder te houden. Twee zaken, onderling nauw verbonden, zijn hier van belang: de filosofische waarde van elke religie en de praktische waarde van de cultus.
Bruno verdedigt in *Spaccio* de antieke religie tegen de aanklacht van idolatrie en sterker nog, keert deze aanklacht tegen het christendom zelf. Hij benadrukt het nut van de antieke ceremonieën die tot de welvaart van Egypte en het Romeinse Rijk zouden hebben gevoerd. Bruno gaat ervan uit dat waarheid en sociaal nut twee onafscheidelijke aspecten van een religie zijn. Het jodendom verbrak deze band met als uiteindelijk resultaat de godsdienstoorlogen, waar de protestanten, en dan vooral de calvinisten, een eerste verantwoordelijkheid voor dragen. Als het bezit van de waarheid verloren gaat, zijn rampen op sociaal terrein de onontkoombare consequentie.[26] Bruno's beoordelingscriteria moeten tegen de achtergrond van zijn tijd beschouwd worden. Een tijd die

25. *De l'infinito universo e mondi,* dialogo 1, in: *Dialoghi italiani.*
26. Hier kan nog bij opgemerkt worden, dat Bruno zich een voorstander toont van een sterke nationale staat en een gematigde religie. Zijn voorkeur gaat uit naar de groep van de *Politiques* in Frankrijk en naar de duitse lutheranen; hij vreest destabilisatie als calvinisten of katholieke liga sterker zouden worden.

een verdeelde kerk en een verscheurd Europa laat zien. Bruno wil op theoretisch niveau terug naar Egypte om de oorsprong van de fouten op te sporen; op praktisch niveau wijst hij op de funeste gevolgen van een misverstaan van de religie van Egypte. Verlies van een correct concept van het goddelijke en een nefaste idolatrie leiden onvermijdelijk tot onverantwoord maatschappelijk handelen.
Bij een concluderende beschouwing van Bruno's speculaties over het naderende einde van het christendom, moeten wij met twee gegevens rekening houden. In de eerste plaats kan een treffende parallellie worden vastgesteld tussen de argumenten van de vroeg-christelijke apologeten in hun bestrijding van het heidendom en de argumenten van Bruno in zijn bestrijding van joden- en christendom. In de tweede plaats spelen allerlei contemporaine astrologische speculaties een belangrijke rol. Op beide aspecten ga ik bij wijze van afsluiting apart in.

4. In zijn verdediging van het heidendom en zijn kritiek op joden- en christendom bedient Bruno zich van een aantal argumenten, die wij als een omkering kunnen beschouwen van de centrale stellingen van de vroeg-christelijke apologetiek. In het nu volgende wil ik aandacht besteden aan achtereenvolgens: chronologische kwesties, lot en fortuin van Joden en Romeinen, de zogenaamde ezelskopaffaire, idolatrie en demonologie en Euhemerisme.
Centraal in al deze geschilpunten staat het feit dat de goddelijkheid in Bruno's denken de essentiële karakteristieken van de God van joden en christenen verliest; hiermee stelt Bruno het onderscheid tussen de joods-christelijke God en de heidense goden ter discussie en besluit hij tot een nieuwe specificering van de goddelijkheid.

a. Om te beginnen de chronologische kwesties. In de apologetiek speelt de stelling van de antieke herkomst van het christendom als teken van autoriteit een centrale rol. Men vindt haar bijvoorbeeld in Tertullianus, *Apologeticum*, c. XVIII-XIX. De oudheid van het christelijk geloof, dat teruggaat op Abraham en Mozes, geeft gezag aan de Schriften; zelfs de jongste profeten gaan nog ruimschoots vooraf aan de oudste wijzen, wetgevers en geschiedschrijvers van de heidenen. Wat als eerste bestaan heeft, is noodzakelijkerwijs de oorsprong van wat later volgt, zodat de wijsheid van de heidense wijsgeren en dichters niet anders dan aan de goddelijke schriften kan zijn ontleend *(idem,* c. XLVII). De antieke grondslag aan het christendom onttrekken, zou betekenen dat men één van de fundamenten van haar geldigheid zou ontkennen, aldus Tertullianus. Volgens Lactantius, *Divinae institiones*, II.13 ging het monotheisme aan het polytheisme vooraf en Augustinus wil de illegitimiteit van de egyptische aspiraties aantonen door Hermes Trismegistus later te dateren dan Abraham en Mozes, in *De civitate dei*, XVIII.37.
Bruno verdedigt in *Spaccio* de antieke grondslag van de egyptische religie en kwalificeert het jodendom als een deviatie van deze ware, oorspronkelijke religie, een deviatie die is terug te voeren op een stupide misverstaan van de waarheid. Zo komen wij op punt twee: de waardering van het joodse volk.

b. In *De civitate dei*, V.12-16 bestrijdt Augustinus de stelling als zou het fortuin van het Romeinse Rijk aan de bescherming van de goden te danken zijn geweest; hij herinnert aan de vele nederlagen en aan het morele verval. Soortgelijke opmerkingen vindt men bij Minucius Felix, *Octavius*, c. 25-26: de goden die van buiten geïmporteerd zijn, konden moeilijk het Romeinse Rijk verdedigen. Vergelijk Tertullianus, *Apologeticum*, XXV-VI: de heidense goden hebben Rome niet groot gemaakt, aangezien velen pas na de stichting van het rijk zijn geintroduceerd. Het is de 'ware' God die de wereldrijken doet opkomen en ondergaan.
Het valt Bruno niet moeilijk om de talloze tegenslagen en rampspoeden van het joodse volk in de herinnering van de lezer te roepen. Hij wijt deze aan de afval van de egyptische godsdienst en benadrukt de welvaart van het Romeinse Rijk, die naar zijn mening te danken was aan de cultus, die als enig doel had de ware gods-dienst: het bouwen aan de sociale samenleving en de beschaving.[27]
c. De domheid van het joodse volk illustreert Bruno door een enkele keer te zinspelen op de zogenaamde ezelskopaffaire.[28] Zowel Minucius Felix, *Otavius*, c.9 en Tertullianus, *Apologeticum*, c. XVI bestrijden ten stelligste dat de Joden in de woestijn een ezelskop zouden hebben aanbeden. Het verhaal gaat terug op Tacitus, *Historiae*, V.3-4, die verhaalt van het feit dat de Joden in de woestijn door woudezels naar waterbronnen werden geleid en vandaar de ezelskop aanbeden.
Bruno twijfelt geen moment aan de waarheid en de toepasselijkheid van dit beeld, zoals duidelijk wordt uit de bijtende spot over het joodse volk in *Cabala.* Bruno haalt deze affaire aan als één van de vele voorbeelden om duidelijk te maken, dat het nu juist de joden en christenen zijn die zich aan idolatrie schuldig maken, mits men idolatrie tenminste wil interpreteren als onverantwoorde afgodendienst. Zo komen wij op punt vier: idolatrie en demonologie.
d. Minucius Felix en Terullianus komen woorden te kort om de verderfelijkheid van de afgodendienst van de heidenen te schilderen. Bruno daarentegen, zoals wij boven zagen, aarzelt niet om de egyptische zoölatrie, door de vroeg-christelijke apologeten als de meest abjecte vorm van idolatrie beschouwd, te prijzen. De door de egyptenaren vereerde krokodillen vertonen in ieder geval nog een spoor van de levende goddelijkheid, hetgeen niet gezegd kan worden van de heiligen of relikwieën. In dit debat speelt ook de christelijke en bruniaanse demonologie een rol van belang. De vroeg-christelijke apologeten beschouwen de heidense goden als demonen, zonder hen echter het bestaan te ontkennen.[29] Ook Bruno erkent het bestaan van demonen, maar kwalificeert de joods-christelijke gelovige als een willige prooi van de demonen, aangezien hij geen correcte conceptie van het goddelijke heeft en zo bijgevolg niet in staat is om zijn verbeelding te wapenen tegen demonische interventies.
De heidense goden worden door de apologeten ook nog op een andere manier van hun macht beroofd, namelijk door een euhemeristische verklaring van hun oorsprong.

27. *Lo spaccio della bestia trionfante, Dialoghi italiani*, 659-660.
28. *Cabala del cavallo pegaseo, Dialoghi italiani,* 868 e.v.
29. Minucius Felix, o.c., 26-27; Tertullianus, o.c., c. XXII-III.

e. De apologeten maken grif gebruik van de theorieën van Euhemerus om het heidendom als mensenwerk te kunnen bestempelen. De heidense goden zijn immers slechts verafgode mensen, zegt Minucius Felix, *Octavius*, c. 21; een soortgelijk verhaal vindt men in Tertullianus, *Apologeticum*, c. X-XI.
Bruno sluit hier aan de ene kant bij aan en geeft toe dat de heidense goden mensen waren.[30] Aan de andere kant verschilt hij fundamenteel van mening met apologeten, omdat hij ervan uitgaat dat deze verafgode mensen wel degelijk werden gekarakteriseerd door een hoge mate van goddelijkheid, ofwel: konden rekenen op een uitzonderlijke goddelijke assistentie. Op deze manier kunnen bijvoorbeeld ook Paulus en Barnabas zich tot het gezelschap der goden rekenen. Handelingen 14 : 11-14, noemt hen dan ook Mercurius en Jupiter.[31] Zo kan Bruno de incarnatie hooguit begrijpen als een soort bijzondere assistentie van Godswege aan de mens Jezus.[32] Men kan filosofisch gesproken immers onmogelijk aannemen dat God werkelijk het mensenvlees aannam.

Binnen dit kader rest mij nog te vermelden, dat Bruno ook de chronologie van de *pia philosophia* of *antica theologia*, zoals wij die bijvoorbeeld bij de renaissance-filosofen Marsilio Ficino en Giovanni Pico de la Mirandola aantreffen, volledig omgooit. Het heidendom, ook in zijn hoogste culturele manifestaties, kon volgens deze platonici van de 15e eeuw slechts als een voorafschaduwing worden beschouwd van het christendom, ook al periodiseert Ficino Hermes Trismegistus met veel durf terug tot in de tijd van Mozes.
Het moge uit het eerder vermelde duidelijk zijn, dat in Bruno de rangorde, ook de chronologische, tussen heidendom en christendom definitief is omgekeerd.

5. In zijn kritiek op joden- en christendom put Bruno eveneens inspiratie uit een theorie, die in zijn dagen veel opgeld deed, namelijk die van de horoscoop van de religie. Deze theorie stelde de opkomst en de ondergang van de religies afhankelijk van sterrenstanden en zogenaamde grote conjuncties. Bruno heeft een astrologische literatuur voor zich, waarin preoccupaties met de komende dingen zeer diffuus zijn en waarin vrees voor kosmische gebeurtenissen (einde wereld of christendom) geen rethoriek, maar iets zeer reëels vertegenwoordigden. Pomponazzi verklaart bijvoorbeeld in *De incantationibus* zogenaamd uitzonderlijke gebeurtenissen vanuit de invloed van sterren en planeten; hier vallen ook de opkomst en ondergang van de grote religies onder. Zo suggereert de Deense astronoom Tycho Brahe in zijn *De nova stella* van 1573 dat er imminente astrologisch gedetermineerde gebeurtenissen van uitzonderlijk karakter op komst zijn. In 1583 verwachtte men een maximale conjunctie van Saturnus en Jupiter in Aries, een cunjunctie waaraan belangrijke religieuze gebeurtenissen werden toegeschreven.
De tweede helft van de 16e eeuw geeft een brede literatuur over dit soort zaken

30. *Lo spaccio della bestia trionfante*, *Dialoghi italiani*, 779.
31. *Lo spaccio della bestia trionfante*, *Dialoghi italiani*, 780.
32. *Documenti della vita di Giordano Bruno,* 95.

te zien, die vanzelfsprekend nogal verschillend werden geïnterpreteerd. Als Bruno derhalve in *Spaccio* een profetische tekst citeert uit het *Corpus Hermeticum* over de ondergang van de egyptische religie, dan moet dit citaat wel worden beschouwd tegen de achtergrond van het contemporaine astrologische debat. Dat wil zeggen: als een citaat met een welbepaalde functie en doel.[33] Enerzijds kunnen wij stellen dat Bruno de horoscoop van de religie herneemt door de ondergang van het christendom te voorspellen; anderzijds ondergraaft hij er de theoretische basis van, door sterren en kometen naturalistisch te verklaren. De correspondentie tussen de delen van de kosmos impliceert bij hem geen astrologisch determinisme; de sterren- en planetenbewegingen hebben geen causale waarde voor aardse gebeurtenissen.

Wat overblijft is de symboolfunctie van de horoscoop van de religie. Een symbool, dat Bruno's ideeën over een cyclische geschiedenisconceptie weerspiegelt, waarin licht en duisternis elkaar afwisselen. Op dezelfde manier krijgt Copernicus van Bruno in *La cena de le ceneri* de traditionele rol van sterren en kometen toebedeeld. Hij is het goddelijke teken van ingrijpende dingen die volgens Bruno op til zijn: de terugkeer van de ware kennis van de natuur en het universum alsmede de ondergang van díe theorieën, die deze kennis eeuwenlang hebben verduisterd. Dat is in *Cena* het aristotelisme, in *Spaccio* en *Cabala* het christendom. Copernicus bevindt zich nog in de dageraad, is slechts een heraut van het volle zonlicht: de nolaanse filosofie. Want Bruno is ervan overtuigt, dat nu juist in zíjn denken de ware, antieke filosofie wordt wedergeboren. Aristoteles en christendom verdrongen eeuwenlang de egyptische wijsheid en cultuur. Met de val van het aristotelisch-ptolemaeïsch wereldbeeld valt ook het christendom. Het protestantisme, vooral in haar calvinistische variant, wordt beschouwd als het absolute dieptepunt, waarna geen verdere ontwikkeling meer mogelijk is. Het wachten is alleen nog op het doorvoeren van een egyptische contra-reformatie. Over de figuur van de messias van deze egyptische contra-reformatie, die de mensheid een correct concept van het goddelijke en de natuur teruggeeft, laat Bruno geen twijfel bestaan; in evangelische bewoordingen zingt hij de lof van de Nolaner, dat wil dus zeggen, van zichzelf: „Zie hem, die het luchtruim heeft doorkruist, de hemel is binnengedrongen, langs de sterren is gegaan, de grenzen van de wereld heeft overschreden en de fantasie-muren van de eerste, de achtste, de negende, de tiende en andere sferen heeft afgebroken, die men eraan had kunnen toevoegen dankzij de bijdrage van loze mathematici en het blinde zien van de vulgaire filosofie. Zo, in overeenstemming met elke zin en rede en met de sleutel van een uitzonderlijk onderzoek, heeft hij die ruimtes van de waarheid geopend, die door ons geopend kunnen worden, en de gesluierde natuur aan het daglicht gebracht; hij heeft ogen gegeven aan de mollen, de blinden verlicht, die niet in staat waren het beeld van de natuur in zoveel spiegels te aanschouwen. Hij heeft de tong der stommen losgemaakt, die hun verwarde gewaarwor-

33. *Dialoghi italiani*, 784-786.

dingen niet konden en durfden uitdrukken. Hij heeft de kreupelen opgericht, die met de geest niet die vooruitgang wisten te boeken, welke ontzegd is aan het onwaardige en vergankelijke samengestelde."[34]

34. „Or ecco quello ch'ha varcato l'aria, penetrato il cielo, discorse le stelle, trapassati gli margini del mondo, fatte svanir le fantastiche muraglia de le prime, ottave, none, decime, et altre che vi s'avesser potute aggiongere sfere per relazione de vani matematici, et cieco veder di filosofi volgari. Cossí al cospetto d'ogni senso et raggione, con la chiave di solertissima inquisizione aperti que' chiostri de la verità che da noi aprir si posseano, nudata la ricoperta et velata natura: ha donati gli occhi a le talpe, illuminati i ciechi che non possean fissar gli occhi et mirar l'imagin sua in tanti specchi che da ogni lato gli s'opponeno. Sciolta la linqua a muti, che non sapeano et non ardivano essplicar gl'intricati sentimenti. Risaldati i zoppi che non valeano far quel progresso col spirto, che non può far l'ignobile et dissolubile composto." *La cena de le ceneri*, 98-99.

OVER VRIJHEID, GELIJKHEID EN ...'GODSDIENST'
Kerk en staat in de Bataafse Revolutie

Johan Lok

Wij schijven 1795, het jaar waarin de Fransen de Republiek zijn binnengetrokken, het jaar van de Bataafse Revolutie. Eén van de belangrijkste leuzen die werd aangeheven, betrof de scheiding van kerk en staat. „Burgers vertegenwoordigers! De vrijheid, de gelijkheid, de godsdienst roepen u toe...: wilt gij onzen troon in deze republiek de eeuwen doen verduuren, en onze heerschappij tot de laatste nageslachten verzekeren, SCHEURT DAN DE KERK VAN DEN STAAT".[1] Deze leus was onlosmakelijk verbonden met het geheel van revolutionaire doelen van de democratische burgerij, die met de Franse inval opnieuw ruimte kreeg om te streven naar een radicale omwenteling van het staatsbestel van de oude Republiek.
In dit artikel doe ik verslag van een deel van een onderzoek naar het denken over de verhouding tussen kerk en staat bij twee remonstrantse predikanten, die behoorden tot die revolutionaire burgerij.[2] Dit onderzoek werd verricht in het kader van een collectief onderzoeksproject *Sociaal-economische geschiedenis van kerk en theologie in Nederland*, ondergebracht bij de vakgroep 'Geschiedenis van het christendom in de negentiende en twintigste eeuw'.[3] Over de titel van dit project zou veel te zeggen zijn. Kort gezegd kwam ons onderzoek neer op een poging een kerkgeschiedschrijving te bedrijven, die kerk en theologie in een sociaal, politiek en economisch verband plaatst. Wij hebben de vraag willen stellen of en zo ja, hoe in het kerkpolitieke en theologische debat maatschappelijke strijdposities doordringen en omgekeerd.
Welnu, in het denken over de verhouding kerk – staat vanuit het concept van de 'ware godsdienst' onder burgerlijke revolutionairen aan het eind van de 18e eeuw meen ik dat we hiervan een vrij helder voorbeeld hebben. Om dit te verduidelijken, ga ik in dit artikel als volgt te werk. Allereerst ga ik in op de ideologisch-politieke context van de patriottenbeweging. Vervolgens behandel ik de scheiding van kerk en staat aan de hand van een tweetal pamfletten van de zojuist genoemde remonstrantse predikanten. Daarna beschouw ik de scheiding van kerk en staat als een wapen in de strijd van burgerlijke groeperingen tegen het aristocratisch bestel. Dan kijk ik naar het concept van de 'ware godsdienst'. En tenslotte maak ik een methodologische recapitulatie.

1. C. Rogge, *De godsdienst afgezonderd van den Staat, of proeve over de noodzaaklijkheid der vernietiging van alle heerschappij van den godsdienst in eene burgermaatschappij*, 2e druk, Du Mortiu en Zoon, Leiden MDCCXCVI, 'Opdragt', 2.
2. Het betreft hier een bewerking van vooral hoofdstuk 3 van mijn doctoraalscriptie „...*Scheurt dan de kerk van den Staat*". De vraag naar een Godsdienst als zedelijkheid, Amsterdam, april 1982.
3. Het project is inmiddels ten prooi gevallen aan de gevolgen van Haagse bezuinigingsdrift.

1. *De achttiende-eeuwse patriottenbeweging in de ideologisch-politieke context*

In de tweede helft van de achttiende eeuw treden er belangrijke verschuivingen op in de verstarde oligarchische machtsverhoudingen van de Republiek. Sinds 1747 is de 'orangistische' aristocratie aan de macht in een wankel compromis met het patronagestelsel van Willem V.[4] Het verval van de economische functie van de Republiek als stapelmarkt heeft tot gevolg, dat de kloof tussen de heersende aristocratie en de rest van de bevolking steeds groter wordt. Cruciaal voor het verdere verloop van de gebeurtenissen is, dat ook de gezeten, zelfstandige burgerij, verstoken van de politieke macht, zich niet langer met het regentenbewind kan vereenzelvigen.
Het rampzalige verloop van de vierde engelse oorlog (1780-1784) legt de crisis bloot. Onder het vaandel van de 'patriotten'-beweging neemt de oppositie gaandeweg massale vormen aan. Van deze beweging maken verschillende groeperingen deel uit:
a. 'patriotse' oppositieregenten,[5] die de kans schoon zien om de macht van de stadhouder in te perken en een wisseling van de wacht te bewerkstelligen door Oranje de zwarte piet toe te spelen.
b. een laag van meer of minder 'gematigde', van de aristocratie afhankelijke en onafhankelijke burgerij, dissenters en katholieken.
De fractie van de onafhankelijke burgerij vormt hierin de meest radicale stroming. Zij richten zich niet primair tegen Willem V, die zij beschouwen als een instrument in handen van de aristocratie, maar meer en meer tegen de aristocratie als zodanig.
In de patriottenbeweging hebben wij dus te maken met een monsterverbond van tegenstrijdige belangen. Dat verbond is hecht, waar het om de uitschakeling van de 'orangistische' fractie van de aristocratie gaat. Zodra echter deze doelstelling is bereikt en de burgerij een verdere democratisering van de macht en een zekere centralisering van het staatsbestel wil doorvoeren, valt de coalitie uiteen. Een aantasting van het 'particularisme' van de regentenmaatschappij gaat ook de oppositionele aristocratie te ver; Liever dan de macht te moeten delen met de burgerij, laat zij in 1787 de Oranjepartij zegevieren. Ook al moest dat geschieden met behulp van het door de oranje-sociëteiten gemobiliseerde proletariaat,[6] met financiële hulp van Engeland en onder de dekmantel van een Pruisische interventie. Er volgt een periode van reactie en terreur, waarin tal van 'patriotten' de wijk nemen naar Frankrijk. Hun kans komt pas in 1795 weerom, als de Republiek binnen de (revolutionaire) invloedssfeer van Frankrijk komt te vallen.
De achttiende eeuw staat te boek als de eeuw van verlichting, rationalisme, deïsme en tolerantie. De heersende kringen koesterden een optimistisch beeld

4. Zie C.H.E. de Wit, *De Nederlandse revolutie van de achttiende eeuw,* Oirsbeek 1974, 15 t/m 21.
5. Zie voor dit begrip C.H.E. de Wit, *Thorbecke, staatsman en historicus*, in: Thorbecke en de wording van de Nederlandse natie, Sunschrift 153, Nijmegen 1980, 73.
6. Zie C.H.E. de Wit, *De Ned. revolutie*, passim. Vooral hfdst. 9: Proletariaat als politiek instrument.

van de menselijke zedelijkheid. Godsdienst was, zo al niet tot de *adiaphora* behorend, als redelijke, dat wil zeggen: zedelijke, godsdienst onontbeerlijk voor welvaart en vooruitgang.
Kerkelijk vond de Verlichting vooral aanhang bij de traditionele dissenters, vooral remonstranten en doopsgezinden. Felle bestrijders daarentegen in het kamp van de gereformeerde orthodoxie, zij het, dat ook hier 'het getal groeide „dergenen, die er prijs op stelden de nieuwe denkbeelden van den kansel te hooren verkondigen".[7] Ideologisch en politiek lopen de lijnen dooreen. Zo zijn de orangistische aristocratie en haar cliëntele, die in 1787 de steun krijgen van de orthodoxie, in hun denken niet orthodoxer dan hun tegenstanders aan het patriottistisch front. En spreekt de regent van 'volkssouvereiniteit', dan zag hij deze als identiek met de wijze waarop hij zelf vanouds het volk 'representeerde'.[8]
In de Bataafse Revolutie zien wij een herhaling van de politieke tegenstelling van de tachtiger jaren. Opnieuw staan burgerij en aristocratie tegenover elkaar. Het feit dat de orangistische fractie na '95 tijdelijk naar de achtergrond is gedreven, betekent nog geenszins dat de kracht van de aristocratie als zodanig is gebroken. Haar tactiek bestaat eruit, het politieke proces te vertragen, daarbij steunend op de zozeer geprezen 'gematigde' positie van moderaten als Schimmelpenninck. De inzet: zoveel mogelijk te behouden van de federatieve structuur van de oude Republiek. Voor de burgerij daarentegen ging het erom „de regeringsvorm, de staatsvorm, de sociaal-economische structuur en het koloniale beheer aan te passen aan de eisen van de tijd en het algemeen belang".[9] Dwars door de Verlichting heen loopt er dus een politieke tegenstelling tussen burgerij en aristocratie.
Deze tegenstelling bepaalt het beeld van 'verwarring', waardoor de periode na '95 is gestempeld. Want achter de *drie* partijen, die in de Nationale Vergaderingen optreden, federalisten, moderaten en democraten, gaan feitelijk deze *twee* groepen schuil. De aristocratie vormt de partij van de federalisten. Haar cliëntèle vormt de partij van de moderaten, die zich dan ook voortdurend aan de federalisten confirmeert. De *zelfstandige* burgerij moeten wij zoeken bij de democraten, ook wel 'unitariërs' genoemd en ten onrechte vaak versleten voor 'jacobijnen'. Zij waren het vooral, die een politieke omwenteling voorstonden: een gekozen volksvertegenwoordiging en een sterke centrale uitvoerende macht. Het lukt hen slechts een korte periode, namelijk met de staatsgreep van 22 januari 1798, deze omwenteling gestalte te geven. De staatsgreep van de moderaten op 12 juni van datzelfde jaar dringt hen weer van het politieke toneel terug. Dit maakt opnieuw de weg vrij voor de aristocratie: in 1801

7. L. Knappert, *Geschiedenis der N.H. kerk gedurende de 18e en 19e eeuw*, dl. II, Amsterdam 1912, 127.
8. Zie C.H.E. de Wit, *De strijd tussen aristocratie en democratie in Nederland*, tweede oplage, Oirsbeek 1977, 15 en 28 t/m 41. Een goed voorbeeld van de wijze waarop een conservatief (orangistisch) regent de verlichting verwerkt vinden we in het geschrift van Hieronymus van Alphen, *De waare volksverlichting, met opzigt tot godsdienst en staatkunde beschouwd in haren aart, oogmerken, grenzen, bronnen en gevolgen,* Utrecht 1793. Zie hfdst. II van mijn scriptie.
9. Ibidem, Voorwoord.

neemt een coalitie van met elkaar 'verzoende' anti-orangistische èn orangistische *aristocraten* de macht terug.

2. *Scheiding van kerk en staat*

Ik richt nu mijn aandacht op een tweetal pamfletten die in de jaren '95 en '96 verschenen. Ze zijn van de hand van Cornelus Rogge (1761-1806) en Boudewijn van Rees (1753-1825), beiden remonstrants predikant. Het was hun bedoeling, er invloed mee uit te oefenen op de Nationale Vergadering(en) ten gunste van een scheiding van kerk en staat.
Vermelding verdient nog, dat zij beiden op de *Groote Vergaadering* van de remonstrantse broederschap van 3 juni 1795 het voorstel in dienden, de naam 'remonstranten' af te leggen, als aanzet tot een oproep van de broederschap (sept. 1796) aan de protestantse kerken in Nederland om zich tot één kerkgenootschap te verenigen.[10]
De tekst van Rogge heet voluit *De Godsdienst afgezonderd van den Staat, of proeve over de noodzaaklijkheid der vernietiging van alle heerschappij van den Godsdienst in eene vrije Burgermaatschappij.*[11] En begint met een 'Opdragt' aan de aanstaande Nationale Vergadering. Een zinsnede hieruit citeerde ik aan het begin van dit artikel. Ik beperk mij hier tot de weergave van enkele hoofdpunten van de argumentatie.

a. Het misbruik van de godsdienst.

,,Lang genoeg hebben priesterlist en dwingelandij, bijgeloof en staatzucht, geestelijke en waereldlijke overheersching, zich met den heiligen mantel der vrijheid en van den godsdienst bedekt, een ligtgeloovig volk in ketenen gekluisterd, den staat verwoest, ja tot op den uitersten oever des verderfs gebracht... Van *Maurits*, den grondvester der Nederlandsche slaavernij, tot *Willem* den vijfden, den voltooijer van dezelve, heeft bijgeloof zijnen invloed op een goedhartig, maar ligt verleidbaar, gemeen, aan een reeks van dwingelanden geleend...; terwijl diezelfde geweldenaars, ...met hunne magt het bijgeloof rugsteunden, huichelaaren en dweepers betaalden om den troon van hierarchie en gewetensdrang te vestigen" ('Opdragt', pg. 2 en 3).
Als vurig patriot en staande in de remonstrantse traditie, weet Rogge waarover hij praat. De heersende godsdienst – voor hem een 'bijgeloof' – diende de politieke doeleinden van de aristocratische machthebbers en hun aanhang. Het deed er daarbij niet toe, of die aristocratie zich wel of niet met Oranje moest verbinden. ,,Men dwaalde van den Aristocraat tot den Prins, en van den Prins tot den Aristocraat, en beiden, hoezeer ook vijanden, verëenigden zich toch

10. De vergadering ging op het voorstel in en er werd een schrijven verzonden aan ,,de Nederlandse protestanten", waarin werd aangedrongen op een ,,vereeniging door de band der liefde van allen, die den naam van Jezus Christus welmeenend belijden". Het enige blijvende resultaat: het samen gaan van doopsgezinden en remonstranten te Dokkum. Zie hierover o.m. Knappert o.c., 196vv.
11. Zie noot 1.

daarin, om de vrijheid en welvaart des volks op het hart te trappen" (pg. 6). Het resultaat van iedere 'omwenteling' tot dusverre was steeds weer de verheffing van de 'heerszucht' ten troon. Als belangrijkste oorzaak daarvan ziet hij de vereniging van kerk en staat. Nu, na 1795, moet met dit verleden radicaal worden gebroken, opdat niet „onder een anderen naam, de oude heerschappij" (pg. 5) opnieuw wordt ingevoerd. „Rukt den blinddoek van de oogen", zo houdt hij de Conventie voor, „toont, door kerk en staat van elkander te scheiden, dat het gehele denkbeeld van de noodzaaklijkheid dier vereeniging, eene bijgelovige hersenschim is, . . .schandelijk gemisbruikt door schijnheilige dwingelanden en Staatzuchtige priesters" (pg. 4).

b. Het belang bij 'ware godsdienst'.

Rogge wil met zijn geschrift het vooroordeel bestrijden van de „noodzaaklijkheid der vereeniging van den staat met den godsdienst" (pg. 1). Dit is geen eenvoudige zaak, want dit vooroordeel heeft „bijna onuitroeibare wortelen" geschoten „in de harten der Nederlanderen." Het is evenwel in het „waare belang der menschheid, der vrijheid, der regtvaardigheid, van den godsdienst zelven, om dien vastgewortelden eik, – . . .– met vereenigde pogingen omver te houwen" (pg. 1). Het beroep op 'den godsdienst zelven' in deze laatste zinsnede is fundamenteel. Want tegenover het 'bijgeloof', dat de staat verwoest, staat in zijn betoog de 'ware godsdienst' als het 'wezen' van alle godsdienst, gegrond „in het geloof aan een Opperwezen, eene Voorzienigheid en een staat van belooningen en straffen" (pg. 1). In tegenstelling tot het heersende bijgeloof is deze 'ware godsdienst' voor de staat (lees: de staat zoals die de revolutionairen voor ogen staat) van het grootste belang en moet dan ook ijverig worden onderhouden en gehandhaafd. Dit kan echter uitsluitend, als kerk en staat van elkaar worden gescheiden. Want de invloed van de 'ware godsdienst' kan slechts *indirect* zichtbaar worden in „daaden van eerlijkheid, goede trouw en grootmoedigheid . . ." (pg. 6/7).
Directe staatsbemoeienis is daarom uit den boze. Men moet zich beperken tot „bescherming" (pg. 6); gaat men verder, dan staat de deur tot misbruik en daarmee tot bijgeloof weer wagenwijd open.

c. De verhouding tussen staat en „ware godsdienst".

De noodzaak, de ware godsdienst uit de kluisters van het semi-staatskerkelijk bestel te bevrijden, licht Rogge toe met een schets van de geleidelijke ineenstrengeling van godsdienst en staat in het verleden. „In de kindsheid des menschdoms, . . ., was godsdienst de eenige bron van heil, beschaaving en verlichting" (p. 8). In de handen van „verstandige, menschlievende volksleiders en wetgevers" (p. 9) was hij een 'gezegend werktuig' om verlichting, beschaving en welvaart te bewerken. *De werking echter is afhankelijk van wie het bedient*. Want hoe gevaarlijk werd de godsdienst toen tirannen hem gingen misbruiken. Eeuwenlang hebben „priesteren en koningen elkaar de bal . . .toegekaatst . . ." (p. 20). Voor de nederlandse situatie geldt dit evengoed:

De 'kerklijken' hadden hun invloed op het bestuur uitsluitend te danken aan het feit dat de heersers hen nodig hadden. Altijd werd zo de God der liefde afgeschilderd als een tiran, in wiens naam vrije volken in 'slaafsche banden' gevangen werden gehouden. Nu echter het menselijk verstand op eigen benen is komen te staan, hebben staat en godsdienst elkaar niet meer nodig. De waarheid ligt immers in de 'natuur', in het 'hart', en wordt geschraagd door het christendom. Het 'algemeen belang' en 'eene welgeregelde eigenliefde' zijn voortaan voldoende norm voor de inrichting van staat en maatschappij.[12] Troon en altaar zijn van elkaar gescheiden. Aan ieder heeft „de reden zijn bijzonder regtgebied aangewezen" (pg. 26). De godsdienst „voorkomt de misdaad, bemoedigt en heiligt de deugd", de staat „handhaaft de regten en straft derzelver inbreuken" (pg. 26).
Wij zien hier hoe, om met Althusser te spreken, een soort 'arbeidsdeling' wordt aangebracht tussen een 'repressief' en een 'ideologisch' staatsapparaat.[13] Zij vormen geen tegenstelling, maar beogen, zo zegt Rogge het, ieder vanuit zijn eigen 'regtgebied' „de verbetering en begelukzaliging van het menschdom" (p. 26). Korter gezegd: „beiden stemmen in dien grondregel, dat de beste Godsdienstige ook de beste burger is' (p. 26). De burger vormt zo het sluitstuk van zijn godsdienst en zijn staat, formeel gescheiden, inhoudelijk ten nauwste met elkaar verbonden.

d. Vrijheid van godsdienst.

Tenslotte is het nog van belang om te zien, hoe Rogge zich verweert tegen het steevaste argument dat de godsdienst zal vervallen, als de handhaving van staatswege verdwijnt. Hij keert deze redenering om: juist dóór de staatsbemoeienis is er van godsdienstig verval sprake. Herstel van de 'ware' godsdienst betekent herstel van de oorspronkelijke 'zuiverheid' van de godsdienst. En het enige middel daartoe is 'vrijheid', in den uitgestrektsten zin, die door de staat wel beschermd, maar niet bepaald wordt" (pg. 34). Deze vrijheid eist hij niet op in de vorm van verdraagzaamheid, maar als een recht dat door de staatmacht moet worden beschermd. In de roep om 'ware godsdienst' wordt zodoende de heersende ideologie van de Republiek, de 'tolerantie'[14] van weleer aangevochten en geradicaliseerd. Wanneer de burgerlijke revolutie heeft ge-

12. Zie o.m. E. J. Hobsbawn, *The Age of Revolution, 1789-1848*, New York 1962, 279: „Happiness was each individuals supreme object; the greatest happines of the greatest number was plainly the aim of society".
13. Zie Louis Althusser, „Idéologie et Appareils idéologiques d'Etat", in: *Positions (1964-1975)*, Parijs 1976. Ned. vertaling in: *Te Elfder ure* 24 (1978), 75. Althusser stelt hier dat de repressieve staatsapparaten, politie, justitie, leger enz., de politieke voorwaarden garanderen voor de werkzaamheid van de ideologische staatsapparaten godsdienst, onderwijs etc. Het gaat om een 'arbeidsdeling' met als doel de reproductie van de bestaande verhoudingen.
14. Door Enno van Gelder aangeduid met de dubbelzinnige term „Getemperde vrijheid". De relatieve vrijheid van de dissenters bestond juist bij de gratie van de vrijheidsbeperking van de gereformeerden door de staten om hun religie als de heersende op te (laten) leggen. Zie H. A. Enno van Gelder, *Getemperde vrijheid*, Hist. Studies XXVI, uitg. vanwege het Inst. v. Gesch. der R.U. te Utrecht, Groningen 1972.

zegevierd, zal godsdienst niet langer een huichelachtige aangelegenheid zijn. Waar vrijheid en gelijkheid zijn gewaarborgd, kan de ware godsdienst opbloeien als een 'bron van deugd'. En „daar is zijn invloed voor de staat zelven voordeelig en verheft deszelfs welvaart ten hoogsten top" (p. 43).
Het is voor Rogge dan ook ondenkbaar dat er op enigerlei wijze een constitutionele binding tussen kerk en staat zou worden gehandhaafd. In politieke, juridische, noch financiële zin. Dit betekent, dat er een eind moet komen aan de bezoldiging van geestelijke ambtsdragers. Aan de staat komt uitsluitend „de bezorging der algemeene belangen; de zorg voor het behoud mijner vrijheid, veiligheid en bezittingen" toe (pg. 49). De godsdienst valt daar niet onder, „zijne natuur" heeft „met het staatkundige niets te maaken" (pg. 51). En omdat bovendien iedere maatschappij „op gronden van vrijheid en gelijkheid, zeer goed bestuurd kan worden en bloeijen, zo besluit ik", aldus Rogge, *„dat de staat met de bezoldiging der geestelijkheid niets te maken heeft"* (pg. 51).

Rogge's argumentatie overziende kan worden gesteld, dat bij hem het politieke niveau centraal staat. Doorlopend wijst hij op de mogelijkheid van politiek misbruik van godsdienstige zaken. Het pamflet van Van Rees, dat ik nu aan de orde wil stellen, biedt belangrijke aanvullingen op deze politieke strekking. De titel maakt dit meteen al duidelijk: *Proeve van betoog, dat het den gereformeerden mogelijk en raadzaam zij, hunne leeraars zelf te salariëeren en in de verdere kosten hunner openbare godsdienstoefeningen te voorzien.* [15] Ook hier beperk ik mij tot de mijns inziens belangrijkste punten.

a. Het probleem van de staatsschuld en het eigendom van de kerkelijke goederen.

Van Rees constateert dat het vaderland zucht onder zijn staatsschulden. De eerste zorg van de Nationale Vergadering zal dan ook zijn, hoe het „waggeleend crediet van den Staat te schraagen" (pg. 6). Er zal, zo stelt hij, een 'Hypotheek' moeten komen waaruit de jaarlijkse interest kan worden betaald. „Zoodanige hypotheek, meen ik, heeft het Nederlandse Volk ten dele in de nog overgebleeven Dominiale Goederen, en ten dele in de zogenaamde Geestelijke of Kerkelijke Goederen, in alle vicarijen en praebenden, die daartoe eertijds (nl. vóór 1581, Tractaat van Verlatinghe, J.L.) . . .behoord hebben, doch door de hebzugt der Regenten, in Stadhouderlijke en Stadhouderlooze tijden daarvan zijn afgescheurd" (p. 8). Deze goederen zijn eigenlijk volkseigendom. Want vóór de reformatie was er slechts sprake van één „algemeene en onverdeelde Kerk van Nederland" (p. 9), en alle Nederlanders stammen af van de „ toenmalige Bataven, . . ., die, voor de tijden der Hervorminghe, alle gezamenlijk wettige Bezitters en Eigenaars waren van de Goederen en Bezittingen van die eene, . . .Kerk van Nederland". De Nationale Vergadering zou er zijns inziens dan ook goed aan doen, hen te „verklaaren voor NATIONAALE GOEDEREN" (pg. 10), om met de opbrengsten ervan

15. Leiden, Du Mortier, tweede druk, 1796.

de rente op de staatsschuld af te lossen. Dat is in het voordeel van iedereen, niet alleen van groepen en enkelingen. Deze goederen opnieuw gaan benutten voor de bekostiging van „Godsdienstige Vergaderingen" (pg. 11) is in strijd met de beginselen van de revolutie, ook als daarmee de kosten van niet één, maar alle kerkgenootschappen gedekt zouden worden. Net als Rogge wijst Van Rees hier op mogelijk machtsmisbruik door de staat: „. . .wie ziet ook niet, . . ., dat de invloed van het burgerlijk bewind op de gemoederen der menigte, daardoor, even zeer zoude toeneemen, als het getal der afhangelijke Kerkgenootschappen vermeerderen; welk der burgerlijke Vrijheid den wissen doodsteek zoude geeven, wen dat bewind eenmaal in ondeugende handen viel" (pg. 17).

b. Gereformeerden kunnen zich financieel zelf bedruipen.

Ook de gereformeerden dienen welbeschouwd de scheiding tussen kerk en staat te bevorderen. Ook zij zullen dan „in hunnen beroepingen, zoo vrij en onbelemmerd zijn als de Dissenters immer geweest zijn", terwijl er nu geen gemeente is, die zich niet te beklagen heeft over haar opgedrongen 'Leeraars'. „Onder dien politieken dwang zoude zij blijven, en alle de andere Kerkgenootschappen gebragt worden" (pg. 19, voetnoot).
Bezwaren van financiële aard moeten volgens Van Rees kunnen worden ondervangen. „Of zouden de Gereformeerden, waaronder zoo veele rijke, aanzienlijke en vermogende Burgers geteld worden, minder edelmoedig en liefdadig zijn, dan de Dissenters, die tot nog toe den gantschen last van hun Genootschap getorscht, en daarenboven door 's Lands en Stedelijke belastingen het hunne tot onderhoud van de Geestelijkheid en Armen der Gereformeerde Gemeente hebben bijgedraagen?" (pg. 20). Dit zal met name het gereformeerde regentendom venijnig in de oren hebben geklonken!

c. Nationalisering van de armenzorg.

Een belangrijk argument heeft Van Rees echter nog achter de hand. Tot nu toe is hij ervan uitgegaan, dat ook in de toekomst de *armenzorg* nog in grote mate op de schouders van de kerken zal rusten. „Doch dit is eene onderstelling die niet strookt met de beginzelen onzer Revolutie" (pg. 24). Want wat zijn de beginselen? „Genoeg is het alhier aan te merken dat de Arme nimmer behoort af te hangen van de edelmoedigheid van den Rijken; dat de Arme het recht heeft om van het Vaderland werk of brood te eischen" (pg. 24). De armen hebben hun toestand immers niet aan zichzelf te wijten; de oorzaken daarvan liggen bij de overheid „of in omstandigheden, waartoe zij niets gecontribueerd hebben". De staat moet hiervoor een oplossing aandragen en mag de last niet op de schouders van kerken leggen. Er zijn echter meer redenen: „Zoolang de Armen door de Kerkelijke Genootschappen, waartoe zij behooren, onderhouden worden, zal die inrigting het kweekschool zijn van dweeperij, religie-haat en staatkundige partijschappen". De opsplitsing van de armenzorg houdt dus de politieke en ideologische tegenstellingen in stand. Van Rees vindt dit gevaarlijk voor de 'burgerlijke vrijheid'. Er is maar één middel 'om de Natie te verbroederen' en verdeeldheid uit te bannen: de „vereëniging van alle armen onder ééne en dezelfde administratie; en de arme Weezen van alle gezindten in hetzelfde huis, volgens dezelfde beginselen en dezelfde regelen van opvoeding, te vereënigen". (pg. 24).

Deze passage moet nadrukkelijk *politiek* worden begrepen. Eenheid in organisatie en ideologische principes verschijnt hier als middel om de politieke en ideologische eenheid van de 'Natie' te bevorderen. Met andere woorden, er is hier een doeltreffend middel voorhanden, *waarmee de doelstellingen van de revolutie kunnen worden veilig gesteld.*

Daarmee is echter nog niet alles gezegd. Van Rees meent ook dat de armenzorg een andere financieel-economische basis moet krijgen, dan die van de oude Republiek. „Zodra het bewind de zware last van de armen bij ondervinding voelt, zal het zich gedwongen weten om op middelen van bestaan voor den handwerksman bedacht te zijn; om de industrie aan te moedigen, en onze Legers en Vlooten met inboorelingen te bemannen; . . ., en door den invoer van alle vreemde fabrieken tot binnenlands vertier dadelijk en gestrengelijk te verbieden, den hebzucht alle voorwendselen, alsof het der Natie aan de noodige handen en kundigheden ontbrak, beneemen: en alzo zal het getal der armen, . . ., welhaast zeer aanmerkelijk moeten afneemen, waardoor de lasten . . . zullen verminderen, en, . . ., het lot van de talrijkste klasse onzer Medeburgers, den nijveren werkman, zal verzagt worden" (pg. 26/7). Wij hebben hier de 'welvaartspolitiek' van de patriotse burgerij in een notedop: protectie en ontwikkeling van de nationale (industriële) productiekrachten als remedie tegen economische malaise en armoede. Van den Eerenbeemt spreekt van de verbinding tussen economie en filantropie.[16] De oplossing die hier wordt voorgestaan, is echter meer dan een 'verbinding'; Zij betekent een fundamentele breuk met de traditionele *charitas*. De arme kan niet langer enkel zijn hand ophouden, nee, hij dient in het arbeidsproces te worden ingezet. De nationalisering van de armenzorg moet zodoende een bijdrage leveren aan de *mobilisering van de potentiële arbeidskracht van de pauper voor de (industriële) productie. Naast politieke en ideologische* zijn er dus ook *economische* motieven in het geding. In maatschappelijk opzicht betekent een en ander een verandering van de positie van de pauper. De burger wenst hem niet langer te zien als object van liefdadigheid, maar wil hem 'verheffen' tot arbeider. De arbeidskracht van de pauper is voor hem een sluimerend economisch potentieel, dat voor de ontwikkeling van de productie moet worden aangewend.

Wij dienen ondertussen niet te vergeten dat Van Rees deze hele problematiek aansnijdt in een betoog over de noodzaak van een scheiding tussen kerk en staat. Nationalisering van de armenzorg is de voorwaarde voor zo'n scheiding. Dit houdt in, dat de wellicht belangrijkste praktijk waarmee de gereformeerde

16. Zie H. F. J. M. van den Eerenbeemt, *Armoede en arbeidsdwang*, 's Gravenhage 1977, 14, die juist hier de zwakke stee vindt in het patriottisch streven. De mislukking van het patriottisme moet m.i. echter niet primair gezocht worden in een gebrek aan economisch inzicht maar in de *politieke* machtsverhoudingen van de republiek.

kerk als 'publieke kerk'[17] op lokaal niveau was verbonden, zal worden genationaliseerd en een apart apparaat zal gaan vormen. In de optiek van Van Rees geeft dit ook de gereformeerden de mogelijkheid zichzelf zonder steun van de staat te financieren.

d. De 'ware godsdienst'

Betekenen deze ingrepen nu dat „het burgerlijk bewind met den godsdienst niets . . .te schaffen heeft;? (p. 42). Of dat het erom gaat „daaromtrent onverschilligheid in te voeren of te gedoogen;"? Nee, zo zagen we al bij Rogge, want de staat, zeker 'eene Republikeinsche' (p. 43) heeft juist belang bij 'ware' godsdienst. Voorlopig kunnen wij met Van Rees vaststellen dat deze „inwendige, praktikale Godsdienst . . .onder geen bedwang van menschen" ligt. „Hij kan alleen door de kragt der waarheid en het zaligende van de deugd worden voortgebragt" (pg 43). Deze 'deugd' wordt in de visie van de progressieve burgerij niet gekweekt door een staatskerkelijk bestel, maar door politieke, juridische en maatschappelijke hervormingen. Vandaar dat we Van Rees kunnen horen zeggen, dat het terwille van de bloei van ware godsdienst een eerste vereiste is „dat het Volk niemand met zijn vertrouwen vereert, en door het burgerlijk bestuur niemand in eenigen post van eer, aanzien of voordeel geplaatst wordt, dan de eerlijke en brave, dat is, de waarlijk Godsdienstige man; (d.i. de burger, zo zagen we bij Rogge, J. L.). en dat de ondeugd overal streng en zonder aanzien van persoonen opgespoord, en naar verdiensten gestraft wordt" (pg. 43).
Scheiding van kerk en staat heeft dan ook niets uitstaande met onverschilligheid jegens de godsdienst. Het enige wat ermee wordt bedoeld is de eis dat de staat zich afzijdig houdt van wat „de Franschen *culte* noemen" (pg. 43): de inhoud van de leer, de inrichting van de eredienst en de bezoldiging van de ambtsdragers.

3. *De scheiding van kerk en staat als een wapen in de strijd tegen de aristocratie*

Beide voorgaande teksten hebben wij gelezen als politieke interventies gericht op de publieke opinie en de Nationale Vergadering. Wij hebben gezien, dat de scheiding tussen kerk en staat onlosmakelijk was verbonden met de politieke, economische en ideologische strijd van de revolutionaire burgerij tegen het aristocratisch bestel van de oude Republiek. Ik stel voor, dit laatste nader uit te werken en bezie daartoe beide pamfletten als één geheel.
Van Rees' argumenten waren om te beginnen *financieel-economisch* van aard. Eén: door de nationalisatie van de kerkelijke goederen wordt de financiële speelruimte – en daarmee tegelijk: de politieke – van de staat vergroot. Het belang van de burgerij: versterking van de centrale staatsmacht. De tweede

17. Zie A. Th. v. Deursen, *Bavianen en Slijkgeuzen,* Assen 1971, 21: De geref. kerk had „toch onmiskenbaar het karakter van een dienstverlenend orgaan voor het gehele volk, lidmaten of geen lidmaten. Zij zette daarmee de traditie van de middeleeuwse kerk op een geheel eigen wijze voort".

ingreep met een *economische* motivering, is de nationalisering van de armenzorg. We zagen dat hierin het belang naar voren komt dat de burgerij stelt in ontwikkeling van de nationale (industriële) productiekrachten. Het is een maatregel die economisch gezien moet dienen ter versterking van de productievoorwaarden door mobilisatie van de potentiële arbeidskracht van de bedeelden. Hier botst de burgerij in het bestaande staatskerkelijk bestel en haar verwevenheid met de armenzorg op de politieke en ideologische *macht van de aristocratie*, die een rem betekent op het vrijmaken van de productiekrachten. De staat zal deze macht moeten breken door o.m. de armenzorg onder controle van het centrale staatsapparaat te plaatsen en daarmee te onttrekken aan de invloed van 'lokaal-kerkelijke'[18] instanties.
We zagen dat dit streven gemotiveerd werd vanuit de vraag hoe op termijn aan de behoeften van de arme tegemoet te komen. Wat men hiertoe voor ogen heeft betekent een breuk met de traditionele charitas, en ik concludeerde dat hierin voor de arme een ander *maatschappelijk* perspectief opdoemt: hij zal als *arbeider* een economisch noodzakelijke functie gaan vervullen.
De strijd van de burgerij na '95 is echter primair een strijd om de *politieke* macht. De scheiding tussen kerk en staat wordt de absoluut noozakelijke voorwaarde geacht om deze macht duurzaam te vestigen. Naast de financieel-economische argumenten is er ook en vooral van politieke argumenten sprake. Voor Rogge maken ze het spits van zijn betoog uit. Hij richt zich tegen het politieke misbruik, dat de (orangistische) aristocratie van de kerk (heeft) (ge)maakt. Met haar invloed op een 'ligt verleidbaar gemeen' was de kerk een instrument voor de machtshandhaving van de 'dwingelanden en tirannen'. Om na '95 het politieke proces verder ten gunste van de burgerij te kunnen beïnvloeden, is het daarom nodig de mogelijkheid dat anderen „onder een anderen naam, de oude heerschappij invoeren", uit te schakelen. Het is m.a.w. nodig, *het gevaar van een contrarevolutie weg te nemen.*
In de strijd tegen het oude ontstaan de contouren van het nieuwe. Het mes snijdt aan twee kanten. De kerk zal, als zij autonoom is georganiseerd en als zodanig losgemaakt uit de greep van de aristocratie, minder gemakkelijk manipuleerbaar zijn voor tegen de burgerij gerichte politieke doelstellingen. Maar tegelijk zal zij daarmee ook toegankelijker zijn voor beïnvloeding van de kant van de burgerij zelf. We moeten zeker het initiatief van Rogge en Van Rees tot vereniging van alle protestanten ook in dit licht bezien: een zelfstandige positie van de (geref.) kerk(en) vergroot de speelruimte om haar als een nieuwe ideologische eenheid te reorganiseren.

18. Zie B. van Rees, *Bedenkingen over den toekomstigen armenstaat, bij de overweging van de Voordragt door de Burgers De Vos c.s. over dat onderwerp gedaan aan de eerste Kamer van het Vertegenwoordigend Lighaam*, Leiden, Du Mortier en Zoon, 1799, 4/5: „een plaatslijk-kerkelijk bestuur zal hem (nl. de 'behoeftige broeder' J.L.) houden in dien staat van vernederende afhankelijkheid . . ." Het moet duidelijk zijn dat het accent in de woordcombinatie 'plaatslijk -kerkelijk' moet liggen op het 'plaatslijk' en dat daarmee vooral de praktijken van de regenten op de korrel worden genomen. Want het 'Kerkelijk Armbestuur' is 'het bestuur der Rijken' dat zichzelf als zodanig benoemde. (61). Vaak wordt m.i. miskend dat het gevecht om de armenzorg minder gericht was tegen het kerkelijk dan wel het aristocratisch karakter hiervan.

Een zelfde motivatie speelt ook een rol bij de nationalisering van de armenzorg. Behalve om het vrijmaken van de arbeidskracht gaat het hier ook om een poging de *politiek ideologische* greep van de aristocratie op een groot deel van de bevolking terug te dringen. Van Rees zag hier immers een middel om politieke verdeeldheid tegen te gaan en de 'Natie' te 'verbroederen'. De verbinding oligarchie-proletatiaat[19] die de burgerij in '87 noodlottig werd, kan hiermee in principe worden gebroken. En ook hier wordt tegelijkertijd een ruimte gecreëerd waarbinnen de burgerij haar eigen ideologische macht gestalte kan geven. Met alle politieke en economische implicaties van dien: de arme moet worden opgevoed tot het verrichten van arbeid, zodat hij zichzelf kan onderhouden en daarmee ook zijn politieke horigheid kan afschudden.

4. *Drijfveer van de revolutie: de vraag naar „zedelijkheid"*

Wanneer wij tenslotte de *ideologie* van beide auteurs aan een nadere beschouwing onderwerpen, dan stoten wij op het concept van de 'ware godsdienst'. Wat zien Rogge en Van Rees als de inhoud van deze godsdienst?
Voorop staat, dat er van een 'oorspronkelijk' christendom sprake is, dat van staatsinvloed is gezuiverd en naar het besef van de pamflettisten volkomen los staat van het heersende bestel. De 'waarheid' dient niet zozeer in kerk en dogma te worden gezocht, maar ligt in de 'natuur' en het 'hart' besloten, om pas vervolgens in het christendom te kunnen worden bekrachtigd. Het christendom kan daarbij als één van de mogelijke uitingen van die 'waarheid' worden gezien, die andere niet op voorhand uitsluit. In de 'ware godsdienst' gaat het immers om het 'wezen' van *alle* godsdienst, gegrondvest in het geloof „aan een Opperwezen, eene Voorzienigheid en een staat van belooningen en straffen." In tendens worden hier de verschillen tussen de godsdiensten opgeheven, waardoor ware godsdienst verschijnt als de kern van een ideologisch éénheidsstreven.
Vooruitlopend op wat volgt wil ik stellen, dat het bij Rogge en Van Rees gaat om:
a. een (evident religieus[20]) *oppositioneel* concept dat fundamenteel bepaald wordt door de economisch-maatschappelijke positie van de gezeten zelfstandige burgerij, waarin
b. het totale revolutiestreven van de progressieve burgerij wordt samengevat, en dat
c. gaat functioneren als ideologisch wapen in hun strijd tegen het *ancien régime.*
Waarin schuilt nu het oppositionele van dit concept? In de teksten zijn wij

19. Zie noot 6.
20. Naar mijn mening is het niet zo, dat deze auteurs in het bewustzijn leven dat zij in hun strijd tegen het *ancien régime* afscheid nemen van het christendom. Het gaat hier niet om een religie die alleen nog maar religie heet, maar dat niet meer is. Zie Dieter Schellang, *Bürgertum und christliche Religion*, Theol. Existenz heute, nr. 187, München 1975, die op pag. 7/8 formuleringen gebruikt die m.i. te zeer een „kwade trouw" veronderstellen. Voor de hier behandelde teksten gaat dit m.i. niet op.

meermalen tegengekomen dat het gaat om een „inwendige, praktikale godsdienst", die slechts indirect in „daaden van eerlijkheid, goede trouw en grootmoedigheid" zichtbaar is. Het criterium van wat in redelijkheid 'godsdienst' kan worden genoemd, ligt dus in de *praxis*. Nu kan de overheid, zo lezen wij bij Van Rees,[21] wel een praxis afdwingen, die met de ware godsdienst strijdig is, maar, op datgene waar het bij godsdienst werkelijk om gaat, 'gevoelens en beginselen', heeft zij geen greep. Hoe zwaar de repressie ook drukt, godsdienst blijft ten principale onttrokken aan de mogelijkheid van *directe* staatsbeïnvloeding. Dit neemt niet weg dat de staat de opbloei van zo'n godsdienst kan frustreren. Want de innerlijke godsdienstigheid laat zich niet opsluiten, maar wil zich uitdrukken in alledaagse praxis. Om hiervoor de ruimte te scheppen moet de staat zich terugtrekken: kerk en staat moeten van elkaar worden losgemaakt. Bij nader inzien blijkt bovendien nog, dat 'ware godsdienst' zich niet alleen in oppositie bevindt tegenover de staat, maar ook in belangrijke mate losstaat van bestaande kerkelijke praktijken.

Want alleen daden laten zien, in hoeverre men door de godsdienst wordt bezield, „alle andere bewyzen, als de mondelyke belydenis, het bywoonen van vergaderingen alwaar opzettelyk over deze betrekkingen (tussen 'het schepsel en zynen Schepper', JL) gesproken wordt, zyn wel geschikt voor dengeen, die zig van deze pligten kwyt, maar geenszins voldoende voor anderen, omdat die verrigtingen zoowel door den Huichelaar als den Opregten gedaan kunnen worden", aldus Van Rees.[22] In deze visie heeft de kerk nog slechts een ondersteunende functie voor een godsdienstigheid, die *wortelt in een maatschappelijke praxis*. Hier wordt het begrip 'godsdienst' kritisch en krijgt het in maatschappelijk opzicht een oppositionele lading. Want hoe is het feitelijk gesteld met die 'zedelijkheid', met die 'godsdienst', die algemeen wordt beleden als zijnde van het grootste belang voor welvaart en voorspoed? Rogge en Van Rees winden er geen doekjes om: onverbloemd wijzen zij op de alom aanwezige onrechtvaardigheid en volstrekte willekeur op het gebied van wetgeving en rechtshandhaving. Hoe vaak zijn daarvan niet enkel de kleinen de dupe en kan „hunne Meester . . . .geheel vryloopen".[23] Kijk naar de *„belastingen, die de eerste levensbehoeften tot een ontzettend hoogen prys doen klimmen;"* de *„gilden* en *corporaties* die monopoliën voortbrengen en op alles een willekeurigen prijs stellen".[24]

Van Rees en Rogge stellen dat er juist op dit soort sociaal-economische punten van overheidswege veel gedaan kan worden „om deze verkeerdheden tegen te gaan, en gevoelens van waare eer algemeener te verbreiden, en aan den

21. B. van Rees, *De Oplossinge der Vrage, mag en behoort het Burgerlyk Bestuur eenigen invloed uitteoefenen op zaken van Godsdienst? – Zoja, – van welken aart en uitgestrektheid behoort die invloed te zyn?* Verh. T.G.G. XVII, 1797, 35.
22. Ibidem, 57, 58.
23. Ibidem, 95.
24. Cornelius Rogge, *De armen, kinderen van den staat, of onderzoek nopens de verpligting van het gouvernement om de armen te verzorgen en ontwerp van een plan daartoe strekkende,* Leiden 1796, 39.

godsdienst dienstbaar te maaken."[25] Hoe belangrijk zou het ook niet zijn als de 'hoofden des Volks' een 'voorbeeldig gedrag' zouden vertonen. En is er een betere manier om dat te bereiken dan middels het instellen van een 'Volksbestier by vertegenwoordiging'? In het uitvoeren van deze seculiere opgaven draagt de revolutie eerst werkelijk bij aan de bloei van 'ware godsdienst', zo kan deze redenering worden samengevat. De 'ware godsdienst' verschijnt zo als het ideologische vehikel, dat de felle kritiek van de burger op het aristocratische bestel draagt.
Wat is nu de samenhang tussen dit begrip en de sociaal-economische positie van de burger? Die komt mijns inziens het scherpst naar voren als de noodzaak om met name de economische problemen tot een oplossing te brengen aan de orde wordt gesteld.
Want waar staat de 18e eeuwse burger in het geheel van de tegenstellingen van zijn tijd? Wat ziet hij als hij om zich heen kijkt? „De minst verstandige en meest zedenloze menschen" vindt men „onder de armste en de rijkste ingezetenen . . . alwaar men de meeste lediggangers vindt;" zo constateert Van Rees.[26] „Beschouw den ganschen burgerstaat, . . .en gy zult welhaast bevinden, dat die het best aan alle hunne betrekkingen voldoen, die zig, van vroeg af aan, op der der deugd; ledigheid de voedster van allerleie verkeerdheid."[27]
De burger begrijpt zichzelf als zedelijk omdat hij werkt en de andere klassen als onzedelijk – en dus: ongodsdienstig! – omdat zij parasiteren. Hij ziet zichzelf als het productieve deel van de natie dat de lasten heeft te dragen van twee klassen van profiteurs, de rijke geldaristocratie en de arme bedeelden. Hij is daarom degene die in eigenlijke zin de 'Natie' vertegenwoordigt en deze uit haar verval kan oprichten. Hij is daarom ook de enige, die aanspraak kan maken op het economische en politieke leiderschap, om in het belang van het algemeen de maatschappij naar zijn normen te revolutioneren en de 'ware godsdienst', *zijn zedelijkheid*, te doen bloeien. Het is deze godsdienst als zedelijkheid die ten grondslag ligt aan zijn bedreigde welvaart. Want het wezen van deze godsdienst, het wezen van wat de burger wil doen 'bloeien', is immers, naar Van Rees het zegt, dat de mens een optimaal genot heeft van „alle zyne lighamelyke, verstandelyke en zedelyke vermogens"[28]. Met andere woorden: een optimaal profijt van zijn geestelijke en lichamelijke arbeidskracht. De burgerlijke maatschappij behoort te worden ingericht naar het ideaalbeeld van een 'natuurstaat', waar dit genot aan al haar leden ten volle is gegarandeerd, zulks in schrille tegenstelling tot de actuele „Burgerlyke maatschappye", waar „de mensch geheel uit zynen stand" is „gerukt"[29] Zie de 'gemeene man'. „Grondeigendom bezit hy niet, noch het recht om dien te bearbeiden. Jacht en Vischery zyn hem verbooden. Dezen zyn het erfdeel geworden der ryken en aanzienlyken" (p. 118). Zijn werkloosheid en „alle derzelver zeden-

25. Van Rees, *De Oplossinge . . .*, 107 vv.
26. Ibidem, 116.
27. Ibidem, 117/118.
28. Ibidem, 113.
29. Ibidem, 118/119.

verwoestende gevolgen" (p. 119) zijn daarvan het resultaat. Wil men dus zijn zedeloosheid wegnemen, „. . .bezorg hem overvloedigen en gestadigen arbeid. Wilt gy eindelyk ook zyn verstand verlichten . . ., laat hem zoo veele belooning voor zynen arbeid genieten, of doe hem de noodwendigheden des leevens voor zoo geringen prys bekomen, dat hy niet noodig hebbe, om zonder ophouden . . .te zwoegen om zyn elendig leeven en dat van zyn kommerlyk gezin voorttesleepen, maar zyne zwaaren arbeid kan afwisselen door rust en verlustiging".[30]

Het verlangen naar de opbloei van 'ware godsdienst' vertoont zich hier als het verlangen naar een welvarend leven voor iedereen, zowel in materieel als in geestelijk opzicht, als het hechte fundament van een samenleving van vrijheid en gelijkheid. De gezeten progressieve burger beziet de vrucht van zijn geestelijke en lichamelijke arbeid als de vreugdevolle basis van zijn deugdzaamheid, van zijn godsdienstigheid. Het motiveert hem tot zijn revolutie, die als inzet heeft deze basis niet alleen te behouden maar algemeen geldig te maken voor iedereen. *Begeerte heeft hem aangeraakt* . . .

5. *Slot*

„Die Geschichte aller bisherigen Gesellschaft ist die Geschichte von Klassenkämpfen", zo luidt de eerste zin van het Communistisch Manifest. Deze polemische stelling kwalificeert het object van geschiedwetenschap, *geschiedenis*, als de strijd tussen onderdrukkers en onderdrukten, die beiden in deze strijd *klassen* worden.

In de Bataafse Revolutie streed de democratische burgerij voor haar eigen maatschappelijke levensvoorwaarden. Er waren er, die daarin een perspectief zagen voor de hele samenleving. Haar revolutie bleek een uiterst kort leven beschoren. De burgerij verloor en haar protagonisten werden door de heersende geschiedschrijving, c.q. de geschiedschrijving van de heersenden, uitgemaakt voor marionetten in de handen van Frankrijk.[31] Toch is eerder van het tegendeel sprake. De fractie van de democratische burgerij was de enige groep die, met het oog op de toekomst, vocht voor een zelfstandig bestaan. Haar tragiek was dat de Franse invloed nodig was om daartoe – na de Pruisische interventie die het *ancien régime* de kans gaf zich te herstellen – de ruimte te krijgen.

Voor het marxisme geldt de klassenstrijd als in *laatste instantie* economisch gedetermineerd. Zo kan Althusser stellen, dat „alle vormen van klassenstrijd

30. Ibidem, 119/120 – Dergelijke passages roepen onwillekeurig associaties op aan de manier waarop Marx en Engels in de *Deutsche Ideologie* het perspectief van de opheffing van de arbeidsdeling in de communistische maatschappij schetsen zie MEW III, Berlijn 1969.
31. De geschiedschrijving over de Bataafs-Franse tijd is in verregaande mate bepaald door het beeld dat daarvan is geproduceerd door de aristocratie die in 1801 de macht hernam. Het werk van dr. C. H. E. de Wit (zie de in de diverse voetnoten vermelde titels) wil – gevoed vanuit de *Historische Schetsen* van Thorbecke – één grote correctie van dit (tot voor kort?) heersende geschiedbeeld zijn. Zijn kritiek richt zich vooral op de geschiedschrijving van De Bosch Kemper, Groen van Prinsterer en Colenbrander.

wortelen in de economische klassenstrijd.[32] Deze formuleringen bevatten nadrukkelijk *twee* afgrenzingen waarmee een historische analyse moet rekenen. In de eerste plaats de voor de hand liggende stelling, dat geen enkele historische ontwikkeling helder kan worden begrepen, als niet het 'economisch niveau' mede wordt beschouwd. In de tweede plaats waarschuwt het 'in laatste instantie' ons voor het gevaar, historische ontwikkelingen *uitsluitend* in economische termen te willen vangen. Ook politieke en ideologische terreinen als *kerk en theologie* moeten worden opgevat als *systemen van maatschappelijke verhoudingen"*,[33] die een eigen dynamiek bezitten, voortdurend met elkaar in wisselwerking staan en toch niet volkomen los van de productiekrachten en -verhoudingen in het luchtledige zweven.
Levert nu een historische analyse zoiets als het 'doel', de 'zin' of het 'subject' van de geschiedenis op? Met Althusser moeten wij stellen: Neen. Het Communistisch Manifest kan zijns inziens worden samengevat in de stelling: „De klassenstrijd is de motor van de geschiedenis." Zo geformuleerd is geschiedenis een *„proces zonder subject"*.[34] Historische ontwikkelingen moeten dan worden opgevat als onbedoelde onderdelen en dito resultaten van maatschappelijke processen, waarvan nooit 'de' mens of een 'klasse' als 'het' subject kan worden opgevoerd. Hebben we dan te maken met de afloop van een blind proces waaraan we zonder meer zijn uitgeleverd? Zover gaat Althusser niet. Want 'in' de geschiedenis zijn mensen 'als subjecten'[35] actief: en het is een onderdeel van hun strijd zich kennis te verwerven omtrent de voorwaarden waarbinnen zij bestaan.
Zo streed in de Bataafse Revolutie de burgerij vanuit de voorstellingen, de 'verbeelding' van de werkelijkheid die zij zich vanuit haar plaats in de geschiedenis wist te verwerven. Het kader van die 'verbeelding' lag, hoe kon het ook anders, met haar positie in de geschiedenis vast. In weerwil van de opzet vanuit één positie de geschiedennis één enkele zingeving op te leggen, omvat zij echter meer posities, zingevingen, doelen en subjecten. De geschiedenis is een *open* aangelegenheid, een zaak van klassenstrijd. Zo ook het perspectief van vrijheid, gelijkheid en het goede leven voor iedereen.

32. Louis Althusser, *Réponse à John Lewis,* Parijs 1973. Geciteerd naar de Ned. vertaling in: *SUN-schrift* 80, Nijmegen 1974, 25.
33. Zie o.m. E. Balibar in: L. Althusser, E. Balibar, *Das Kapital lesen* II, Hamburg 1972, 289vv., vooral 294.
34. L. Althusser, o.c., 21 en 25.
35. Mensen kunnen niet anders bestaan dan als „ideologische" individuen, d.w.z. als „subjecten". Zie Louis Althusser, *Idéologie*, Ned. vert. 58 vv., vooral 81: Over de ideologie; 91: De ideologie spreekt de individuen tot subjecten aan.

ICH WILL MEIN VOLLES FREIHEITSRECHT!
Aantekeningen bij het vrijheidsbegrip van Heinrich Heine

Jan van Heemst

Halverwege de vorige eeuw rijpte het inzicht, dat de burgerlijke omwentelingen van 1789 en 1830 wel eens de opmaat zouden kunnen vormen van revolutionaire ontwikkelingen op langere termijn. Eén van degenen die terdege van dit historische besef was doordrongen, is de dichter/schrijver Heinrich Heine (1797-1856) geweest. De *duitse misère* had deze joodse auteur uit Düsseldorf het leven dermate zuur gemaakt, dat hij in 1831 voorgoed naar het kolkende Parijs was uitgeweken. En ook al werd hij daar spoedig in zijn – al te? – hooggespannen verwachtingen omtrent de Juli-revolutie van 1830 beschaamd, toch bleef hij zijn politieke overtuigingen in grote lijnen trouw. Daarvan getuigt onder meer een reeks artikelen, die Heine in de jaren 1840 tot 1848 voor de *Frankfurter Allgemeine* over het sociaal-culturele en politieke klimaat in de franse hoofdstad schreef. Dit materiaal verscheen in 1854 onder de titel *Lutezia* in boekvorm.[1] Het wordt doorgaans tot Heine's latere proza gerekend. Met opzet was achteraf een lichtelijk exotisch aandoende titel gekozen, enigszins in de trant van de dichtbundel *Romanzero*; het boek zou zo beter verkopen. Tenminste, in ieder geval beter dan het eerdere *Französiche Zustände*, een soortgelijk boek, maar met een wat nuchtere titel, waarvan twintig jaar na dato tot verdriet van de uitgever nog een kwart van de eerste oplage onverkocht op de schappen lag.

De politieke agenda die Heine in *Lutezia* presenteert, ligt geheel besloten in de ene zinsnede 'Volkwerdung der Freiheit'. Heine was er namelijk van overtuigd, dat in sommige moderne staten, Frankrijk voorop, inmiddels wel een liberale staatsinrichting tot ontwikkeling was gebracht, maar dat het ten enen male mankeerde aan een consequent democratische invulling. Het revolutionaire proces, door enkele burgerlijke voorlieden in gang gezet, had nog altijd geen vat gekregen op de grote massa. Hij brengt deze visie als volgt onder woorden:

> Die Saat der liberalen Prinzipien ist erst grünlich abstrakt empor geschossen, und dass muss erst ruhig einwachsen in die konkret knorrigste Wirklichkeit. Die Freiheit, die bisher nur hie und da Mensch geworden, muss auch in den Massen selbst, in die untersten Schichten der Gesellschaft, übergehen und Volk werden. Diese Volkwerdung der Freiheit, dieser Geheimnisvoller Prozess, der, wie jede Geburt, wie jede Frucht, als notwendige Bedingnis Zeit und Ruhe begehrt, ist gewiss nicht minder

1. Biografische gegevens bij M. Windfuhr, *Heinrich Heine. Revolution und Reflexion*, Stuttgart 1976[2]. Ik citeer Heine, op één uitzondering na, uit de editie van E. Elster, die van 1887-1890 in zeven delen in Leipzig verscheen onder de titel *Sämtliche Werke*.

wichtig, als es jene Verkündigung der Prinzipien war, womit sich unsre Vorgänger beschäftigt haben. Das Wort wird Fleisch, und das Fleisch blutet. (Elster VI, 372/3).

In dit opstel zal ik enkele kanttekeningen maken bij het vrijheidsbegrip, dat hier ter sprake wordt gebracht. Wat voor een vrijheid staat Heine voor? Kan hij zichzelf vinden in de leuzen die op de radicale dagorders staan? Maar alvorens op deze vragen in te gaan, maak ik eerst een aantal inleidende opmerkingen, die bij een lezing van Heine niet achterwege kunnen blijven. Ik doe dat om twee redenen. Het traditionele beeld, dat wij van Heine hebben, moet mijns inziens worden bijgesteld. En bovendien kom ik zo op de kiem van een conflict tussen een politieke en een private sfeer bij Heine, waar het hem om vrijheid is te doen.

Allereerst dit. Die 'politieke Heine' van zonet zal menigeen wat schril in de oren hebben geklonken. Heine is immers onder ons vooral 'anders' bekend. Als de lyrische dichter bijvoorbeeld, van wie veel teksten van muziek zijn voorzien. En bepaald niet door de eersten de besten. Ik denk alleen al aan Schubert en Schumann. Of neem het *'Auf Flügeln des Gesanges'*, dat zijn populariteit grotendeels aan Mendelssohn heeft te danken. Maar met alle respect voor de muziek, toch heb ik de stellige indruk dat het muzikale het geschrevene doorgaans hinderlijk omfloerst. Om bij Mendelssohn te blijven, tekst, ritme en structuur van het gedicht worden door hem in een melodie gehuld, die onmiskenbaar de sfeer van de *Biedermeier* ademt. De vijf geschreven strofes van Heine ademen echter alles behalve nu juist dát. Wij doen er dus goed aan, de muzikale lijkwade voor een moment weg te nemen, willen wij het gedicht lezen zoals het staat geschreven en gedrukt. De dichtregels spreken pas zonder de muzikale inkleding hun eigen, levende taal.[2] En die taal is bij Heine al gecompliceerd genoeg, bedreven als hij is in het aanbrengen van dubbele en tweedubbele bodems. Soms zijn zijn gedichten namelijk regelrecht parodieën op sleetse genres, motieven, uitdrukkingen in de contemporaire poëzie. Een romantisch gedicht van Heine kan zo bij nader inzien het romantische *Lied* volledig op losse schroeven zetten.[3] En dat brengt mij als vanzelf op een tweede beeld van Heine.
Naast deze 'muzikale' kennen wij waarschijnlijk ook de 'humoristische Heine' wel. Die nar, met zijn typische *witz* vol snikken en grimlachjes. Maar ook hier lijkt me weer een bijstelling op zijn plaats. Deze nar stelt ongemakkelijke vragen.[4] In het *Buch der Lieder* (1827) roept hij op het Noordzeestrand de golven (inderdaad: een tikje badinerend) toe:

2. Zie Ignace Feuerlicht, „Heines 'Auf Flügeln des Gesanges' ", *Heine Jahrbuch* 21 (1982), 21-49.
3. Zie Nigel Reeves, *Heinrich Heine. Poetry and Politics*, Oxford 1974.
4. Zo ook bij C. W. Mönnich, *Een tak van de wilde olijf*, Baarn 1984.

„O löst mir das Rätsel des Lebens,
Das qualvoll uralte Rätsel,
Worüber schon manche Häupter gegrübelt,
Häupter in Hieroglyphenmützen,
Häupter in Turban und schwarzem Barett,
Perückenhäupter und tausend andre
Arme, schwitzende Menschenhäupter-
Sagt mir, was bedeutet der Mensch?
Woher is er kommen? Wo geht er hin?
Wer wohnt dort oben auf goldenen Sternen?"

Es murmeln die Wogen ihr ew'ges Gemurmel,
Es wehet der Wind, es fliehen die Wolken,
Es blinken die Sterne gleichgültig und kalt,
Und ein Narr wartet auf Antwort. (Elster I, 190)

Een concreet antwoord op die vraag naar de *menselijke* zin van het leven laat echter akelig lang op zich wachten. Of liever gezegd, wat Heine betreft blijft zo'n antwoord uit. In de *Gedichte, 1853 und 1854* lezen wij:

Lass die heil'gen Parabolen
Lass die frommen Hypothesen-
Suche die verdammten Fragen
Ohne Umschweif uns zu lösen.

Warum schleppt sich blutend, elend,
Unter Kreuzlast der Gerechte,
Während glücklich als ein Sieger
Trabt auf hohem Ross der Schlechte?

Woran liegt die Schuld? Ist etwa
Unser Herr nicht ganz allmächtig?
Oder treibt er selbst den Unfug?
Ach, das wäre niederträchtig.

Also fragen wir beständig,
Bis man uns mit einer Handvoll
Erde endlich stopft die Mäuler-
Aber ist das eine Antwort? (Elster II, 91/2)

Tussen beide vragen ligt nagenoeg een heel schrijversleven. Daarin heeft zich kennelijk zoveel afgespeeld, dat de nar ten langen leste nogal harde trekken is gaan vertonen. *In nuce* hebben wij hier de wrijving tussen het politieke en het persoonlijke helemaal voor ons. Maar daarover later meer.

Wie dat leven in zijn geheel overziet, merkt al gauw dat Heine niet bijster overeenstemt met het beeld dat wij er van hem op nahouden. Heine blijkt óók schrijver van veel proza te wezen. Hij is óók chroniqueur. Hij levert politiek en sociaal-cultureel commentaar uit de eerste hand. Hij gaat uitgebreid in op de grote esthetische, religieuze en filosofische vragen van zijn tijd. Hij kan Karl Marx tot zijn, zij het hardleerse, vrienden rekenen en weet van het spook dat door Europa rondwaart. Wij zouden vandaag de dag kunnen zeggen: Heine was met heel het literaire arsenaal dat hem ter beschikking stond op tal van ideologische fronten actief. Hij bestond het zelfs, te morrelen aan de donkerste kamertjes van de burgerlijke zedelijkheid. Want zoiets als 'lichamelijkheid' lag voor hem niet uitsluitend in termen van smaakpapillen en spijsvertering vast. Ons is deze strijdvaardige Heine echter tamelijk vreemd gebleven. Wij zitten om zo te zeggen nog altijd met een '*entdornter* Heine' opgescheept. Toegesneden op normen, die hij zelf op de hak placht te nemen. Hoe anders de volgende regels te rijmen met de dichter die het '*Du bist wie eine Blume*' op zijn naam heeft staan?

> Doch nun sage mir den Grund:
> Gott, der Schöpfer der Natur,
> Warum schuf er einfach nur
> Das skabröse Requisit,
> Das der Mann gebraucht, damit
> Er fortpflanze seine Rasse
> Und zugleich sein Wasser lasse?
> Teurer Freund, ein Duplikat
> Wäre wahrlich hier vonnöten,
> Um Funktionen zu vertreten,
> Die so wichtig für den Staat
> Wie fürs Individuum,
> Kurz fürs ganze Publikum.
> Eine Junkfrau von Gemüt
> Muss sich Schämen, wenn sie sieht,
> Wie ihr höchstes Ideal
> Wird entweiht so trivial!
> Wie der Hochaltar der Minne
> Wird zur ganz gemeinen Rinne!
> Psyche schaudert, denn der kleine
> Gott Amur der Finsternis
> Er wandelt sich beim Scheine
> Ihrer Lamp – in Mankepiss.

(Elster II, 77 gekuist; tekst bij *Paul Stapf, Hrsg., Heinrich Heine. Werke,* Wiesbaden z.j., 519).

De oplossing: bloemlezingen voor het grote publiek samenstellen, waarin enkel fatsoenlijk, betamelijk, zuiver, edel, verheven, kies, oorbaar, enzovoorts, werk van Heine is opgenomen.[5] De ruim honderdjarige lezing van Heine's werk na diens dood laat zich dan ook op zijn beurt weer lezen als een beknopt vademecum van de nieuwste Westerse beschavingsgeschiedenis. Nu ja, wat heet 'beschaving', waar op gegeven momenten tussen een *entdornter,* een *entschärfter* en een *entarteter* Heine niet eens zulke hele grote stappen bleken te liggen.

5. Zie Günther Häntzschel, „Ein entdornter Heine", *Heine Jahrbuch* 21 (1982), 89-11.

De afgelopen twintig jaar hebben gelukkig een zakelijke kentering in de beoordeling van Heine te zien gegeven. Er is zo langzamerhand een instrumentarium tot ontwikkeling gebracht, waarmee tal van retouches op onze *daguerreotype* van Heine zijn aangetekend. Ik denk daarbij met name aan het werk dat het *Heinrich-Heine-Institut* in Düsseldorf verzet.[6] Bovendien krijgen wij de beschikking over maar liefst twee nieuwe tekstkritische uitgaven van Heine's verzamelde werk. Naast de *Säkularausgabe* die in een voorbeeldige samenwerking tussen Frankrijk en de DDR vanaf 1970 in Parijs en Berlijn aan het verschijnen is, verschijnt vanaf 1973 in een wat trager tempo de zogeheten *Düsseldorfer Heine-Ausgabe* in de BRD. Waar de huidige toestand in Europa niet goed voor is. In ieder geval zijn wij straks wel een onmisbaar hulpmiddel in duplo rijker voor verder wetenschappelijk onderzoek. Ik kan mij vergissen, maar ik kan mij niet aan de indruk onttrekken dat Nederland hierin wat achter blijft. Dat zou jammer wezen, waar Busken Huet in zijn *Literarische Fantasiën* eigenlijk al opmerkelijk hints heeft gedaan.
De huidige stand van zaken overziende, mag worden vastgesteld dat zich een vruchtbaar debat aan het ontspinnen is over mogelijke lezingen van Heine's proza en poëzie. Vruchtbaar, niet zozeer omdat wij nu plotsklaps over een authentieke Heine zouden kunnen beschikken, maar wel omdat tal van verzwegen vooronderstellingen in onze omgang met Heine tot dusverre aan het licht kunnen worden gebracht. En Heine zelf? Hij blijkt ondertussen een hoe langer hoe lastiger sujet te wezen. Minstens even problematisch als de tijd waarin hij leefde, toen de moeizaam bevochten triomf van de west-europese bourgeoisie al weer werd overschaduwd door de dreigende opmars van het proles:

Die Wanderratten, o wehe!
Sie sind schon in der Nähe.
Sie rücken heran, ich höre schon
Ihr Pfeiffen, die Zahl ist Legion.

O wehe! wir sind verloren,
Sie sind schon vor den Thoren!
Der Bürgermeister und Senat,
Sie schütteln die Köpfe, und keiner weiss Rat.

Die Bürgerschaft greift zu den Waffen,
Die Glocken läuten die Pfaffen.
Gefährdet ist das Palladium
Des sittlichen Staats, das Eigentum. (Elster II, 202)

In het oeuvre van Heine kunnen mijns inziens ruwweg drie brandhaarden worden gelocaliseerd: een politieke, een godsdienstwijsgerige en een zinnelijke. Daarmee wil ik uiteraard niet beweren dat Heine respectievelijk politicoloog, filosoof, theoloog, psycho-analyticus of wat dies meer zij, zou wezen.

6. Uitgever van het *Heine Jahrbuch*.

Heine is artistiek producent van literaire waar. Hij is een schrijver om den brode. Joods, wel te verstaan. In het medium dat hij bezigt, de geschreven taal, woeden echter de veenbranden van zijn tijd voort. Zijn werk kan daarom mede worden gelezen als een complex van strategische manoeuvres om het vuur, waar nodig, in te dammen of juist aan te wakkeren. Dit blijkt onder andere uit de behandeling die het vrijheidsbegrip bij Heine ondergaat. Wij zijn het aan het begin van dit opstel al tegengekomen. Met de tot nog toe gemaakte opmerkingen in gedachten, stel ik voor nu verder enkele aspecten van dit begrip aan een nadere beschouwing te onderwerpen. Ik ga daarbij in het kort op twee vragen in: een politieke en een private. Ik doe dat in het besef, dat beide vragen in wezen niet goed kunnen worden gescheiden, maar om der wille van de overzichtelijkheid voer ik ze toch apart op.

Heel Heine's politieke denken werd gevoerd door het ideaal van de Franse Revolutie. Dat toppunt van vrijheid loopt als een rode draad door zijn werk heen. Of hij nu de degens kruiste met nationalisten, met liberalen of met republikeinen, steeds weer keren de personages en de personen van toen in zijn uitweiding terug. De *Marseillaise* gaat idyllisch voor een herdersdicht der vrijheid door. *De Tricolore* verbeeldt in drie-fleurige banen de vrijheid. De toenmalige revolutionaire *avant-garde* staat voor de uitgelezen keurbende der vrijheid. Het franse volk is de gezamenlijke drager van de politiek, de wetenschap der vrijheid. Het franse land ligt uitgestrekt in de rode aarde der vrijheid. En Parijs tenslotte is, hoe kan het ook anders, de metropool van de vrijheid. Wat ziet Heine in de Franse Revolutie? De vrijheid die daar tot stand werd gebracht, is in zijn ogen vooral de vrijmaking geweest van het oude aristocratische juk. Zijn vrijheidsbegrip is zodoende sterk anti-aristocratisch gekleurd. Deze grondgedachte klinkt duidelijk door in het voorwoord van de *Französische Zustände*. Heine schrijft hier onder meer:

> Wenn wir es dahin bringen, dass die grosse Menge die Gegenwart versteht, so lassen die Völker sich nicht mehr von den Lohnschreibern der Aristokratie zu Hass und Krieg verhetzen, das grosse Völkerbündniss, die heilige Allianz der Nationen, kommt zu stande, wir brauchen aus wechselseitigem Misstrauen keine stehenden Heere von vielen hunderttausend Mördern mehr zu füttern, wir benutzen zum Pflug ihre Schwerter und Rosse, und wir erlangen Friede und Wohlstand und Freiheit. (Elster V, 11/12)

Heine's levenslange bemoeienissen met deze revolutionaire vrijheid kunnen grosso modo als één lange uitwerking van het anti-aristocratische beginsel worden beschouwd. Dat gold al voor de *Einleitung zu Kahldorf über den Adel*, nog in Duitsland geschreven, en dat geldt onverkort voor het veel latere *Lutezia*. Kenmerkend blijft de scherpe kritiek op de adellijke heren en hun onafscheidelijke trawanten op de preekstoel of aan het altaar. Met dit beginsel stelt Heine zich in de kritische lijn van de Verlichting.[7] Maar uiteraard laten de vehemente ontwikkelingen van zijn tijd hun sporen na in zijn opvattingen. In

7. Zie Günter Oesterle, *Integration und Konflikt. Die Prosa Heinrich Heines im Kontext oppositioneller Literatur de Restaurationsepoche,* Stuttgart 1972.

het Duitsland van de Restauratie werkten de aloude revolutionaire leuzen als dynamiet. In het moderne Parijs legitimeerden zij evenwel een status quo, die Heine sedert 1830 hartgrondig had leren wantrouwen. Waarom? Omdat zijns inziens de universele vrijheid, die in 1789 opgeld had gedaan, nauwelijks een generatie later een *exclusivisme* was geworden in maatschappelijk en geografisch opzicht. De anti-aristocratische grondgedachte leverde op zich genomen niet veel meer op dan machteloze verontwaardiging. Voor een daadwerkelijke *Volkwerdung der Freiheit* kwam meer kijken: meer democratie en meer kosmopolitisme.[8]

Nu was Heine tot de ontdekking gekomen, dat de Franse Revolutie het nooit zonder de ammunitie had kunnen stellen, die de godsdienstwijsgerige traditie in Duitsland had aangesleept. Hij werkt dit inzicht uit in het essay *Zur Geschichte der Religion und Philosophie in Deutschland*, dat in 1834 als onderdeel van een groter geheel, *De l'Allemagne*, verscheen.[9] In grote lijnen beschouwt Heine de duitse traditie van Luther tot Hegel als het *dromen* van de Franse Revolutie. Luther had in de Reformatie het zaaigoed van de vrijheid uitgezaaid, waaruit een lange theoretische scheut was ontsproten. De Franse Revolutie had deze theoretische inzichten geoogst en praktisch te baat genomen. Heine is opnieuw op zo'n doeltreffend vruchtgebruik uit. Hij wil de revolutie in Frankrijk uitdiepen en tegelijkertijd de resultaten ervan over de landsgrenzen van Frankrijk naar Duitsland exporteren. Hij zoekt daartoe naar een *filosofie* van de daad en naar de *slagkracht* van de zoëven aangegeven traditie.[10]

In filosofisch opzicht bedient Heine zich daarbij van een 'wilde exegese', om met Lévy-Strauss te spreken. Natuurlijk kon hij niet om Hegel heen, maar Hegel is hem al met al toch te abstract en te pruisisch. Zeker, Hegel had hem optimistisch gestemd over de onherroepelijke voortgang van de vrijheid door de geschiedenis. Maar gaandeweg was hij gaan inzien, dat deze filosofische calculus niet met zijn praktische eisen strookte. Heine was er niet op uit om, à la Hegel, zijn tijd in *gedachten* te vatten; mét de jonghegelianen stond hij daarentegen een radicale *vleeswording* van het gedachte voor:

> Der Gedanke, den wir gedacht, (...) lässt uns keine Ruhe, bis wir ihm seinen Leib gegeben, bis wir ihn zur sinnlichen Erscheinung gefördert. Der Gedanke will Tat, das Wort will Fleisch werden. Und wunderbar! der Mensch, wie der Gott der Bibel, braucht nur seinen Gedanken auszusprechen, und es gestaltet sich die Welt, es wird Licht oder es wird Finsternis, die Wassern sondern sich vom Festland, oder gar wilde Bestien kommen zum Vorschein. Die Welt ist die Signatur des Wortes. (Elster IV, 248)

Heine kondigde dus geen abstract begrip van de vrijheid af. Hij jaagt geen ontledigde hersenschim na, maar richt zich op de concrete bevrijding van de mensen uit hun materiële, politieke en geestelijke boeien. Met behulp van een

8. Zie Fritz Mende, „Heine und die 'Volkwerdung der Freiheit' ", *Heinrich Heine. Studien zu seinem Leben und Werk*, Berlijn 1983, 63-75.
9. Zie Wolfgang Wieland, „Heinrich Heine und die Philosophie", *Deutsche Vierjahrtelschrift für Literaturwissenschaft und Geistesgeschichte* 37 (1963), 232-248.
10. Zie Fritz Mende, „Zu Heines politischer Terminologie", *Leben und Werk*, 196-208.

Saint Simon en een Fourier zoekt hij naar de randvoorwaarden van dit proces. De vroege kritiek op de adel wordt omgewerkt tot een bijtende kritiek op de nieuwe burgerlijke elite, die als *aristocratie bourgeoisie* de snelle kapitalistische ontwikkeling in de periode 1830-1848 aandreef, met alle maatschappelijke gevolgen van dien. Heine koppelt vrijheid aan het recht van het volk op eten, waarbij een materialistisch type van religiekritiek wordt omgekeerd:

> Wir befördern das Wohlsein der Materie, das materielle Glück der Völker, nicht weil wir gleich den Materialisten den Geist missachten, sondern weil wir wissen, dass die Göttlichkeit des Menschen sich auch in seiner leiblichen Erscheinung kundgibt, und das Elend den Leib, das Bild Gottes, zerstört oder aviliert, und der Geist dadurch ebenfalls zu Grunde geht. Dass grosse Wort, das Saint-Just ausgesprochen: le pain est le droit du peuple, lautet bei uns: le pain est le droit divin de l'homme. (Elster IV, 223

Bij dit alles moeten wij wel beseffen, dat Heine geen systematisch denker over de vrijheid is. Heine trekt niet één vaste lijn, veeleer is hij een *plurale tantum*.[11] Hij beschouwt zichzelf als de profeet, de apostel en de tribuun van een vrijheidsideaal, waarvan hij per saldo geen eenduidige voorstelling heeft. Hij roert een tijdlang hartstochtelijk de trom voor een zaak, die hij welbeschouwd geen moment van ganser harte was toegedaan. In de *Zeitgedichte* staat het volgende gedicht, *Doktrin* geheten:

> Schlage die Trommel und fürchte dich nicht,
> Und küsse die marketenderin!
> Das ist die ganze Wissenschaft,
> Das ist der Bücher tiefster Sinn.
>
> Trommle die Leute aus dem Schlaf,
> Trommle Reveille mit Jugendkraft,
> Marschiere trommelnd immer voran,
> Das ist die ganze Wissenschaft.
>
> Das ist die Hegelsche Philosophie,
> Das ist der Bücher tiefster Sinn!
> Ich hab' sie begriffen, weil ich gescheit,
> Und weil ich ein guter Tambour bin. (Elster I, 301)

Deze regels voeren Heine eindweegs in de richting van Karl Marx. Maar er is een fundamentele onrust over de eigen artistieke positie als dichter/schrijver die hem belet, zich volledig bij de opkomende communistische beweging aan te sluiten.[12] Heine is geen partijganger geworden. Hij is een weifelaar pur sang tussen de partijen gebleven, die zich met zijn literaire bagage eigenlijk nooit goed raad heeft geweten. Hij zag haarfijn hoe voos het burgerlijke vrijheidsideaal van weleer was geworden, maar schrok vooralsnog terug voor de drieste taal van de nieuwe verworpenen, die hem wreed uit zijn zoete dromen van een

11. Zo bij F. J. Raddatz, *Heine. Ein deutsches Märchen,* Hamburg 1977, 8: „Heinrich Heine ist ein Plural."
12. Zo bij Reeves o.c..

schone revolutie wakker schudden. In arren moede zocht hij zijn heil bij een denkbeeldig schutspatroon, nota bene in vorstelijke gedaante, die als de belichaming van een *juste milieu* bij een weloverwogen inrichting van de vrijheid borg zou staan voor de 'unieke' positie van de dichter/schrijver.
Men hoede zich hier voor verwijten, want zoiets zou onzin zijn; tenminste even onzinnig als een verwijt aan het adres van Marx c.s. dat zij in 1848 bijvoorbeeld nog niet over een doorwrochte materialistische esthetica beschikten. Toch wordt er in de hierboven geschetste verlegenheid iets van de *Zerrissenheit* zichtbaar, die Heine aan den lijve heeft ondervonden. Ik ben zodoende midden in de tweede vraag verzeild geraakt, die ik aan het begin van dit stuk in het vooruitzicht had gesteld: de vraag naar Heine's 'eigen' vrijheid.

Over deze vraag wil ik korter zijn. De joodse schrijver Heine heeft zijn leven lang geen enkele vrijheid kunnen smaken.[13] Heine zag zich genoopt een loopbaan te gaan, die hij zich niet had gewenst. De advocatuur in Hamburg was niet voor hem weggelegd, de diplomatie in Parijs ook niet en evenmin een professoraat in München. Na het opmaken van de anti-joodse balans restte hem enkel het schrijverschap. Zo is hij broodschrijver geworden in de moderne zin des woords. In ballinschap. Hij zou zich zo graag hebben *geassimileerd*, maar zijn biografie laat zich lezen als één grote spanningsboog tussen de *nie abzuwaschende Jude* aan het begin en de *todkranker Jude* op het einde. De christelijke doop ten spijt. Van deze achtergrond getuigen voortdurend schriftuurlijke sigla. Zo klinkt in dit citaat een navrante ondertoon door, die een verknochtheid aan de tale kanaäns verraadt:

> Ich habe mich bereits in meinem jüngsten Buche, im 'Romanzero', über die Umwandlung gesprochen, welche in bezug auf göttliche Dinge in meinem Geiste stattgefunden. Es sind seitdem mit christlicher Zudringlichkeit sehr viele Anfragen an mich ergangen, auf welchem Wege die bessere Erleuchtung über mich gekommen. Fromme Seelen scheinen darnach zu lechzen, dass ich ihnen irgend ein Mirakel aufbinde, und sie möchten gerne wissen, ob ich nicht wie Saulus ein Licht erblickte auf dem Wege nach Damaskus oder ob ich nicht wie Barlam, der Sohn Boers, einen stätigen Esel geritten, der plötzlich den Mund aufthat und zu sprechen begann wie ein Mensch? Nein, ihr gläubigen Gemüter, ich reiste niemals nach Damaskus, ich weiss nichts von Damaskus, als dass jüngst die dortigen Juden beschuldigd worden, sie frässen alte Kapuziner, und der Name der Stadt wäre mich vielleicht ganz unbekannt, hätte ich nicht das Hohelied gelesen, wo der König Salomo die Nase seiner Geliebten mit einem Turm vergleicht, der gen Damaskus schaut. (Elster IV, 158/9)

In dit licht bezien is het niet helemaal onbegrijpelijk dat Heine op het einde van zijn leven Karl Marx de welgemeende raad gaf nog eens een blik te werpen in het boek Daniël, dat zinrijke leerstuk van hovaardij en ootmoed.

13. Zie J. Presser, „Heinrich Heine", *Uit het werk van dr. J. Presser,* Amsterdam 1969, 35-57; Ruth Wolf, *Heinrich Heine. Schrijver in ballingschap,* Amsterdam 1976; Martin Walser, „Heines Tränen", *Heine Jahrbuch* 21 (1982), 206-227.

En ook de schrijverij bracht hem niet het felbegeerde *asylum libertatis*. Integendeel. Heine werd door een dermate *Unmut gegen das Deutsche* gekweld, dat je je eigenlijk wel mag afvragen of hij zich ook maar één moment in 'zijn' literaire behuizing thuis heeft gevoeld. Heine had zich van een beeldend apparaat te bedienen dat hem vreemd was. Maar hij kon niet anders. Deze literaire wrijving van gevoel en bedenking veroorzaakte een rigoureuze tegenstelling tussen een spiritueel en een prozaïsch element, waardoor de wereld die Heine verbeeldde, wordt beheerst.[14]
Een synthese was niet zonder meer voorhanden; Heine moest er helemaal voor terug naar de *joodse* dichter Jehuda ben Halevy, in wiens werk het spirituele sprookje van de *Hagada* en de prozaïsche dialektiek van de *Halacha* althans voor een moment op een volmaakte wijze samengingen:[15]

„Durch Gedanken glänzt Gabirol
Und gefället zumeist dem Denker,
Ibn Esra glänzt durch Kunst
Und behagt weit mehr dem Künstler-

„Aber beider Eigenschaften
Hat Jehuda ben Halevy,
Und er ist ein grosser Dichter
Und ein Liebling aller Menschen." (Elster I, 458)

Voor Heine was een dergelijke gelukkige synthese niet weggelegd. Literair niet, laat staan maatschappelijk. Zolang hij 'zijn' *Judenfrage* nergens aan de orde kon stellen, bleef het rijk der vrijheid in dichte nevelen gehuld. Voor hem geen Melisande, Bimini – of Jeruzalem. Heine klampte zich aan twee identiteiten vast en hield er bedenkelijk weinig aan over:

Ich will mein volles Freiheitsrecht!
Find ich die g'ringste Beschränknis,
Verwandelt sich mir das Paradies
In Hölle und Gefängnis. (Elster I, 302)

Hoe viel dit tenslotte (letterlijk) te rijmen? De Verlichting, die, zo zagen wij, Heine *in politicis* de weg naar de 'Volkwerdung der Freiheit' had gewezen, drong hem *in mentibus* een heel andere kant op. Ik wijs in dit verband nog eenmaal op de nar die wij al eerder zijn tegengekomen. In deze gestalte neemt Heine, gelet op zijn eigen hachje, tenminste een literaire mogelijkheid te baat om de zelfkant van het burgerlijk vernuft aanschouwelijk te maken. De redelijke werkelijkheid van alledag is voor Heine au fond *Verkehrte Welt* en kan nog het beste in zottenklap onder woorden worden gebracht, omdat de nar voor de enige rechtmatige getuige op dit gebied doorgaat. Heine neemt zo een positie in die hem in feite door niemand minder dan Kant, de verlichte burger in optima forma, was toebedeeld. Kant had namelijk de omgekeerde wereld op conto van een *närrische Vernunft* geschreven. Zo schreef hij in zijn *Versuch*

14. Ook wel aangegeven met 'hellenistisch' en 'nazarenisch' (wat niet met 'joods' samenvalt!).
15. Zie J.-P. Lefebvre, „Die Stellung der Geschichte im Syllogismus des 'Romanzero', *Heinrich Heine und die Zeitgenossen*, Berlijn/Weimar 1979, 142-162.

über die Krankheiten des Kopfes: „Wenn die herrschende Leidenschaft an sich selbst hassenwürdig und zugleich abgeschmackt genug ist, um dasjenige, was der Natürlichen Absicht derselben gerade entgegengesetzt ist, für die Befriedigung derselben zu halten, so ist dieser Zustand der verkehrten Vernunft *Narrheit.*"[16] Heine heeft zich dit narrenpak aangemeten omdat hij aan den lijve had ondervonden waarop het gezonde verstand van zijn tijd berustte: op een religieuze zedelijkheid, die het jodendom had opgeheven. Of in de wat krassere bewoordingen van Kant: „Die Euthanasie des Judentums ist die reine moralische Religion . . ."[17] Welnu, Heine heeft, zijns ondanks welhaast, gemeend voor deze ingreep te moeten bedanken. Dat maakte hem een zotskap rijker en een vrijheidsideaal armer. En, zo kunnen wij daar met Foucault aan toevoegen, „on ne lui donnait la parole que symboliquement, sur le théâtre, où il s'avançait, désarmé et réconcilié, puisqu'il y jouait le rôle de la vérité au masque."[18]
De hoogste tijd voor een hermeneutisch démasqué, lijkt me.[19]

16. Immanuel Kant, *Werke,* Hrsg. E. Cassirer, Bd. II, Hrsg. A. Buchenau, Berlijn 1912, 306.
17. Kant, *Der Streit der Fakultäten,* Hrsg. Kl. Reich, Hamburg 1975, 96.
18. M. Foucault, *L'ordre du discours,* Parijs 1971, 14.
19. Zie bijvoorbeeld M. Reich-Ranicki, *Über Ruhestörer. Juden in der deutschen Literatur,* Frankfurt/a.M. 1977, 54.

DE VRIJHEIDSREVOLUTIE VAN 1848
en de theologie van J. H. Scholten

Rinse Reeling Brouwer

1. *Aanleiding. Inleiding*

Toen we in de gemeente, bij het zondag aan zondag horen van de thora, waren toegekomen aan het boek Deuteronomium, werd ik er door verrast hoe kaal, hoe kleurloos daar gesproken wordt over de functionarissen.
Eerder, bij de passage over het gouden kalf in Exodus of de verhalen over Korach in Numeri, is er sprake van een (ik zou bijna zeggen 'leninistische') noodzaak van een centraal leiderschap. Telkens dreigt in de woestijn de contrarevolutie, de poging de verworven vrijheid terug te wentelen. En dan komt veel aan op de voorhoede, of die de weg vooruit weet te bewaren. Zelf loopt die avant-garde voortdurend het gevaar de weg te vergeten (zo de levieten, zo Mirjam, zo zelfs een moment Mozes). Het rechte voorgangerschap is een probleem. Maar: in de woestijn is het een noodzakelijk probleem.
Anders in het laatste boek van de thora: wanneer het land van belofte in zicht komt blijft er van voorgangers weinig over. Rechters, ze zijn een noodmaatregel, want rechtspraak dient zo veel mogelijk een zaak te zijn van de vrijen bij de poort; Legeroversten, ze hebben te voorkomen dat er een staand leger ontstaat; Profeten, ze kunnen opstaan uit het midden van de broeders en moeten dan nog maar aantonen dat ze iets te zeggen hebben; Koningen, ze worden een lachertje want de middelen waarmee ze hun macht zouden kunnen accumuleren worden hen ontzegd en veel van hun regeertijd zal aan het horen van de thora besteed dienen te worden. Je zou kunnen zeggen: ons wordt (bijna 'anarchistisch') een beeld geschilderd waarin de 'ambten', zelfs de messiaanse ambten, in het voorteken staan van hun ontbinding.

Nu vroeg ik mij af: zou dit perspectief in de geschiedenis van de dogmatiek verwerkt en opgenomen zijn?
Aan Karl Barth hebben we in KD IV/1-3 prachtige bladzijden te danken waarin de leer van het drievoudig ambt van de messias vernieuwd wordt. Tegelijk is hij uiterst laatdunkend, als het gaat om 'ambten' in de gemeente. Hij is te vanzelfsprekend democraat om zich iets van hiërarchie aan te trekken. Maar de thematisering van de verbinding tussen die twee momenten, de behandeling van de vraag of en in hoeverre de wijze waarop de messias Jezus in zijn weg de ambten in Israël heeft vervuld de voorwaarde kan heten voor zoiets als 'opheffing' van de ambten, die zou ik bij Barth toch niet zo maar kunnen aanwijzen.
Toen ging ik kijken bij de liberale theologie. En ik las in J. H. Scholtens *Leer*

van de Hervormde Kerk[1] in de Leitsatz van die paragraaf welke de apotheose vormt van de prolegomena, in een klaarblijkelijk bij zondag 12 van de Heidelbergse catechismus aansluitende formulering: „Het christendom is de verwezenlijking van den waren godsstaat, waarin Christus de Profeet, de Priester en de Koning is, in wiens gemeenschap ook de Christenen vrij en zelfstandig tot profeten, priesters en koningen gevormd worden".[2] Een nieuw verbond is ingetreden, de 'godsdienst der vrijheid en zelfstandigheid' bereikt, alle uiterlijk gezag, alle bevoogding van boven af of van buiten opgeheven, allen aan de regering geraakt, het land van belofte waar voorgangerschap in tendens kan worden opgeheven blijkbaar vrijwel binnengetreden.
Het is dit pathos, het *anti-autoritaire pathos* dat zo kenmerkend is voor het liberalisme, dat wil zeggen voor de burgerlijke revolutie in haar offensieve element, zoals dat bij een man als Scholten in de gemeente present wordt gesteld, waarover ik in dit artikel enkele opmerkingen wil maken.
En ik hoop maar, dat Ernst Beker het me niet euvel zal duiden, dat ik hem wil eren door uitgerekend met die theoloog in gesprek te gaan, in verzet tegen wiens werk die theologische richting is ontwaakt waaraan hij zelf zoveel te danken heeft, de ethische richting.[3]

2. *De jaren '40 van de negentiende eeuw in Nederland: politiek liberalisme*

„Gelijkheid, vrijheid en broederschap zijn *christelijke* begrippen".[4] Dat leed voor Scholten geen twijfel. Het program van de Franse revolutie was geen onchristelijk program, waartegen de kerk zich anti- zo niet contrarevolutionair diende op te stellen. Ze had het veeleer te begrijpen als een herinnering aan haar eigen zaak. De eerste druk van het eerste deel van de leer der Hervormde Kerk verscheen in 1848. Hetzelfde jaar, waarin Koning Willem II, zenuwachtig geworden door revolutiepogingen elders in Europa, opdracht gaf tot het ontwerpen van een nieuwe, liberale grondwet.
Later, in 1880, zou weemoedig en jaloers worden teruggekeken op het radikalisme van die dagen, op „den ouden tijd van Thorbecke, Scholten en Opzoomer".[5] Ik ken echter geen studie, waarin die *ene* beweging uit de jaren '40 van de 19e eeuw, de strijdbare radikale liberalen rond Thorbecke die nu eindelijk consequenties uit de Franse revolutie wilden trekken voor Nederland, en die *andere*, het ontwaken van de „moderne theologie" die de wereldbeschouwelijke consequenties uit die revolutie wilde bedenken, in énen beschrijft. In zoverre is dat ook niet gemakkelijk, daar nu juist Scholten hoogst zelden expliciet op politieke vragen ingaat. Hij heeft niet op de barricaden gestaan, en

1. J. H. Scholten, *de Leer der Hervormde Kerk in hare grondbeginselen, uit de bronnen voorgesteld en beoordeeld*. Verder: LHK. Tenzij anders vermeld wordt geciteerd uit de 3e druk, Leiden 1855.
2. LHK³ I, 364.
3. D. Chantepie de la Saussaye, *Beoordeling van het werk van Dr. J. H. Scholten over de leer der Hervormde Kerk*, Utrecht 1885, 1959².
4. LHK³ II, 248.
5. L. W. E. Rauwenhoff in „Idealisme zonder ideaal", gecit. bij K. H. Roessing, „Het modernisme in Nederland" (1922) in: *Verzameld Werk* Iv, Arnhem 1926, 346. Verder: V.W.

van wat hij van actuele kwesties vond is weinig bekend.[6]
Niettemin lijken mij duidelijke parallellen tussen beide bewegingen aanwezig. Eerst de beweging van het radikale politieke liberalisme.
Het is een misvatting, te menen dat de Nederlandse politieke verhoudingen in de 19e eeuw al lang liberaal wáren. De overleefde vormen van de oude republiek der Ver. Nederlanden, de machtsposities van de vroegere aristocratie hadden een taai bestaan. De meerderheid van de heersende klasse was in de jaren '40 allesbehalve Thorbeckiaan. De strijd van de 18e eeuwse democraten tegen de oligarchische regeringsvorm was nog altijd niet voltooid en de krachten van het behoud hielden die voltooiing zo lang mogelijk tegen.[7] Het democratisch programma luidde: opheffing van de privileges, schepping van een eenheidsstaat waarin geen voorrechten van standen maar gelijkheid voor de wet de maatschappelijke betrekkingen regelde, vrijheid voor alle citoyens van bevoogding van boven, een einde aan de kapitaalexport door parasitaire renteniers en ruimte voor vrije ontplooiing van de productiekrachten.
Thorbecke heeft op zijn wijze heel goed beseft wat dreigde te gebeuren als losbrak wat Marx als revolutie definieerde: „ruckartige Nachholung verhinderter Entwicklung". Als een der weinigen, als minderheid binnen de heersende klasse, zag hij dat het snel tot democratisering van het staatkundig bestel moest komen wilde het 'nachholen' niet tot ontploffingen leiden.
De kleine groep liberalen in de jaren '40 bestond zeker niet direkt uit het ondernemende deel der bourgeoisie. Daarvoor waren de moderne kapitaalfracties veel te klein. Ze kwamen uit de lagen van wat de Duitsers het 'Bildungsbürgertum' noemen. Thorbecke zag wel dat kapitalisme in het verlengde van zijn 'beginselen' lag. Hij stond daar ambivalent tegenover. Niet het bieden van vrijheid aan het kapitaal om uit te kunnen buiten was het bewust gestelde doel van de omwenteling. Ook al zijn de functie en het effect van de moderne rechtsstaat samen wel degelijk: het scheppen van de voorwaarden voor het in vrijheid functioneren van de gelijke contractpartners op de goederen-, de kapitaal-, en de arbeidsmarkt.
Dit radikaal-liberale vrijheidsbegrip is naar zijn aard formeel en abstract. Het draagt het in zich, alle gegeven ordeningen waarin de enkeling leeft te revolutioneren, aan alle bijzonderheden van afkomst, klasse of sexe voorbij te zien. De godsdienstpolitieke leus van dit liberalisme, 'Christendom boven geloofsverdeeldheid', mag ons verwaterd, vaag en nietszeggend voorkomen, in de offensieve fase van de burgerlijke revolutie was ze dat allerminst.
In zijn studietijd in de vroege jaren '20 had Thorbecke in Duitsland de grote

6. G. Brillenburgh Wurth, *J. H. Scholten als systematisch theoloog*, 's Gravenhage 1927, 5: Scholtens levensloop is die van het „rustige, gelijkmatige leven van den stillen kamergeleerde".
7. Zo is het geschiedsbeeld dat de historicus C. H. E. de Wit in verschillende publicaties heeft uitgewerkt, o.a. *De strijd tussen aristocratie en democratie in Nederland 1780-1848,* Heerlen 1965, dat is overgenomen door het project „Sociaal-economische geschiedenis van kerk en theologie in Nederland in de 19e eeuw" aan de theologische faculteit van de Universiteit van Amsterdam, en nu ook in Siep Stuurman, *Verzuiling, kapitalisme en patriarchaat,* Nijmegen 1983, bv. 110 vv.

idealistische filosofen gehoord. In Erlangen maakte hij Schelling mee, in Göttingen schijnt hij met K. Chr. Fr. Krause bevriend te zijn geweest. En al vloog de idealistische speculatie hem soms te hoog boven de concrete rechtsfilosofische toepassing die hij zocht, in het idealistische programma lag toch een vraag besloten die hij niet kwijt kon raken. De vraag namelijk naar de eenheid in de verdeeldheid, naar de *algemeenheid* van vrijheid en gelijkheid. In de feodale structuur kon het Ware of het Hogere nog worden geïsoleerd in een deelgebied (de adel, de geestelijke stand, de overheid). De burgerlijke vrijheid en gelijkheid moesten echter naar hun aard over de hele linie gelden. De absolute vrijheid, die de vrijheid van alle subjecten in de burgerlijke maatschappij fundeert en garandeert, kan alleen maar universeel zijn. En wil de vrijheid die iedere citoyen gelijkelijk behoort niet voeren tot een strijd van alle vrije subjecten tegen elkaar, dan moet er in die universeel gegeven vrijheid bovendien een moment van verzoening gelegen zijn. In een wereld waar het 'ieder voor zich' heerst, is de 'God voor ons allen' een serieus probleem voor diegene, die van de problematiek van de burgerlijke maatschappij niet wegvlucht. Hoe wordt het 'ieder voor zich' níet tot een 'allen tegen allen'? Wat is de orde in de chaos van de markt? Waar is de totaliteit te vinden, die vroeger 'God' heette? Het goddelijke, en dus ook het godsdienstige, moet het totale zijn. Geheel aan gene zijde kan het niet zijn, want dan komt de vrijheid te kort. Zonder meer in deze wereld opgaan kan het ook niet, anders was de orde in de chaos niet zo'n probleem.
Vanuit deze vragen komt het, op het hoogtepunt van de burgerlijke filosofie, in het idealisme tot zulke constructies als wat dan heet 'pantheïsme' of (bij genoemde Krause) 'panentheïsme' of (zoals we straks Scholten simpelweg zullen horen zeggen) 'monisme'.
Lang heeft het burgerdom dit pathos van de absolute vrijheid als totaliteit niet weten te handhaven. In 1848 had het in Duitsland zijn kairos eigenlijk al lang weer gehád. Verder in de 19e eeuw zal de vraag naar de synthese steeds meer uiteenvallen, en aan het einde van de eeuw, in de dagen van het neokantianisme, zal de onheelbaarheid en de onmogelijkheid van synthese tot principe zijn verheven.[8] Dat Thorbecke aan het slot van zijn politieke optreden door bv. de jong-liberalen niet meer begrepen werd, zou naast andere oorzaken ook wel eens deze kunnen hebben, dat hij als erfgenaam van het klassieke Duitse idealisme een anachronisme was geworden.[9]

8. Twee getuigen: Georg Lukács, *Geschichte und Klassenbewusztsein* (1923), heruitgave Darmstadt 1968, 209vv.: 'die Antinomien des bürgerlichen Denkens'.
Karl Barth, *Die prot. Theologie im 19. Jahrhundert* (1946), herdruk Hamburg 1975, I, 321 over de ontwikkeling na Hegel.
9. Thorbecke overleed in 1872. In 1873 schimpte Marx in het voorwoord van de tweede druk van Das Kapital op de overheersende stroming in de Duitse kritiek, die met de dialectische analyse niets beginnen kon omdat ze Hegel als 'dode hond' wenst te beschouwen. De speculatie was inmiddels, zoals Fr. Engels zei, van de filosofische studeerkamer verhuisd naar de effectenbeurs.

3. *De jaren '40 van de negentiende eeuw in Nederland: theologisch liberalisme*

Met een zelfde radikaliteit, als die waarmee de Thorbeckianen in de jaren '40 aandrongen op het consequente uitvoeren van het programma dat gegeven was met de Franse revolutie (niet als vreemde 'import', doch als het eígen Anliegen van de Nederlandse democraten!), werd tegelijkertijd door jonge theologen geworsteld om het verwerken en aanvaarden van het met die revolutie gegeven 'geestelijk' programma. Evenmin als in de politiek de oude aristocratische privileges radikaal waren aangepakt, was in de theologie het vrijheidsstreven ten einde toe doordacht. Men gevoelde wel zogenaamd 'liberaal', maar in feite hield de heersende gematigd supranaturalistische stroming vast aan allerlei gezagsinstanties die men uit bezadigdheid niet van vraagtekens durfde te voorzien. Nu werd het anders. Nu kwam er de moed om, hoe gebrekkig ook, de vraagstelling van het Duitse idealisme in Nederland te introduceren.
Het was Opzoomer, die diezelfde K. Chr. Fr. Krause, met wie Thorbecke bevriend was geweest, in het filosofische debat alhier introduceerde.[10] Scholten, zoekende, gaf zich aan die nieuwlichterij aanvankelijk niet gewonnen, maar zou later dicht uitkomen in de buurt van de filosofische positie die hij eerst verworpen had.[11] Toch was het Scholten geweest die, zoals hij zelf zei, 'de teerling geworpen had' voor de liberaal-theologische doorbraak met zijn oratie in Franeker in 1840, waarin hij het program formuleerde van de 'eenheid van het goddelijke en het menselijke', welke in Christus prototypisch verwezenlijkt is maar voor ons allen bereikbaar in vrijheid, zonder tussenkomende gezagsinstantie.
Het ligt voor de hand, om Scholten te tekenen als een *apologeet*.[12] Een theoloog dus, die de „moderne mens" serieus neemt in zijn vervreemding van de christelijke verkondiging, en die aan deze moderne mens poogt aan te tonen dat die verkondiging hem geenszins vreemd hoeft te zijn, doch veeleer hoogst eigen is. Je kunt stellen, dat objectief het burgerdom al lang van het christelijk geloof afscheid had genomen, dat de beslissingen in de 18e eeuw al gevallen waren en dat kerk en theologie alleen nog in het defensief waren als ze zich trachtten aan te passen aan de burgerlijke maatschappij.[13] Objectief mag dat zo zijn, Scholten lezend krijg je niet de indruk van een man die zich er bewust van was, te zijn teruggeworpen op verdedigingslinies. Eerder omgekeerd: naar eigen besef is hij in het *offensief* in de kerk. De moderne mens roept voor hem een vrijheidsverlangen op dat de kerk, de gereformeerde traditie in het bijzon-

10. K. H. Roessingh, *De Moderne Theologie in Nederland*, hare voorbereiding en eerste periode (1914). In: V.W. I, 78 vv.
11. De verwerping in J. H. Scholten, *Over het godsbegrip van Krause*, Leiden 1865, 25 en de herroeping in de *Afscheidsrede* Leiden 1881, 27. In zijn colleges *Geschiedenis der godsdienst en wijsbegeerte*, Leiden 1863² is Scholten zover dat hij Krause niet monistisch genóeg vindt, 332. Eigenlijk heeft volgens dit geschrift tot nu toe nog niemand ooit de consequentie van Scholten zelf bereikt. Zelfs Spinoza was nog te zeer in dualisme gevangen! (189).
12. Roessingh, V.W. IV, 291.
13. Dieter Schelong, *Bürgertum und christliche Religion* München 1975, 28.

der, moet herinneren aan wat de intentie is geweest van haar eigen overlevering, en hij meent derhalve in een tijdsgewricht te leven, waarin eindelijk deze heerlijke waarheid doorbreekt.
Niet allereerst de moderne mens buiten lijkt mij Scholten adressaat te zijn, om hem te vertellen dat hij best christelijk kan zijn, maar als eerste adressaat komt het lid van de christelijke gemeente in aanmerking, aan wie de vraag gesteld kan worden waarom hij op grond van zijn eigen bronnen eigenlijk *niet* liberaal zou zijn?
Telkens heeft men gezegd in de 18e eeuw, dat het gezag van de Schrift tegenover ons staat en ons van boven wordt opgelegd, telkens is ons gezegd dat het dogma der kerk vreemd zou zijn aan wat wij met onze eigen rede kunnen bedenken – maar staat er dan niet in de Schrift (Jeremia 31) die geweldige belofte van een nieuw verbond, waarin de wet in het binnenste, in de harten is geschreven?[14] En heeft Paulus niet het zicht gehad op die uiteindelijke godsregering, waarin de heerschappij van Christus (zijn koningschap, een machtsverhouding van vorst boven en onderdaan onder) wordt 'opgelost' in het alles in allen, dus in een volmaakte heerschappij van állen zonder onderscheid (1 Cor. 15 : 28[15])? Zou het liberalisme niet een beweging kunnen zijn die de kerk herinnert aan deze hoop, dit uitzicht, dat in haar eigen traditie bewaard ligt?
Zeker, er is veel in die traditie wat is misverstaan, wat opgeruimd moet worden. Maar dat is alleen maar een bewijs van de geweldige voortgang die we nu in de 19e eeuw doormaken. Het eschatologische zelfbewustzijn, dat de Duitse idealisten zo kenmerkte, het besef nu in het denken te voltooien en te vervullen waarnaar eeuwen gesnakt hebben, dat is Scholten eigen geweest tot in zijn latere dagen. Nog in 1865 roept hij uit (nota bene in een evaluatie van de historisch-kritische bijbelwetenschap van het Nieuwe Testament, je zou toch zeggen een tak van onderzoek waarin de methodische twijfel regel is en de resultaten van gisteren vandaag al niet meer overeind plegen te staan): „Wij beroemen ons er op, dat eerst de 19de eeuw den Christus heeft gevonden, zoo als dien noch Athanasius noch Luther, en nog veel minder de latere dogmatici, gekend hebben, al plukten zij ook in menig opzicht van zijnen geest de vruchten".[16] Nu pas, nu Ik, Scholten, te voorschijn ben gekomen, is de eeuwenlange verduisterde waarheid in het licht gesteld.
De *Leer der Hervormde Kerk* kent twee hoofddelen, zoals zoveel 19e eeuwse geloofsleren. Chantepie de la Saussaye heeft er tegen geprotesteerd, dat Scholten *twee* grondbeginselen in de gereformeerde leer onderscheidde, een formeel en een materieel, een van prolegomena en een van legomena.[17] Maar in feite liggen beide beginselen uiterst dicht bij elkaar.
Het formele beginsel héét „De Heilige Schrift de eenige kenbron en toetssteen der Christelijken Godsdienst" maar bedóelt: de natuurlijke theologie als het

14. LHK³ I, 148, 283 en 361.
15. LHK³ I, 383.
16. *Herdenking mijner vijfentwintigjarige ambtsbediening* Leiden 1865, 28.
17. a.w., 21vv.

innerlijke getuigenis van de Heilige Geest, dat is míjn vrije en zelfstandige rede als kenbron en toetssteen. Het materiële beginsel héét: „De belijdenis van Gods volstrekte opperheerschappij, inzonderheid van zijn vrije genade"[18] maar bedóelt: de goddelijke noodzakelijkheid, die míjn vrijheid schept en waarborgt. Op deze beide delen wil ik nu achtereenvolgens ingaan.

4. *Het subject van de christelijke vrijheid*

„In der natürlichen Theologie redet der Christ als Bourgeois".[19] De bewijzen voor die stelling van Barth liggen in het eerste deel van Scholtens *Leer der Hervormde Kerk* voor het oprapen. „De grond waarop de Hervormde Kerk de waarheid van de godsdienst bouwt is gelegen in het getuigenis des Heiligen Geestes, d.i. in de overeenstemming van hetgeen God door zijne gezanten volgens de Schrift geopenbaard heeft met hetgeen Hij nog door zijnen Geest openbaart in de rede en het geweten van den mensch".[20] Er is dus een waarheid uit de Schrift te distilleren, en deze bovenhistorische waarheid komt overeen met wat onze rede ons zegt. Of die rede misschien zelf tijdsbepaald is, of hier misschien een beginsel wordt gezocht waarin slechts gevonden wordt wat het burgerlijk denken zelf al dacht, dat wordt door Scholten niet nader kritisch gevraagd. Dít bijzondere denken van de bourgeoise rede *is* het algemene, het 'natuurlijke' denken. Dit natuurlijke, deze vanzelf gegeven kennis van God, is *eigendom* en *bezit* van de mens, namelijk van die mens, die is wat hij „naar de idee van bestemming des menschen zijn moet en eenmaal worden zal".[21] Nu kan je je voorstellen, dat hier het beeld opgaat dat Barth schetst van Alexander Schweizer, leerling van Schleiermacher en in veel opzichten voor Scholten, het grote voorbeeld: het beeld van de theoloog als beatus possidens, bourgeois *satisfait*, als zodanig de ideale handhaver van de status quo, geschikt om kerkvorst te worden, principieel niet geneigd om nog verder te komen.[22] Dat mag wellicht voor Schweizer opgaan, het lijkt me toch voor Scholten geen geheel juist beeld. De omschrijving 'handhaver van de status quo' zou namelijk de maatschappelijke macht van het liberalisme in Nederland schromelijk *overschatten*. De bijzondere redelijkheid, die Scholten voor de 'natuurlijke' houdt, is in feite die van een geringe *minderheid*, ook al behoort die minderheid dan tot de heersende klasse. En die minderheid doet pogingen in de *aanval* te gaan. In 1865, wanneer zich zoiets als een moderne 'richting' gaat vormen in de kerk, als maatschappelijke stroming, maar wanneer ook vrijdenkers als Pierson de moderne theologie halfheid gaan verwijten en een afscheid van de kerk vragen, roept Scholten tot zijn studenten: „Wij moeten de gemeente thans *geven* wat wij *bezitten*".[23] Die redelijkheid, die voor ons natuurlijk is, is het nog lang niet voor iedereen. Het komt er op aan, uit onze onuitputtelijke rijkdom te

18. LHK³. In LHK⁴ is de toevoeging vervallen.
19. Karl Barth, KD II/1, 157.
20. LHK³ I, 109.
21. LHK³ I, 284/85.
22. K. Barth, Prot. Theol. II, 492.
23. *Herdenking*, 31. De nu volgende zinnen komen uit de zelfde context.

schenken. Dus: niet te lafhartig zijn! Strijder durven zijn! Strijden tegen verontreiniging van het christendom! Tempelreiniging! Wij weten nu, wat Christus vandaag zou prediken als hij op aarde was, dan moeten we die wetenschap ook geven aan de gemeente!
Deze natuurlijk godskennis is dus blijkbaar nog lang niet voor iedereen natuurlijk. Zo blijkt, dat een groot deel van de kerk er nog helemaal niet rijp voor is, om die grote gave van het mét Christus priester, koning en profeet zijn te delen.
Wat is het subject van de christelijke vrijheid? Wie staat bijvoorbeeld in de vrijheid, om de kerkelijke belijdenis te herzien? Wel, schrijft Scholten in verband met de quia/quatenus-kwestie (de vraag of predikanten de belijdenisgeschriften moeten onderschrijven omdat of in zoverre ze met de geloofswaarheid overeenkomen; een kerkpolitieke vraag met het oog waarop de *Leer van de Hervormde Kerk* óók geschreven werd): een eventuele hernieuwing van de belijdenis kan niet plaatsvinden door middel van hiërarchische aanmatiging. Geen priestergezag in een reformatorische kerk, al zouden de confessionelen of het Reveil dat nog zo graag willen! Maar ook „geen herziening door middel van een democratische beweging". „Niet het fanatisme onder den naam van volkswil en volkssouvereiniteit".[24] „De uitspraak over de beginselen en de leer der kerk aan het *volk* te willen opdragen, zou tot de overdrijving der Quakers en Wederdopers leiden, waarbij men het grote deel der christelijke kerk, 'dat al het volk Gods profeten zij', *ontijdig* tracht te verwezenlijken".[25] Nee, laat het voorlopig maar aan ons, wetenschappelijke leraren der gemeente, over.[26] Het grote doel, waarnaar de prologomena zeggen te streven, wordt in de inleiding aldus voor de massa al voor voorlopig 'ontijdig' verklaard.
Zo roept Scholten ook op om, nu na de Thorbeckiaanse constitutionele wijziging de hervormde kerk vrijheid van de staat heeft verkregen, „het groote ideaal der christelijke vrijheid niet *ontijdig* te verwezenlijken".[27] Weliswaar is „de christelijke kerk, naar haar ideaal beschouwd, een zuiver democratische vereeniging". Maar „de volledige toepassing van het democratisch beginsel kan niet door wetten en besluiten onder nog onmondigen worden vastgesteld, maar zal *van zelf* volgen, zoodra allen, kinderen in de boosheid en mannen in het verstand geworden, rijp zijn voor de vrijheid, waarmede Christus ons heeft vrijgemaakt. Eer die toestand der kerk verwezenlijkt is, kan de zuivere democratie niet zonder schade worden ingevoerd, maar zal een gematigde regering der verstandigsten hare voordeelige zijde blijven behouden".
De stand van zaken is dus de volgende:

24. Vgl. C. H. E. de Wit, *Thorbecke, Staatsman en Historicus*, Nijmegen 1980, 100: „Thorbecke vermeed met opzet het woord democratie, omdat die stroming in het midden van de negentiende eeuw een direkte volksregering beoogde in de zin van Rousseau".
25. LHK³ I, 48.
26. Fichte, op zoek naar de ware aardse representant van zijn trancedentale Ik, vond deze in de *geleerde*. Alleen díe zou belangeloos boven het drijven der partijen staan. Zo vindt Scholten de maatschappelijke basis voor zijn kerkelijk vernieuwingsprogramma in de leraar.
27. LHK³ II, 406-409.

1. Er zijn er, die het juiste inzicht bezitten, het natuurlijk redelicht, de vrijheid in Christus, én er zijn er, die nu nog niet zo ver zijn. Deze tweedeling valt bij Scholten zo goed als samen met de (bijna on-gereformeerd-consequent voorgedragen) leer van Wet en Evangelie: wie onder het nieuwe verbond van het Evangelie leeft is vrij, wie onder de Wet leeft heeft tucht nodig, autoriteit, leiderschap. Deze tweedeling valt blijkbaar niet alleen samen met de entiteiten van Oude Verbond en Nieuwe Verbond als Jodendom en Christendom, maar dan ook nog eens met de entiteiten (de klassen) van onmondigen en mondigen, niet-bezitters en bezitters in de kerk.
2. De onmondigen ontberen het perspectief niet. Het ideaal zal ook hen bereiken. Maar daartoe dienen ze gevormd te worden. De wet is immers de pedagoog tot Christus (Gal. 3 : 25). Dus: „Middellijke *opvoeding* en *ontwikkeling* van het geestelijk beginsel, dat in de mensch reeds aanwezig is, maar sluimert".[28] „*Emancipatie* des menschen van alle uiterlijk gezag, ten gevolge der ware ontwikkeling en *veredeling* der menschelijke natuur".[29] Jezus, die den mensch „*vormt* en vatbaar maakt, om het goddelijk licht te aanschouwen en de waarheid zelfstandig te verstaan,[30], „dynamische, onderhouding, *opwekking*, ontwikkeling van het redelijk en zedelijk vermogen, naar de mate der vatbaarheid en ontwikkeling van elk individu".[31]
Kortom: de mensheid dient gemodelleerd te worden naar het beeld, dat wij, redelijk denkende vrije burgers, reeds bezitten. Het liberale programma betekent geen rusten op de lauweren der status quo, het betekent een *revolutie van boven*, een actieve strategie om de massa (van het kerkvolk) op te voeden naar burgerlijk beeld en gelijkenis.
3. Deze revolutie van boven heeft echter de vorm van een *evolutie*. Scholten was er diep van overtuigd dat hij de wind der maatschappelijke vooruitgang mee had. De kiem zou zich 'vanzelf' ontwikkelen naar de grote vrijheid van álle kinderen Gods toe. En wel in de vorm van een *kwantitatieve* toename van de mondigheid.
Hierin stond ook Scholten sterk onder de invloed van het steeds meer opkomende, met de voortgang van natuurwetenschap en de ontwikkeling van de productiekrachten verbonden (maar daaruit geenszins „vanzelf" voortkomende) ideologie van de gestage en vanzelfsprekende groei naar voren, de oneindige vervolmaakbaarheid van het hele 'natuurlijke' proces in de geschiedenis.
Gold deze evolutie, deze gestage volksopvoeding, het vertrouwen in het toegroeien van de menigte naar het eigen (burgerlijk) ideaal in de kerk, vervolgens dan ook in de *staat*.
Ook daar: Uiteindelijk zal „heerschappij voeren over de naaste niet meer plaats hebben, zoodra door het christendom allen profeten en koningen ge-

28. LHK³ I, 197.
29. LHK³ I, 368.
30. LHK³ II, 25.
31. LHK³ II, 36.

worden zijn".[32] Als een zuurdesem zal het christendom (als avant-garde van de liberale revolutie) werken in de maatschappij, zodat deze steeds verder vervolmaakt worde. „Door Christus van de Wet vrijgemaakt, zullen dan allen *vrijwillig* God dienen en gehoorzamen". Dat is het perspectief: dat wat nu nog van boven wordt opgelegd, straks door allen vrijwillig en dankbaar aanvaard wordt, Maar (heet het in deze tegen de Münsterse dopers gerichte passage) – „zal men die vrijheid nu uitwendig schenken aan hen, die door den Geest des Heeren *nog niet* innerlijk zijn vrijgemaakt? Zult Gij den teugel der wet afschaffen (...), zoolang het grooter deel der maatschappij in den staat der onmondigheid nog door eene uitwendige magt geregeerd moet worden, omdat het zichzelf nog niet regeren kan?" (tja, wij liberalen zijn wel zo ver, maar het volk ...). „Zullen de christelijke begrippen van gelijkheid, vrijheid en broederschap ooit hunne volle toepassing kunnen vinden, zoolang de burgers niet waarlijk in Christus vrij, in Christus gelijk, in Christus verbroederd zijn geworden?" Zie, voegt Scholten dan toe, zich het beeld te binnen brengend van het Weense of Parijse proletariaat, het beeld van het spook, dat in 1848 óók door Europa waarde – : „Onze leeftijd is regt geschikt om elk te doen inzien, wat van de ontijdige verwezenlijking van zulke idealen het gevolg wordt".
Ontijdig – telkens is dat weer het grote Stichwort. Het door de liberalen en de liberale theologie opgeroepen democratische ideaal moet, geplaatst voor de consequenties, meteen weer van een groot waarschuwingsbord worden voorzien: „Nog niet!".
De grote anti-autoritaire, anarchistische *belofte*, die we in de aanhef van het artikel citeerden, wordt in de praktijk telkens weer gesmoord in de algemene schrik van de bourgeois voor het gepeupel. Ziehier binnen de tekst van de *Leer der Hervormde Kerk* de geschiedenis van de burgerlijke revolutie voorgetekend!

Het is hier de plaats, opnieuw aan Thorbecke te denken. Ook hij koesterde het beginsel van het *algemeen* staatsburgerschap. In feite gaf zijn kieswet slechts (census-)kiesrecht aan 11% van de bevolking, de mannen wel te verstaan. Ook Thorbecke sloot aan bij de klassieke koppeling van John Locke van de vrijheid van de citoyen aan de eigendom. Tegelijk ziet hij ook wel, dat de concentratietendens van het kapitaal het onmogelijk zal maken dat iedere staatsburger een kleine bezitter zal zijn, dat integendeel de kapitalistische ontwikkeling precies de andere kant op gaat. Niettemin meent hij: „Dat het beginsel van algemeen stemregt in de Staatsgeschiedenis onzer eeuw ligt, schijnt even onmiskenbaar, als dat zij het gestadig, schoon trapsgewijze, tracht te verwezenlijken".[33]
Siep Stuurman commentarieert: „We stuiten hier op het typisch liberale evolutionisme waarin de geschiedenis gezien wordt als de geleidelijke verwerkelijking van een beginsel. Door opvoeding en verbreiding van de – liberale –

32. LHK³ II, 248.
33. J. R. Thorbecke, „Over het hedendaagsche Staatsburgerschap (1844)". In: *Historische Schetsen*, fotomechanische herdruk Nijmegen 1980, 92.

'beschaving' over alle volksklassen zou de kring der burgers worden uitgebreid en de basis van de staat verbreed worden. Langs die weg zou een homogene Nederlandse natie ontstaan, die niet anders dan liberaal van kleur zou zijn".[34]
Heeft Thorbecke gelijk gekregen? Ja, voorzover het algemeen kiesrecht er kwam, zij het pas in de 20e eeuw. Nee, voorzover het Nederland niet tot een liberale natie maakte. Wel tot een kapitalistische! Het zou kunnen zijn, dat de bourgeoisie het met veel strijd op haar veroverde algemeen- en vrouwenkiesrecht alleen daarom toestond en pas op dat moment, dat duidelijk was dat a. het door de confessionelen gemobiliseerde 'volk achter de kiezers' er mee instemde dat hun leiders optraden tegen de arbeidersbeweging (Kuyper worgwetten), b. dat de sociaal-democratische hoofdstroom van die arbeidersbeweging tegelijk het liberale evolutionisme in haar eigen ideologie en praktijk had geïntegreerd en c. de ideologische apparaten van confessionelen en sociaaldemocraten die inmiddels ontstaan waren in staat bleken om het explosieve karakter van de in de strijd voor het kiesrecht ontstane vrouwenbeweging in te dammen.
In elk geval was de resultante van het historisch krachtenveld in 1917 geenszins het vanzelfsprekende uitvloeisel van het liberale 'beginsel'.
En heeft Scholten gelijk gekregen? Nog veel minder.
Want toen het Algemene Reglement van 1852, waarvan hij, zoals we hoorden, een 'gematigde regeering der verstandigen' in de kerk verwachtte, in 1867 eindelijk werd ingevoerd, bleek de democratisering een enorme ruk naar rechts in de gemeenten te betekenen, bv. bij predikantenbenoemingen.[35] Wat voor de Bildungsbürger 'natuurlijk' in de rede had gelegen, de vrijwillige beaming van deze nieuwe orde in vrijheid, bleek voor die onmondige massa geenszins de natuurlijke religie zelve te zijn.

5. *De noodzaak van de christelijke vrijheid*

De Verlichting kon met de Verkiezingsleer van de christelijke orthodoxie niets beginnen. Scholten rukt deze toch weer in het midden van de gereformeerde theologie, zó consequent zelfs dat hij er de vertegenwoordigers van de orthodoxie van zijn dagen mee om de oren slaat Het hééft iets: daar komt zo'n nieuwlichter, die van alles van de Franse revolutie overneemt, en nu juist die gaat beweren dat het nieuwe dat hij brengt verregaand in overeenstemming is met het oude, met de leer de calvinistische vaderen, ja zelfs meer daarmee in overeenstemming dan de heterodoxe leringen van zijn confessionele tegenstanders. Zulk een brutaliteit kom je bij de weinige christelijke partijgangers van na-burgerlijke revoluties zelden tegen.
Hoe vangt hij de bezwaren van de Verlichting tegen de predestinatie op?
1. De ergernis lag onder meer daarin, dat God in het bijzonder zou ingrijpen bij *enkelingen*, ter verkiezing of verwerping. Het algemeen redelicht verdroeg dit particularisme niet. Scholten betrekt eenvoudig de goddelijke verkiezing

34. Stuurman, o.c., 116.
35. A. J. Rasker, *De nederlandse Hervormde Kerk vanaf 1795*, Kampen 1974, 167.

dan ook niet langer op het particuliere. Ze betreft geheel en al het proces in natuur en sociëteit in zijn totaliteit. *2.* De ergernis lag daarin, dat God zou *ingrijpen* bij enkelingen, ter verkiezing of verwerping. Zo werkt de natuur immers niet, weten we inmiddels. Scholten wordt niet moe, de voorstelling van een in natuur en geschiedenis ingrijpende God als 'mechanistisch' te verwerpen, een achterhaald misverstand. Gods opperheerschappij betreft heel het zich voltrekkende proces in natuur en geschiedenis. Hij grijpt niet in, Hij zet zijn wereldplan door in alles en allen. *3.* De ergernis lag daarin, dat mensen zouden worden afgezonderd ter verkiezing danwel *verwerping*. Ook dit noemt Scholten een misverstand uit een onderontwikkelde fase van de gereformeerde leer. Pastoraal-didaktisch is er wel iets voor te zeggen, het volk de verwerping voor te houden, want wie zegt niet dat men gemakzuchtig wordt als men het fraaie doel van Gods plan voor allen reeds weet? Laat de meute maar niet te vroeg de vrijheid proeven. Maar overigens kunnen wij, die dit leven in zonde besloten zijn toch altijd nog over de doodsgrens heen door Jezus tot zich getrokken worden. De raadselen der voorzienigheid zullen aan gindse zijde van het graf heerlijk opgelost worden.[36] Scholtens ongeschokte optimisme is niet van zins voor de harde doodsgrens halt te houden. *4.* De ergernis lag daarin, dat een keuze Góds de keuzevrijheid van het menselijk subject zou dwarsbomen. Hier raken we een centraal punt, waar Scholtens liberalisme afwijkt van het klassieke. In de 18e eeuw, bijvoorbeeld bij de grote Engelse theoretici van de politieke economie, was de vrijheid een oorspronkelijk gegeven: alle rechtssubjecten gaan in vrijheid met elkaar verhoudingen aan, en langs de weg van een *invisible* hand komt dan toch maatschappelijke harmonie tot stand. Dit optimistische program van een Adam Smith raakt al in de dagen van Kant aan het wankelen. Scholten kan er niet meer in geloven. Mensen zijn niet van oudsher vrij, althans niet werkelijk, wel in potentie, ze worden niet vrij geboren maar zijn er wel toe bestemd vrij te worden. De o.a. door de Foederaaltheologie in de gereformeerde traditie onderstreepte 'staat der rechtheid', waarbij de oorspronkelijke Adam reeds keuzevrijheid zou hebben gehad, verwerpt hij. „De Adam van het kerkelijk systeem is het ideaal, waarin de kerk haar gevoelen omtrent de uitnemendheid der menschelijke natuur, wat haren aanleg en bestemming betreft, krachtig heeft uitgesproken. Dat zij dit ideaal reeds in den eersten mensch historisch heeft doen optreden, is onbijbelsch en strijdig met de analogie van alle ontwikkeling in de natuurlijke en zedelijke wereld".[37] Een oorspronkelijke vrije wil verkettert Scholten als Pelagiaans of Remonstrants. Zonder dat overigens aan deze theologische verkettering hem alles is gelegen. Een filosofische benadering van het thema van de vrije wil hem net zo lief, zegt hij in zijn monografie onder die titel. De filosofische uitkomst leert niet anders dan de theologische: een vrijheid in oorsprong is in strijd met het proceskarakter van de evolutie. Waar blijft opvoeding en vorming als de mens onmiddellijk al tot het goede in staat zou zijn?.[38]

36. LHK³ II, 521-561.
37. LHK³ I, 301-302.
38. LHK³ II, 104.

Nee, dat is een *valsche* theorie van vrijheid, gelijkheid, broederschap: vrijheid kan niet onmiddellijk ingezet worden, vallend en struikelend ontwikkelen wij ons naar het in Jezus reeds vervulde ideaal der vrijheid toe.[39]
Waarom hecht Scholten zo aan deze leer, waarin alles door God bepaald is om uiteindelijk de ontwikkelingsgang der mensheid naar de vrijheid te dienen? De door het heersende klimaat gedikteerde drang tot een zg. natuurwetenschappelijke evolutietheorie (of zeg maar liever: - ideologie!), waarin voor 'toeval' geen plaats lijkt te zijn, speelt zeker een rol. Maar belangrijker lijkt me iets anders. Eerder noemde ik al de functie die zulke denkwijze als monisme of, bijna pantheïsme in het Duitse idealisme vervulden: de doelen van de burgerlijke revolutie (vrijheid, gelijkheid) zijn zo abstract, dat ze slechts kunnen gelden als ze algemeen gelden. Ze kunnen niet slechts een deelgebied betreffen. Wanneer nu het maatschappelijke proces niets anders zou zijn dan de resultante van de botsende willen van vele vrije subjecten – wie garandeert dan nog dat in dat proces de doelen gelden? De redelijkheid van de doelen móet aan het proces ten grondslag liggen. En tegelijk moet die grond niet geheel jenseitig zijn, want ('Eenheid van het goddelijke en het menselijke!' luidt immers de uitgangsstelling) in dít proces in déze wereld moet de teleologie zich doorzetten.
Maar wie kijkt naar de werkelijkheid van de burgerlijke maatschappij, zal toch van deze doelen niet veel zien! Wat betekent vrijheid in een keihard kapitalisme waar loonslavernij heerst? Wat betekent gelijkheid waar de klassenstrijd tussen aristocraten en democraten wordt opgevolgd door die van bourgeoisie en proletariaat? Waar blijven die doelen in het historisch proces?
Scholten heeft zich door de realiteit van het kapitalisme niet laten schokken. En toch is op alle bladzijden bij hem te proeven, dat zijn teleologie, zijn 'goddelijk wereldplan' dat de gang naar de vrijheid zou verwezenlijken, werkelijkheidszin ontbeert.

Je merkt dat vooral, waar Scholtens taal *bezwerend* wordt, bijvoorbeeld in zijn afweer tegen het nominalisme.[40] Wat vooral niet waar mag zijn, is dat het wereldplan door willekeur verstoord zou zijn, dat de geschiedenis langs andere banen zou verlopen dan die van de redelijk inzichtelijke theo-logica. Het realisme, het werkelijkheidskarakter van de door Scholten beleden gang der Voorzienigheid moet bijna magisch opgeroepen worden, om maar te voorkomen dat het er nog eens van kwam dat de werkelijkheid je zou tegenspreken. De hoofdmomenten van Scholtens theologie (mogen we zeggen: 'systeem'?) hebben iets hoogst 'Ungegenständlichs', zoals je dat onvertaalbaar in het Duits kunt zeggen.. Het voorwerp van theologische reflexie mist weerbarstigheid, de theoloog wordt niet tegengesproken.
Dat komt voort uit het verregaande *idealisme* van Scholten. Kostelijk voorbeeld daarvan vind ik de trinitarische speculatie, waarvan hij zich in de derde druk te buiten gaat: ,,God bestaat drieledig: als het eeuwige, absolute denken-

39. LHK³ II, 507.
40. LHK³ I, 256 vv. en passim.

de subject; als het eeuwige absolute gedachte, waarin Hij zich zelven aanschouwt; als de oneindige kracht, die, wat God in den Logos uitspreekt, m.a.w. het door God gedachte, ook in het geschapene tot werkelijkheid brengt. In deze drieheid bestaat de eenheid Gods".[41] Het lijkt heel eventjes op de triniteitsleer die Barth in zijn prolegomena ontvouwt vanuit het „Deus dixit". Met dit verschil, dat een sprekende God je ook daadkrachtig kan tégenspreken, terwijl een denkende God al snel voornamelijk datgene denkt wat je zelf ook altijd gedacht had. In de 4e druk van de *Leer van de Hervormde Kerk* verdwijnt de hele triniteit dan ook weer. Het was ook maar een gedachte . . ..[42]

Ungegenständlich ook zijn *eschatologie*. Ik beschreef weliswaar hoe Scholten vol was van het eschatologische kairos-bewustzijn dat ook de Duitse idealisten van de jaren '30 en '40 kenmerkte – maar het eschaton betrof dan wel de vervulling van het dénken. Wordt het een maatschappelijke kracht, als bij Da Costa, dan is het oordeel meteen geveld: Judaica somnia!.[43]
Ungegenständlich ook de zonde: geen positief of zelfstandig beginsel, maar tijdelijke 'wederstand des vleesches', uitsluitend te bespreken omdat ze opgeheven wordt, dienstbaar gemaakt aan Gods wereldplan, louter nog-niet-zijn.[44]
Ungegenständlich ook Christus tenslotte: Scholten verzekert ons wel dat, terwijl de eerste Adam louter in potentie de ideale mens voor God was, Jezus Christus als de ideale mens die onze toekomst vormt toch ook de historische was. Maar waarom het eigenlijk noodzakelijk zou zijn, dat er in Christus reëel iets geschied is, wordt niet recht duidelijk.
En zijn werk? In elk geval geen plaatsvervanging! Want stel je voor, dat Hij als onze Hogepriester *buiten ons om* iets voor ons gedaan zou hebben. Waar bleven we dan in ons zelfbewustzijn. Hoe konden we dan ooit gelijkwaardige priesters met Hem zijn?.[45]
Merkwaardig toch, dat het burgerlijke bewustzijn het nooit niet kan velen, dat God in zijn Zoon iets voor ons gedaan zou hebben wat wij zelf zo niet gekund hadden. De heersende klasse lééft er toch dagelijks van dat anderen het vuile werk opknappen dat zij zelf dan niet hoeft te doen? – maar dat moet blijkbaar voortdurend uit het bewustzijn verdrongen worden!

Het ungegenständliche karakter van deze idealistisch-liberale theologie op alle punten – triniteit, eschatologie, zonde, dood, wonder, plaatsvervanging etc. – is een indicatie voor haar komende mislukking.
De veronderstelde teleologie van het wereldplan moet vroeg of laat vastlopen op de materialiteit die zich niet naar de gang der gedachten wenst te evalueren.
En zo moet vroeg of laat Scholtens project met de Verkiezing mislukken, om een verwante reden waarom ook zijn project met de natuurlijke theologie mis

41. LHK³ II, 184.
42. LHK⁴ II, 227vv.. Door lezing hiervan heeft Ernst Beker bij Scholten dan ook niet eens een triniteitsleer ontdekt. Zie *Wegen en kruispunten in de dogmatiek* 2, Kampen 1979, 215-16.
43. LHK³ I, XVII.
44. LHK³ II, 41, 536 etc..
45. LHK³ I, 372.

moest lopen, toen wat zíjn rede voor natuurlijk hield nog niet door de massa's als redelijk kon worden ingezien.

6. *Scholtens koppigheid*

Dat het project *mislukt* is, daar is eigenlijk wel iedereen het over eens. Of je nu, met Roessingh, de teleurstelling al onder de modernen in de laatste fase van Scholtens leven situeert,[46] of, met Barth, alle synthesen van het burgerlijk zelfbewustzijn in 1914 ziet exploderen.[47]De kapitalistische revolutie heeft de doeleinden der Franse revolutie een gans andere wending gegeven dan de bedoeling was geweest. De rede die vrijheid had beloofd, blijkt alom een nieuwe vorm van tucht, onderwerping en disciplinering. De vrije subjectiviteit blijkt verinnerlijkte aanvaarding van deze, de bestaande, de verkeerde orde. Wat was ingezet met de belofte van vrijheid – zei Gunning over Spinoza, want hij zag Spinoza achter de moderne theologie, en Scholten was in toenemende mate geneigd daarmee in te stemmen,[48] – wat was ingezet met de belofte van vrijheid, zal eindigen met despotisme en absolutisme.
Vandaag is kritiek van de Verlichting weer alom filosofische mode. Ex-marxisten zweren zelfs Marx af, omdat die nog veel te horig zou zijn geweest aan het programma van de burgerlijke revolutie.

Zou Scholten nu van heel die crisis niets hebben vermoed? Bleef hij ongeschokt, zelfs al overleefde hij verre zijn kairos?
Ik ben verbaasd geraakt bij het lezen van deze man. Dat hij zó sterk vasthield aan een goddelijk wereldplan met de vrijheid als doel, dat hij geërfd heeft van het Duitse idealisme maar dat hij ook nog voor de ware erfenis van Calvijn hield, óók in een tijd dat dit idealisme al lang uit de mode was. Dat hij volhield, dat de goddelijke teleologie géldt, ook toen hem er van alle kanten op gewezen werd dat hij de tegenkrachten veel te optimistisch onderschat had. Dat hij *koppig* en als maar koppiger bleef beweren dat Gods bedoelingen en de richting der geschiedenis één waren, ook toen hij daarmee steeds minder gehoor vond.
Een oude man die niets nieuws meer kon opnemen?
Of zou hij het Telos waarover hij wilde spreken toch 'gegenständlicher' bedoeld hebben dan hij het allemaal heeft opgeschreven?, vraag ik me even af. „Het goddelijke is totaal of het is totaal niets", sprak Barth in Tambach. Alles

46. Roessingh, V.W. IV, 321-347.
47. K. Barth, *Prot. Theol.* I, 321 e.a..
48. J. H. Gunning, *Spinoza en de idee der persoonlijkheid*, Baarn 1919² 81-94.
Gunning heeft veel gezien. Toch is het bedenkelijk, dat hij als voorbeeld voor hetrepressieve karakter van de Franse revolutie juist de „vervolging van de christelijke godsdienst" noemt (bv. p. 90). Het gaat hier toch om de afbraak van de privileges van het corpus christianum, die voor de gemeente vooral heilzaam is en door de burgerlijke revolutie overigens lang niet radikaal genoeg is doorgevoerd. Nee, de slachtoffers van het dictaat van de liberaal-humanistische doctrine zijn nog wel ergens anders te vinden dan bij vervolgde christenen. Zij zijn opgesloten in de fabrieken, de gevangenissen, de psychiatrische inrichtingen: in al die instellingen, die de nachtzijde van de Verlichting vormen.

lijkt er op te wijzen dat voor Scholten dit totale samenviel met de bestaande, burgerlijke werkelijkheid. Maar als hij nu toch vasthield aan die totaliteit ook toen hem alle onomstotelijke bewijzen konden worden geleverd dat het totum in scherven lag – kan het dan niet zijn dat hij, ondanks alle schijn van het tegendeel, iets had willen vasthouden en volhouden van het totaal ándere, van de totaliteit van de tegenwerkelijkheid van het Godsrijk?

Ik wil eindigen niet met eigen woorden, maar, om ter wille van Ernst Beker ook vooruit te blikken, met woorden van Nico Bakker:[49] „Vrijheid, gelijkheid en broederschap, zo luiden de parolen van de Franse revolutie. Het zijn bedriegelijke leuzen, zodra zij worden opgevat als postulaten van de maatschappelijke *zelf*-verwerkelijking. Maar ze krijgen geldigheid en bindend gezag zodra ze betrokken worden op de vervulde tijd, op het Rijk van Jezus, op de Logos. Wij geloven in de redelijkheid van het bestaande omdat wij krachtens de Logos geloven in de vernieuwing en verlossing van al het bestaande. Het is de lokroep van de vrije mens Jezus, die ons doet deelnemen aan de bevrijdingsbeweging van onze tijd (. . .). De mens van de Verlichting te herinneren aan zijn eigen rede, aan zijn eigen idealen, om hem vervolgens te zeggen dat die doelen gélden: dat te zeggen, lijkt ons de taak van de theologie in de hedendaagse maatschappij."

49. Nico T. Bakker, „Om een nieuwe redelijkheid", *Wending* 35(1980), 157/58.

IN DE VRIJHEID VAN DE NAAM
Atheïsme en nihilisme bij K. H. Miskotte

Rainer Wahl

De theologische inzet van Miskotte moet worden bezien in de europese culturele context van zijn tijd. In diepe verbondenheid met deze cultuur en in de confrontatie met het getuigenis van de Heilige Schrift peilt hij wellicht als geen ander de geestelijke situatie van een door oorlog en totalitarisme geteisterd saeculum. Hartstochtelijk probeert hij de machten, die menselijk leven verkrachten en vernietigen, te ontmaskeren, te bestrijden en te overwinnen. Eén inzet, misschien zelfs de inzet bij uitstek van die strijd, is zijn poging, het nihilisme te boven te komen. Het nihilisme, dat als uitloper van een lange historische ontwikkeling de humaniteit aan de barbarij van het nieuwgermaanse heidendom prijsgaf – en vandaag wellicht aan de algehele nucleaire vernietiging aan het prijsgeven is.
Met dit opstel wil ik – over Miskotte's schouders meekijkend – mij als een combattant proberen op te stellen in deze geestelijke strijd, waarin je met je hele theologische existentie op het spel staat. Deze strijd kan in de ontspannen kennis van de Naam van de mensgeworden God, worden gevoerd, die het nietige en vernietigende van het Niets en de Nietsen heeft gedragen én weggedragen. In deze 'vrolijke wetenschap' nu aan de slag.

I

De wortels van het moderne atheïsme liggen in het christendom zelf. Het moderne atheïsme is een kapitale schakel in de historische ontwikkeling die naar het nihilisme toeleidt. Miskotte kenschetst de atheïst als een slachtoffer van een verkeerde leer. Hij doelt daarmee ongetwijfeld op de natuurlijke theologie, die het bestaan van God wilde afleiden uit het Bestaande van het geheel der natuur, inzoverre dat voor de menselijke rede toegankelijk terrein was. Het bestaan van God was in die leer een rationeel, ontologisch, en in principe oplosbaar probleem, hoe lastig misschien ook.
Deze zijns-metafysica was de garantie voor de fysica. En voor de ethiek. Een morele afleiding bood het individu binnen het maatschappelijke stelsel van het *corpus christianorum* zedelijke oriëntatie, houvast en vastigheid.
Maar iets wat van bovenaf wordt opgelegd, oefent al gauw een drukkende werking uit. God werd een chiffre van de onwankelbare, de samenleving beheersende verbintenis tussen kerk en staat, waarin de feodale economie lag ingebed. God was een X geworden. Hij bestierde in zijn almacht de hele natuurlijke en maatschappelijke kosmos tot in het kleinste detail, als een immense X, die de hele kosmische ruimte vulde en de geest van de mens totaal in beslag nam. God was alles, de mens was niets.

De hoeksteen van deze gedachtenwereld, de menselijke ratio, bleek echer het hele gebouw ook aan het wankelen te kunnen brengen. Zij leidde de exodus uit het slavenhuis van de 'selbstverschuldete Unmündigkeit' (Kant). Deze ontwikkeling culmineerde in het *idealisme*, die formidabele poging om de menselijke vrijheid te denken, waarbij in het begrijpen van de geschiedenis en de wereld een dynamiek mee naar binnen werd gedragen, die ieder supranaturale theologie ondermijnde.
De christelijke religie heeft volgens Miskotte haar ambiguïteit geopenbaard. Zij ontplofte in het atheïsme, dat met de 'werkhypothese God' (Bonhoeffer) niet meer wilde denken, werken, leven. De mens stond voortaan op zich zelf, op eigen benen. Dus ook op de benen van zijn eigen schuld aan de onmondigheid en de vernederingen in het christelijk saeculum van weleer. De atheïst „voelt zich vrij van een ondraaglijke druk." Maar tegelijk is hij „mateloos eenzaam."[1] Miskotte billijkt het verzet van de atheïst tegen een god, die het menselijk vermogen, om de gang van de geschiedenis mede te bepalen, annuleerde. Zo'n god was niet de garant van de menselijke vrijheid, maar de bezegeling van kosmische en menselijke krachten die dat vuur van verzet juist smoorde, en waardoor zoveel ellende, misere en verdriet werd – en nog wordt – gelegitimeerd en bestendigd.
Het tragische van de atheïst schuilt volgens Miskotte in het gegeven dat hij wel gelijk heeft maar geen gelijk krijgt, „omdat hij van die natuurlijke religie nooit helemaal loskomt en die was en blijft juist de oorzaak en de aanleiding tot zijn verdriet, tot zijn gelijk en woede."[2]
Want ook de atheïstische mens bleef binnen de perken van de natuurlijke religie van het subjectivisme gevangen, bleef aan zich zelf gebonden. De mens is hier tot de grond geworden voor de kennis van de wereld, waarbij de wereld keurig netjes, goed burgerlijk werd opgedeeld in 'res cogitans' en 'res extensa' (Descartes), in 'de mens op zich zelf' en 'het ding op zich zelf' (Kant heeft ermee geworsteld), in 'subject en object' (Hegel), tenslotte en heel erg duidelijk in 'ik' en 'niet-ik' (Fichte), In deze filosofie was het niet meer dan logisch, dat de mens, i.c. de blanke Europese man, de aarde met een nieuw elan bewerkte, teneinde deze aan zich te onderwerpen met alle economische en technische vernuft die hem in het tijdperk van het kolonialisme en de industriële revolutie ter beschikking stond. Deze concrete mens werd filosofisch geabstraheerd tot een in zich gesloten, oneindig wezen, net als de theologie met God dat had gedaan, die God in de nevelen van een abstracte, grenzeloze almacht had gehuld, die zwaar op 's mensen zielen drukte en hun gemoed en verstand heeft verduisterd.
De 'Verlichting' als het messiaanse programma van een mondige mens was opnieuw tot een mythe geworden van de subjectieve autonomie van de mens.
Het nihilisme is in deze ontwikkeling een radicale stap vooruit. Het probeert de laatste religieuze restanten te elimineren. Miskotte heeft, dit geestelijk verschijnsel peilend, een onderscheid aangebracht tussen een 'echt' en een 'onecht' nihilisme.

1. K. H. Miskotte, *Bijbels ABC*, Baarn 1977[5], 61.
2. ibidem.

In het 'echte' nihilisme wordt de skepsis van het subjectivisme bijna weer to een bepaald soort zekerheid. Er bestaat niet iets, maar veeleer *niets*. Er is geen zijnsgrond aanwezig vanwaaruit je jezelf en de wereld zou kunnen leren kennen. Met alle metafysica, ook met die van het idealistische atheïsme, wordt radicaal afgerekend. Niet langer telt wat goed is, maar wie sterk is, zó sterk, dat hij onder het niets niet bezwijkt. De mens heeft aan de eigenschappen die hij eens in God projekteerde geen boodschap meer. De mens hoeft geen God te worden, hooguit 'Übermensch' om het leven in zijn oneindige keuzemogelijkheden en in zijn eeuwige kringloop aan te kunnen. Dit was de inspiratie om ware en vrije geesten te kweken (uiteraard mannen), die in hun wil tot macht eindelijk het leven zelf konden gaan leven. Nietzsche beschrijft die duizelingwekkende vaart als een wandeling door het eeuwige ijs. Niemand zal er meer onder geleden hebben dan hijzelf, juist omdat hij poogde het nihilisme als positieve levensinzet te begrijpen en te overwinnen.
Het 'onechte' nihilisme noemt Miskotte warmer, menselijker, omdat het inconsequenter is, anders dan de intellectuele beklimming van ijspegels. In het onechte nihilisme woekert de klacht voort dat God niet meer bestaat, omdat 'men' ook de andere kant van de eenmaal verworven vrijheid ervaart, namelijk als een geworpenzijn aan de rand van een gapende afgrond. Het pathos van de vrijheid veranderde in walging voor jezelf (Sartre). Het nihilisme is dus ook ambivalent, net zo ambivalent als de religie; en bovendien – zo suggereert Miskotte – blijft de religie niet overeind juist omdat zij voedingsbodem voor het nihilisme is? Dit doet hem de beslissende vraag stellen: Zou het einde van de religie niet ook het einde van het nihilisme betekenen?[3]
En op dit moment zet Miskotte in met de getuigenis en vertolking van de Naam. Het gaat hem immers om de overwinning van het nihilisme, de uitloper van de natuurlijke religie in het menselijk hart, die in de knieval voor het Bestaande het leven, dat zij krampachtig zoekt, niet vindt. Integendeel: wat zij vindt, is totalitarisme en onvrijheid, oorlog en dood.
Maar desondanks blijft Miskotte oog houden voor de positieve schaduwzijde van de ambivalentie, die in het atheïsme en het nihilisme schuilt. Deze zijn immers óók haarden van verzet tegen de fatale projecties van de religie, met alle uitwerkingen op geestelijk maatschappelijk, dus cultureel niveau van dien. De strijd van atheïsten en nihilisten is oprechter. Hun houding is eerlijker t.o.v. aan het lijden in de wereld dan de houding van de religieuze mens, die het Bestaande uiteindelijk als lot aanvaardt. Dit verzet verplicht ten diepste, nee, noopt tot solidariteit. Miskotte's theologische inzet zou zonder dat fundamentele inzicht niet kunnen worden begrepen. Binnen het kader van die solidariteit kan het wellicht gebeuren, dat in het licht van de bevrijdende kracht van de Naam *atheïsten* bondgenoten blijken te zijn voor hen, die de Naam juist zuiverder, krachtiger en praktischer willen gaan leren belijden binnen een Europese cultuur die dreigde af te glijden naar de concretie van het nucleaire Niets, en die nu al de afschuwelijke verminking, vernedering en vernietiging van miljoenen mensenlevens heeft veroorzaakt.

3. K. H. Miskotte, *Wenn die Götter schweigen*, München 1966[3], 28vv..

II

Voordat ik het theologische programma van Miskotte probeer te peilen als een dispuut met de getuigen van het moderne levensgevoel, die hunkeren naar menselijke vrijheid en voldoening hier en nu, maak ik, ter verheldering van de hier aan de orde zijnde ontwikkeling, een uitstapje in de Europese cultuurgeschiedenis. Dat lijkt me noodzakelijk om de theologie van Miskotte recht te kunnen waarderen in het licht van onze huidige theologische taak in een die, door hoge verlangens naar aards geluk en macht bezield, in platvloersheid en dommekracht ten onder dreigt te gaan. In het nu volgende onderscheid ik vier vormen van atheïsme.

a. De *filosofisch-psychologische vorm*, zoals die door Feuerbach en later door Freud systematisch is uitgewerkt. Hieraan ligt de projectietheorie ten grondslag, die aangaf dat de mens door de religie van zich zelf werd vervreemd. Nu de mens eenmaal als subject van zijn eigen geschiedenis was ontdekt en als zodanig ook binnen de theologie door Schleiermacher in grootse stijl was aangewezen als degene die zich-zelf binnen het kader van het vrome zelfbewustzijn van de gemeente aandient, was de stap van Feuerbach niet meer dan een consequente.

God is een theologische constructie die *via negationis* werd afgeleid uit hetgene de mens niet of maar al te gebrekkig is: de mens is eindig, God dus oneindig, enz. Feuerbach doet nu iets heel eenvoudigs, hij draait deze dialectiek om. God is in wezen niets anders dan *via positionis* het wezen van de mens zelf; maar dan 'mens' in zijn algemeenheid, abstract als mensheid. Het eeuwige subject 'God' wordt nu object, het bijzondere van God wordt gemeengoed. God wordt een voorwerp (Gegenstand! – vgl. dezelfde maar zo heel anders geladen term bij K. Barth) voor de menselijke waarneming, een aanschouwelijk geval voor de menselijke rede en zinnen. Het wezen van God is opgeheven in de predikaten almacht, alwetendheid, oneindigheid, onsterfelijkheid, liefde, gerechtigheid enz., waarin hij wordt uitgesproken en gekend. Maar deze predikaten worden God door mensen toegekend; zij worden geprojecteerd om hen als het ware in een spiegel als voorwerpt te kunnen aanschouwen. De predikaten zijn niet meer, maar ook beslist niet minder, dan de slotsom van alle menselijke deugden en waarden, die niet bij de mens als enkeling, maar wel bij het geheel van de mensheid aanwezig kunnen worden geacht. God is niet meer het *ens realissimum*, dat de zijnstoestand van de wereld en de mensheid verklaart. God is ook niet meer zo zeer het *summum bonum*, waar het zedelijke bewustzijn van de mens zich naar uit strekt. God is bij Feuerbach het *summum humanum* geworden en de theologie is teruggebracht tot hetgeen zij in wezen is: anthropologie: „Homo homini Deus est . . .dies ist der oberste praktische Grundsatz . . .dies der Wendepunkt der Weltgeschichte."[4]

De weg van de godsdienstkritiek van Feuerbach blijkt echter een omweg te zijn geweest die weer bij de religie is uitgekomen. Zijn godsdienstkritiek is wel a-theïstisch maar niet a-religieus. Feuerbach ziet de religie als een onderne-

4. L. Feuerbach, *Das Wesen des Christentums*, Stuttgart 1974, 401.

ming die het humanum als zodanig wil heiligen en zo veilig wil stellen, ook al is dat een illusie. De misdaad van de theologie schuilt volgens hem in de poging, deze illusie te rationaliseren en daardoor wordt menselijke rede geweld aangedaan. De zelfvervreemding van het menselijke bewustzijn wordt een mensonterend systeem. Zoals voor Kant God onmisbaar was als bewaker van de menselijke moraliteit, zo ziet Feuerbach de religie als positieve, praktische, subjectieve kracht waarover de mens kan beschikken om zijn bestaan als het Bestaande te heiligen: „*Heilig* ist und sei dir die Freundschaft, heilig das Eigentum, heilig die Ehe, heilig das wohl jedes Menschen, aber heilig *an und für sich* selbst."[5]
De religie dient alleen ontdaan te worden van de illusoire menselijke zelfvervreemding, het humanum in zijn oneindige waarde en volle glorie worden hersteld. Het is, zoals later Marx zou stellen, een kwestie van juiste interpretatie.
Dit soort religiekritiek is bij uistek de draagster van het ethos van de verlichting: de bevrijding van de menselijke geest en ziel.
b. De *materialistische vorm*. Marx zet de religiekritiek ván Feuerbach voort in zijn kritiek óp Feuerbach. Hij begint bij Feuerbach, maar gaat (en komt) verder dan hij. Volgens mij heeft Marx twee wezenlijke dingen op Feuerbach aan te merken. Ten eerste, Feuerbach blijft ondanks zijn poging vanuit het menselijk apperceptievermogen het wezen van de religie te aanschouwen en te analyseren, steken in een abstracte analyse van het wezen van de mensheid, die volgens Marx niet anders existeert dan als concreet 'Ensemble der gesellschaftlichen Verhältnisse.'[6]
Ten tweede, Feuerbach komt dan ook niet verder dan zijn interpretatie van de bestaande – de burgerlijke, privaatkapitalistische – maatschappij en van de mens als individu, opgeheven in de 'Gattung'. Het laatst aangehaalde citaat van Feuerbach stelt Marx in zijn kritiek gelijk. Feuerbach heeft een nieuwe illusie geschapen. De illusie, dat een juiste *interpretatie* van de mensheid en de wereld al hetzelfde is als concrete bevrijding uit onmondigheid en verdrukking. Het komt er daarentegen du dus op aan deze wereld te *veranderen.* (Befaamde these 12)
Intussen blijft Feuerbach wel de slijpsteen van Marx' religiekritiek. Dit wordt bijzonder duidelijk in de overbende maar steeds weer zo overweldigend duidelijke passage uit „Zur Kritik der Hegelschen Rechtsphilosophie" (1843/44).[7]

Het hoogste wezen voor de mens is nu definitief niet meer God, maar de mens zelf. Adel verplicht. Deze effectieve samenvatting van de essentie van de religiekritiek werkt Marx om tot een nieuwe categorische imperatief. Namelijk deze: alle verhoudingen behoren te worden omgekeerd, die het hoogste wezen hebben gedegradeerd tot object van uitbuiting, tot ding op zich, tot

5. Ibidem, 402.
6. K. Marx, *Thesen über Feuerbach*, in MEW 3, 6.
7. K. Marx, *Zur Kritik der Hegelschen Rechtsphilosophie*, in MEW 1, 385.

(koop)waar. Dit is de heimelijk positieve ondertoon van Marx' religie-kritiek, die hij in de *Ökonomisch-philosophische Manuskripte* van 1844 'positiven Humanismus' noemt, waar de oorzaak van de religie, de maatschappelijke ellende, werkelijk is opgeheven. „Die positive Aufhebung des *Privateigentums* als die Aneignung des menschlichen Lebens, ist daher die positive Aufhebung aller Entfremdung, also die Rückkehr des Menschen aus Religion, Familie, Staat etc. in sein *menschliches* d.h. gesellschaftliches Dasein."[8] Het atheïsme, als negatie van het bestaan van God, heeft zich ontpopt nu als het communisme, als de negatie van de negatie, waarin de dialektiek van de ellende definitief omslaat in een reëel aards eschaton, waar het 'Jenseits der Wahrheit' tot de 'Wahrheit des Diesseits' is geworden. De religiekritiek heeft een politiek-messiaanse impetus gekregen.

Ziedaar de religie, als stimulans tot en als moment van de bevrijdende gang van de kritiek op hetgeen mensen onmondig maakt, teneinde hen als voorwerpen te benutten en uit te buiten. Religie is niet alleen opium maar óók 'Protestation' tegen de ellende.

Het was Ernst Bloch, die deze latente kritische kracht van de religie verder uitteste om haar in te zetten tegen de absolute theocratie van een god, die mensen alleen maar als dienende slaven accepteert, of erger hen in zijn heersersdrift en potentie verslindt, ten profijte van een heersende priesterklasse. Bloch wil het prometheïsche in de bijbel blootleggen bij wijze van marxistische bijdrage aan de historisch-kritische methode, met behoud van het erfgoed van de Verlichting. Hij ont-dekte de atheïstische exodusgod die, begaan met het verdrukte volk van Israël, zijn volk uit de slavernij bevrijdt en zelf gelijk wordt aan een mens. Geen godshypostase maar condescendentie in de menselijke vrijheid van het vervulde ogenblik, „Eschaton unserer Immanenz, Lichtung unseres Inkognito."[9] Bloch staat op grond van bijbelse motieven en 'Enttheokratisierung' van de bijbel voor,[10] juist om het door Marx onderkende aspect van het 'protestante' karakter van de religie veilig te stellen: „Religion der humanen Utopie, Utopie eines nicht Illusionären an der Religion." Het gaat Bloch tenslotte om „eine unterirdische Bibel dieseits wie contra wie ultra der heteronomen Beleuchtung, der Decke des Theokraten. Der homo absconditus, von Eritis sicut deus bis zum Menschensohn aus seinem nicht transzendenten Thronhimmel, sondern eschatologisches Reich: das machte die wirkliche Biblia pauperum aus.[11]

Maar ook deze weg voert blijkbaar niet uit de elastische band der religie; hier weliswaar geen godmens meer, maar wel zoiets als een mensgod.

c. De *nihilistische vorm.* Terwijl door deze eerste twee vormen van het atheïsme het licht van het aan God ontfutselde humanum heenschemerde, zo deed Nietzsche een uiterste poging om het laatste gloeien van iets goddelijks in de

8. K. Marx, *Ökonomisch-philosophische Manuskripte*, in MEW-Ergänzungsband 1, 537.
9. E. Bloch, *Atheismus im Christentum,* Frankfurt 1968, 292.
10. Ibidem, 85.
11. Ibidem.

mens tot het vernietigend vuur van een nieuw 'ochtendgloren' aan te wakkeren. Hij formuleert de logische slotsom van de zich-zelf opheffende religie. God is door de mensen vermoord, geen zoeklicht, hoe fel ook, kan hem weer terugvinden. De mens is 'das noch nicht festgestellte Tier' aan gene zijde van goed en kwaad.[12] Van de *homo religiosus* als gelijkenis van God blijft niet meer over dan een redeloos kuddedier. Er is geen zijns-metafysica meer die het archimedisch punt van buiten levert, met behulp waarvan de mens zichzelf en de wereld kan kennen. De wereld blijft een onoplosbaar raadsel, zelfs voor de moderne fysica. De moraliteit ligt aan gene zijde van goed en kwaad, waar en onwaar. De beste moraal is geen moraal. De waarden zijn gerationaliseerde instincten; de 'vrije' wil – de wil om te heersen. Als er Niets is, rest alleen het leven in zijn hele zwaartekracht, in zijn ambivalentie van sterk en zwak, heerszuchtig en onderdanig. Dit is beslist niet niets. Wat dit leven dient, beantwoordt aan zijn doel. Het nihilisme van Nietzsche is een geweldige poging het leven, zoals het zich nu eenmaal voordoet, te aanvaarden. Nietzsche levert dan ook een felle slag met het onsterfelijkheidsgeloof en – in zijn termen – de joods-christelijke slavenmoraal. „Das Christentum ist ein Aufstand alles Am-Boden-Kriechenden gegen das, was *Höhe* hat: das Evangelium der 'Niedrigen' *macht* niedrig . . ."[13]. Als belangrijkste wapen brengt dit christendom de nivellering van de verschillen tussen hoog en laag in de strijd. Vandaaruit is zijn minachting voor het socialisme evenzeer duidelijk. Het is de dood in de pot, waar vrije geesten worden gekweekt, die de religie weten uit te buiten als een middel om hun heerschappij over het zwakke uit te oefenen. Deze traditie zou een stelletje Germaanse Herrenmenschen zich later maar al te gemakkelijk toeëigenen.
d. De *alledaagse vorm.* Hoe verhoudt dit alles zich nu tot het atheïsme en nihilisme van onze alledaagse praktijk?
In onze westerse cultuur wordt geleefd, *etsi Deus non daretur*. De werkhypothese „God" is als motor uit de mechanica van de wereld verdwenen. Ook dit gegeven drukt, hoe emancipatorisch het misschien ook werkt. De Verlichting was alleen maar een moment in de dialektiek van de mythe, net als de mythe een moment binnen de dialektiek van de Verlichting was. De Verlichting sloeg immers om in mythe, toen het menselijk subject als enige autonome instantie werd erkend, wat vervolgens leidde tot een ongebreidelde zucht naar kennis en een schier grenzeloze ondernemingsdrift.
Deze ontwikkeling ging gepaard met het positivistische empirisme, dat de wereld tot een collage van feiten maakte, kennis werd tot techniek geoperationaliseerd, toegesneden op de manipulatie van dingen en mensen. De bevrijdende rede liet zich als de eerste de beste 'zweckrationale' hoer omkopen door de heersende ideologie. De aan zich zelf gelijk geworden mens werd meer en meer een massamens, ondergedompeld in het nihilisme van de onverschilligen en de vakantie-gangers zoals Miskotte het ergens zegt. Het equivalent van deze mens is nog steeds de 'waar' die haar/zijn waarde bepaalt als producerend, consumerend en reproducerend lid van 'onze' maatschappij.

12. F. Nietzsche, *Die fröhliche Wissenschaft*, Zürich 1974², II 64vv.
13. Ibidem, III 385.

De staat heet neutraal atheïstisch te zijn om juist zo de vrijheid van godsdienst te kunnen waarborgen. Dit neemt echter niet weg, dat in het uitvoerende beleid van de hedendaagse staat de religie wel degelijk een rol speelt, hetgeen overduidelijk is te zien in het huidige Amerika van 'Nieuw Rechts'.[14]
Het absurde toppunt van dit geheel is de onmogelijke mogelijkheid, in naam van de vrijheid en van een christelijke God het technische (en ook morele!) apparaat te ontwikkelen, waarmee zowel de concrete als de abstracte mensheid in een absoluut 'onverlichte' lichtflits kan worden vernietigd. Ironie van het verhaal: juist in de bestrijding van het 'theoretisch' atheisme van het 'reëel bestaande socialisme' onthult deze onderneming haar ware karakter: een praktisch atheïsme en nihilisme van het duisterste allooi.
In de bespreking van de ommekeer van Ernst Jünger in *Wenn die Götter schweigen*,[15] legt Miskotte de nadruk op diens inzicht, dat de eigenlijke exponent van het nihilisme de oorlog is, „die dämonische Praxis der Gottesleugnung", waarbij dan de kerk als de concrete ontmaskering van het nihilisme het voorkomen van oorlog wordt opgedragen. Miskotte neemt dit voorstel serieus, mits dit niet betekent dat „die Religion eine Ehrenrettung findet, und zwar als Refugium gegen das Chaos." Het gevecht dat de gemeente in haar vertolking van de heilige leer moet leveren gaat dieper, moet tot aan de wortels van de religie zelf gaan.
Ligt al dit atheïsme nu op één en dezelfde lijn? Zeker niet. De fundamentele stelling van Miskotte lijkt echter houdbaar. Door deze hele ontwikkeling en verwikkeling loopt een rood-zwarte draad: de religie, in al haar onrustige ambivalentie en ambiguïteit. Is deze onrust tot bedaren te brengen? En zo ja, is dat dan eigenlijk wel wenselijk? Hoe radikaal is de *negatio negationis* en *destructio* van de religie, die de Naam in de theologie van Miskotte uitvoert? Hoe effectief is die theologie eigenlijk in de strijd tegen de religie en haar uitlopers, die in hun inzet voor het humanum dat humanum juist op het spel zetten, zodat het tenonder dreigt te gaan in vertwijfeling, doem en totale vernietiging?

III

In zijn lezing van het Oude Testament wordt Miskotte niet moe, de gloedvolle negaties van de Naam te prijzen en te bezingen. Om te beginnen valt deze God van Israël in geen beeld te gieten (Ex. 20,2vv.). Dat zit hem al in de Naam zelf, die onuitsprekelijk openbaart wie de God van Israël is, wie Hij is en wie Hij zal zijn. De onuitsprekelijkheid van de Naam biedt geen waarborg voor vrome, maar desalniettemin diep heidense identificaties van de Naam met het Bestaande, met de Natuur, met de macht van de koning en/of de staat.
Er kan dus ook geen filosofisch beeld van God worden geconstrueerd, de eendrachtige samenspraak van het christendom met de filosofie sedert

14. Vgl. Saul Landau, *Nieuw Rechts in Amerika*, Amsterdam 1983, 45vv. of Jim Wallis, *Tegen de stroom in*, Baarn 1983, 37vv..
15. K. H. Miskotte, *Wenn die Götter schweigen*, 40vv..

neoplatonisme tot op heden ten spijt. Deze beeld-loze God in oudtestamentische zin geeft de doodsteek aan iedere projectie. Deze God is de positieve negatie van ieder godsbeeld, van iedere vergoddelijking van het Bestaande of het Niets. Van deze God kan dan ook niet zoiets als een mens op zich worden afgeleid.
God is 'grundlos in der Mitte'. Deze God valt niet te beredeneren binnen de gesloten cirkel van de menselijke ratio. Deze God is in zijn telkens weer verrassende aan- en afwezigheid niet te bevatten. De acte, waarmee Hij het verbond met concrete mensen binnen de menselijke geschiedenis bezegelt, is een liefdesdaad die ons verstand te boven gaat. Het wereldraadsel, dat het oude en nieuwe heidendom probeerde op te lossen tot aan het ontnuchterende inzicht van het nihilisme toe, dat het raadsel eenvoudig weg niet opgelost kan worden, gaat op in het geheim van deze God, die het Bestaande telkens weer 'in Frage stellt' en desondanks de verzekering biedt, dat het leven binnen Verbond goed is en goed komt. Dit geheim is niet woordeloos; het geeft taal en teken, het is logos – God zwijgt immers niet. Het is een communicatief en coördinerend, redelijk en veranderend geheim naar de gestalte van het unieke, in liefde bewogen en bewegelijke wezen van God met deze onuitsprekelijke Naam: JHWH.
Deze God van Israël is in zekere zin ook 'nihilistisch'; wat in het heersende maatschappelijk-ideologische waardenstelsel waardeloos wordt geacht, of liever, wordt geminacht, acht hij hoog. Hij gaat daarin zover, dat Hij zich in Jezus van Nazareth met de verworpenen der aarde solidariseert en identificeert tot aan het kruis toe, waar in de dood het vernietigende van de dood, ja de dood zelf eens en voor goed is overwonnen.
Op deze lijn zijn er momenten, waarop iets wordt herkend in de aanval, die het atheïsme doet op een ontmondigende abstracte God en zijn tegenbeeld, maar in concreto verdrukte mens.
De atheïst vertoont in zijn rebellie tegen deze verdrukking overeenkomsten met de Israëliet, en het atheïsme met de joodse religie. Miskotte noemt die religie in zijn dissertatie *Het wezen der joodsche religie* de religie van de menselijke vrijheid. Want binnen het kader van het Verbond wordt de mens de vrijheid gelaten om God tot zijn eer te laten komen in de strijd tegen het leed of niet.
Maar ook existentieel is er overeenkomst: Beide hebben weet van een knagende schuld, zoals Camus die in zijn *La chute* hoofdpersoon Clémence laat beleven en uitspreken. Alleen al het bestaan wordt als misdaad ervaren. „Onder de troebele hemel der verticale afwezigheid tekent zich in *loden horizontalen* (van zelfkennis en zelfverwerping) de aanwezigheid af. Maar is deze afwezigheid *sámen* met deze aanwezigheid niet vele malen bijbelser dan een ontologische theorie over de 'alomtegenwoordigheid'? Heeft ooit een godvruchtige de alomtegenwoordigheid gezien als opgewassen tegen de aanwezigheid van schuld?[16]"
De *negatio negationis* wil dus niet zeggen dat Miskotte met het atheïsme en

16. K. H. Miskotte, „Over de tegenwoordigheid Gods", in *Geloof en Kennis*, Haarlem 1966, 180.

nihilisme eens en voorgoed afrekent. Er wordt veeleer een *theologische weg* geopend om in de ontspannende en bevrijdende kennis van de Naam bondgenoten te zoeken in de strijd tegen mensonterende ideologieën en maatschappelijke verhoudingen. Tenslotte zou ik zes markeringen van die theologische weg willen aangeven.

IV

1. Het beeldverbod zal nadrukkelijk in stelling moeten worden gebracht tegen nieuwe Godsbeelden en afgoderijen, tegen de onweerstaanbare neiging de souvereine vrijheid van de Naam JHWH in een vastgevormd ideologoumenon te gieten, dat op zijn beurt een dusdanig mensbeeld oplevert, dat de manipulatie van mensen in de optiek van de heersenden vergemakkelijkt.
Het enige waar van een beeld Gods sprake is, is bij de mens. Hier raakt de bijbelse theologie de atheïstische godsdienstkritiek nog het meest van nabij. Zij het, met één beslissende omkering: niet God is het, die het beeld van de mens ontvangt; God is het, die zichzelf in zijn 'mensvormigheid' aan de mens geeft in de daad van de Verbondsgeschiedenis, om mensen aan de fatale dialektiek van het 'Über- en Untermenschentum' te ontrukken en van hun onmenselijkheid en ontmenste verhoudingen te verlossen.
Iedere deductie van mensen uit een godsbeeld tot onderdanen, dingen op zich, kille rekenmachines, waren, robots, en wanneer mensen worden gekrenkt om hun huidskleur, hun status hun sexe of sexualiteit, dan moet dat theologisch als projectie van onderdrukkende maatschappelijke verhoudingen worden ontmaskerd.
2. Dit betekent, dat in de Naam van God de patriarchale Vadergod moet worden dood verklaard als zijnde een projectie die aan mannelijke fantasieën van almacht en potentie is ontsproten. Alleen, er moet voor worden gewaakt dat de ontstane leemtes niet weer automatisch met nieuwe projecties worden opgevuld. De religie is namelijk ook in haar matriarchale elementen onuitputtelijk.
3. De 'vermenselijking' van de wereld houdt een 'ontgoddelijking' in die door de zelfopenbaring van de onuitsprekelijke Naam is bewerkstelligd. Er ontstaat ruimte voor de beoefening van de wetenschap, die de wereld als wereld en de mens als mens in al hun feitelijkheden en samenhangen bestudeert. Aan deze 'positief materialistische' wetenschapsbeoefening behoeft ook geen halt te worden toegeroepen voor menselijke getuigenissen aangaande het gehoorde en ervaren Woord van God. God is niet langer noodzakelijk als werkhypothese.
Ook de politiek mag en moet deze ruimte benutten om haar analyses, strategieën en taktieken zo nuchter en wetenschappelijk mogelijk te schragen, om der wille van een zo groot mogelijke democratische controle en participatie van de burgers, respectievelijk maatschappelijke groepen. Een of andere vorm van socialisme ligt daarbij voor de hand.
4. Zo komt er een weg, die hier en nu naar verandering en vernieuwing van onmenselijke verhoudingen toeleidt, in de gerede verwachting van het Rijk van

de Vrijheid. Deze weg verloopt niet via een krampachtig activisme, dat dit rijk eigenmachtig meent te moeten oprichten, maar ook niet via een verlammend quietisme, dat de almachtige voorzienigheid van God met de handen in de schoot meent te moeten afwachten. Het is werken, bidden en feest vieren geblazen om herinneringen aan de toekomst levend te houden, om elkaar te ontmoeten. En om in die verwachting hier en daar op het Rijk vooruit proberen te lopen in kerk en wereld, op zoek naar de gelijkenis van de 'mensvormige' God.

5. Bij dit alles blijft God in zijn openbaring toch weer verborgen. Juist omdat Hij mens wordt en daarin Zijn eer stelt, blijft God geheim en blijft de geschiedenis open. Telkens weer wordt alles – vaste (rol)patronen, maar nieuwigheden net zo goed op losse schroeven gesteld. Telkens zien wij ons genoodzaakt te zoeken naar nieuwe antwoorden, conform het Woord, dat ons genereus uitnodigt te erkennen dat wij gekend zijn. Dit woord heft alle eigengereidheid op; het wil ons in een grote daad van liefde midden in het Verbond zetten. Dit geheim maakt uiteindelijk ook het geloof in het Niets onmogelijk; het maakt veeleer vertrouwen mogelijk en geeft menselijke hoop vaste grond.

6. Ten slotte nog een apostolaire opmerking. Een theologie, die zich op deze wijze kritisch solidair weet met atheïsten, richt zich niet in eerste instantie tegen ongelovigen, zoals de moderne theologie in haar apologetische drang na de Verlichting in een meer en meer saeculariserende wereld steeds weer heeft gedaan en nog altijd doet. Zij dient zich te richten op diegenen die tot niet-personen, tot on-mensen zijn gemaakt. Hier zie ik een lijn lopen vanuit onze blanke Europese context naar de maatschappelijke context waarbinnen de bevrijdingstheologie wordt beoefend. „De moderne theologie probeert de uitdaging van 'niet-gelovigen' te beantwoorden; de bevrijdingstheologie daarentegen beluistert de uitdagende vragen van de 'niet-persoon'."[17]

Binnen de ruimte van het Verbond kunnen dus verrassenderwijs bond- en reisgenoten worden ontmoet, juist daar waar we hen eigenlijk nooit hadden verwacht. Samen kunnen wij zuchtend en zoekend, vloekend en biddend het Rijk van de vrijheid dáádwerkelijke op de bewoonde aarde tegemoet gaan, tegen de verdrukking, tegen de vertwijfeling en tegen de doem van de volledige vernietiging in.

17. G. Guitiérrez, geciteerd in: Theo Witvliet, *Een plaats onder de zon*, Baarn 1984, 38.

PROMETHEUS ALS GETUIGE

Het geding van Barth met Schleiermacher om de bepaling van de menselijke vrijheid

Taco Noorman

1. *Vijf stellingen*

1.1. Dat er zoiets is als een waarheid die ons vrijmaakt, en dat het daar juist in de kerk omgaat, heeft zijn vanzelfsprekendheid verloren. Hoezeer ook verschil van mening bestaat over de oorzaken en waardering van dit verlies, de onzekerheid die ermee gepaard gaat is, althans in de geschiedenis van de west-europese theologie, al eeuwenlang bewust of onbewust, thematisch of impliciet, inhaerent aan de bezinning op het spreken van en over God en het menselijk bestaan.

1.2. Deze onzekerheid kondigt zich theologisch niet allereerst als een apologetiek 'naar buiten' aan, ten overstaan van de 'ongelovigen' maar als een apologetiek 'naar binnen'. Er wordt een dogmatische grondslag gelegd, waarop een eigentijdse en voor ieder inzichtelijke dogmatiek kan worden ontvouwd.

1.3. De *Kritiek der reinen Vernunft* van Kant, summum van 'Verlichting' en doodsakte van de traditionele metafysica, betekent het einde van een 'bovennatuur', waarin het spreken over God en de menselijke vrijheid inzichtelijk zou zijn verankerd.

1.4. Schleiermacher moet worden gelezen als een welbewust na-Kantiaans theoloog, onder het anselmiaanse motto dat hij aan zijn *Glaubenslehre* meegaf: „Niet immers zoek ik te verstaan opdat ik geloof, maar ik geloof opdat ik versta". Zijn godskennis is principieel één-voudig.

1.5. De theologie van Barth gaat niet terug achter die van Schleiermacher maar plaatst deze als het ware op zijn voeten. In tegenstelling tot Schleiermacher verstaat hij het 'credo' niet onder het voorteken van een, hoe dan ook psychologisch op te vatten 'gevoel van volstrekte afhankelijkheid', maar onder het voorteken van de vrijheid, die ons in Jezus Christus wordt geschonken.

2. *De vraag van dit artikel*

2.1. Wat betekent voor onze interpretatie van Barth's theologie het gegeven, dat Schleiermacher voor hem als theologische gesprekspartner nooit heeft afgedaan? Een antwoord op die vraag lijkt me van kapitaal belang. Niet alleen voor een retrospectieve interpretatie van Barth's theologie, maar ook en allereerst voor de 'theologische existentie' van onze huidige generatie in een kerkelijke situatie, die onder maatschappelijke druk staat van het 'einde van het conventionele christendom', en die bovendien is getekend door het theologisch spanningsverschil tussen 'ervaring' en 'openbaring'.

In paragraaf vijf zal een antwoord op die vraag worden beproefd. Daartoe wordt eerst in zes punten kort aangeduid hoe Barth's verhouding met Schleiermacher kan worden gekenschetst (par. 3); vervolgens wordt in vier punten het geding tussen beiden aangegeven over de concrete vraag naar de bepaling van de menselijke vrijheid (par. 4).

3. *Barth over Schleiermacher*

3.1. Getuige zijn 'Nachwort' bij de *Schleiermacher-Auswahl* van H. Bolli[1] kan Barth dit „klein overzicht van de geschiedenis van mijn eigen verhouding tot deze 'kerkvader' van de 19e (en ook van de 20ste!?) eeuw" tegelijkertijd als „een niet onbelangrijk segment van mijn eigen levensgeschiedenis" zien. Nota bene: De combinatie van het uitroep- en het vraagteken in deze volgorde dekt inhoudelijk de vraagstelling van dit artikel.
De (gematigd) 'positieve' theologische houding en richting van zijn eigen vader schrijft Barth zich nooit eigen te hebben kunnen maken. De *Reden* van Schleiermacher betekenden voor hem veeleer een 'eureka-ervaring': „Ik had kennelijk 'het onmiddellijke' gezocht, en het nu . . .bij Schleiermacher gevonden".[2] Deze vondst heeft hem niet meer losgelaten.
3.2. De ontdekking wordt gedocumenteerd in de, in 1910 onstane en in 1912 gedrukte beschouwing over 'het christelijk geloof en de geschiedenis'.[3] Terecht typeert Busch deze voordracht als een 'hoogst geleerde' samenvatting van alle elementen in de toenmalige theologie van Barth: „De vastberaden, deels ook naar de reformatoren doorgetrokken polemiek tegen het 'orthodoxe' verstaan van het geloof als een voor-waar-houden, de definitie van het geloof als veeleer 'innerlijke ervaring', die zijn (niet voorwerp, maar) 'grond' in het 'innerlijke leven van Jezus' heeft, het gedurig beroep op Kant en Schleiermacher . . . .".[4] Schleiermacher is hier voor Barth „de man, die ons geleerd heeft, of zou moeten leren, om op de bodem van het moderne denken het ware erfgoed der reformatoren te verwerven, om het te bezitten".[5]
„In de godsdienst van Jezus vinden we stof voor onze godsdienst", zo citeert Barth, instemmend, Schleiermachers vijfde *Rede*, om het citaat dan ook onmiddellijk toe te spitsen: „. . .en ik interpreteer: zij (de godsdienst van Jezus, T.R.N.) *is* de *daadwerkelijke* stof van onze godsdienst. Als we überhaupt godsdienst hebben, dan hebben we haar omdat ons de stof daarvoor vanwege de godsdienst van Jezus via allerlei bemiddelingen gegeven is."[6] Troeltsch wordt in een voetnoot[7] verweten dat hij het geloof als een denk- en kenwijze definieert. Zodoende gaat hij achter paragraaf drie van de geloofsleer van

1. *Schleiermacher-Auswahl*, red. H. Bolli, München en Hamburg, 1968.
2. Ibid., 291.
3. K. Barth, „Der christliche Glaube und die Geschichte", *Schweizerische Theologische Zeitschrift*, 28/29 (1911-1912), 1-18, 49-72.
4. E. Busch, *Karl Barths Lebenslauf*, München 1975, 69.
5. Barth, o.c., 64.
6. Ibid., 60.
7. Ibid., 2.

Schleiermacher terug, die daar immers had bepaald dat de vroomheid noch een weten is, noch een doen, maar een bepaaldheid van het gevoel, of beter, van het *onmiddellijk zelfbewustzijn.* Barth zet in deze voordracht Schleiermacher op een ononderbroken lijn met de reformatoren. „Wat hier (nl. in de *Reden*, over het geloof als *Anschauung* en *Gefühl*, T.R.N.) wordt gezegd, is niet een nieuwe godsdienst, zelfs niet een nieuwe theologie, maar eenvoudig in de terminologie van de romantiek het resultaat van de godsdienst-filosofische vooronderstellingen van de reformatorische theologie, om niet te zeggen van het Paulinisme. Schleiermacher, *de* moderne theoloog, staat juist in zijn fundering (nl. van de theologie T.R.N.), in de meest directe samenhang met de grote centrale gedachten van het evangelische christendom van het verleden. Als men voor 'Anschauung' *fides* leest, en voor 'Gefühl'[7] *justificatio*, dan zal men het onmiddellijk begrijpen."[8]
Schleiermacher heeft dus volgens Barth de intentie van de reformatie op een eigentijdse wijze verwoord. Hoe? Door het geloof niet tegenover de geschiedenis te stellen, maar door het daarentegen juist te begrijpen als de toeëigening van de geschiedenis in het leven van de enkeling.[9] Reformatie en Schleiermacher hebben er volstrekt ernst mee gemaakt dat „de Christus buiten ons de Christus ín ons is", en dat de werkzame geschiedenis het gewerkte geloof is.[10] „Niet staan God en mens tegenover elkaar, is de een werkend en de ander hem op een of andere manier tegenwerkend. Maar God werkt in de mens."[11] De godskennis is één-voudig. Om vervolgens op te merken: „De protestantse theologie heeft geen stand gehouden op de hoogte van deze door de reformatoren ingenomen positie."[12] En Schleiermacher mag dan diezelfde hoge positie hebben ingenomen, deze zal prompt na hem weer worden verlaten. In het bijzonder door die godsdienstfilosofie en theologie „die ons jongeren tegenwoordig vanuit Heidelberg (Barth zal wel allereerst Troeltsch bedoelen, T.R.N.) als evangelie gepredikt wordt".[13]
Waar het Barth in feite hier om gaat, blijkt overduidelijk aan het begin van zijn slotparagraaf. Hij vat zijn positie dan als volgt samen: „Wij hebben ... het geloof eenvoudig als een gegeven factum verondersteld. Alle ontwerpen van de vraagstelling (nl. ter bepaling van de verhouding tussen geloof en geschiedenis, T.R.N.) die hun positie *boven* of *naast* het feitelijk geloof innamen, ...lijden eronder dat ze, in plaats van in de zaak te leven *en van daar uit* over de zaak te spreken, de geschiedenis en het geloof als historisch-objectieve verschijnselen, en daarom vanzelfsprekend als *twee gescheiden* verschijnselen behandelen. Maar daardoor komen ze, via een noodlottige vicieuze cirkel, weer in de vraagstelling terecht die door de reformatie en Schleiermacher overwonnen was."[14]

8. Ibid., 51, 52.
9. Ibid., 64.
10. Ibid., 61.
11. Ibid., 61/2.
12. Ibid., 64.
13. Ibid., 65.
14. Ibid., 65.

3.3. Dat Barth in 1927 meent dat deze voordracht „beter ongepubliceerd had kunnen blijven"[15] is, voor iemand die hem allereerst als schrijver van de *Kirchliche Dogmatik* heeft leren kennen, vanzelfsprekend. Toch blijkt steeds weer dat Barth niet van zijn vragen aan Schleiermacher is afgekomen. Voortdurend speelde hem de 'zekere onzekerheid' parten, of hij Schleiermacher wel juist had verstaan. „De deur is inderdaad niet in het slot gevallen".[16] Schleiermacher is, 'vanaf de zijlijn', op zijn manier met het zich aankondigend socialisme en arbeidersrecht bezig geweest; Schleiermacher zou het 'manifest van de 93 duitse intellektuelen', ter ondersteuning van de oorlogspolitiek van keizer Wilhelm II nooit hebben ondertekend – hoezeer hij de theologie achter dat manifest ook „gegrondvest, bepaald en beïnvloed" heeft.[17] De merkwaardige combinatie en volgorde van deze drie werkwoorden is mijns inziens buitengewoon typerend voor de 'zekere onzekerheid', waar Barth later in zijn terugblik van spreekt.
Zo tekent Barth in 1924 onmiddellijk bezwaar aan tegen de frontale en inquisitoriale aanval die Brunner op Schleiermacher uitvoert, om deze als 'mysticus' op de mestvaalt van de theologie-geschiedenis te kunnen lozen. Hier geldt niet alleen het humane bezwaar dat je zó niet met elkaar omgaat, maar bovenal het fundamentele theologische inzicht, dat Brunner zichzelf en de lezer door een al te snelle veroordeling onthoudt. Barth stelt in de bespreking van Brunners Schleiermacher-boek: „Schleiermacher heeft *zijn* werk ongetwijfeld goed, glanzend verricht. Het is niet genoeg om te weten en te zeggen dat hij een aartsketter is en dat een *ander* werk zou moeten worden verricht; nodig zou zijn de kennis, de kunde en het vermogen om dit andere werk op zijn minst bij benadering *net zo goed* te verrichten al hij het zijne dat wij voor verloren moeten houden. Vóórdat deze kennis, kunde en dit vermogen er is – maar waar en wie is de man sterk genoeg daarvoor – zou men zich alleen al de vraag 'of Schleiermacher heeft afgedaan' (woorden die de strekking van Brunners boek weergeven, TRN.) eigenlijk alleen in een stil kamertje kunnen' en mogen stellen, waar men zichzelf op de mond kan slaan, voordat het door iemand anders gedaan wordt. ... Béter te doen wat Schleiermacher sléćht gedaan heeft (dus hier toch: hetzelfde werk! T.R.N.) – betekent dat niet het theologische denken, zoals het nu sinds tenminste drie eeuwen gericht was, in een hoek van 180 graden om zijn eigen as te draaien – en is dat niet de onderneming van een hybris waaraan we, naar alle menselijk bemeten, slechts mislukken kunnen?"[18] Brunners rebellie tegen het 'werk' van Schleiermacher, houdt volgens Barth een terechte „ongehoorzaamheid tegen de geschiedenis" (de 'Neuzeit') in.[19] Zijn grote bezwaar is echter, dat Brunner zakelijk niet laat

15. Geciteerd uit: Busch o.c., 69.
16. Bolli 307.
17. Ibid., 292-294.
18. K. Barth, „Brunners Schleiermacherbuch", *Zwischen den Zeiten* VIII, 1924, 49-64. Barth bespreekt hier E. Brunner, *Die Mystik und das Wort. Der Gegensatz zwischen moderner Religionsauffassung und christlichem Glauben dargestellt an der Theologie Schleiermachers.* Tübingen 1924. Citaat 63.
19. Ibid., 64.

gelden wat voor hem zelf, Barth, juist in zijn eigen confrontatie met Schleiermacher tot het centrale thema is geworden. Het inzicht namelijk dat 'het Woord', 'de openbaring', 'het geloof', zich niet als wapens laten gebruiken in het theologische dispuut.[20] Voordat je het weet raak je namelijk van de ene in de andere 'Schleiermacherei' verzeild; in een nieuwe constellatie van slechts vermeend hebben, verzekeren, sterke woorden uitstoten".[21] Barth's bespreking van Brunners boek besluit dan met de woorden: „Ik weet en bedenk overigens, dat ik me met dezelfde 'onverschrokkenheid' ook al misgaan heb."
3.4. De *dubbelzinnigheid*, die in Barths bespreking van Brunners Schleiermacherboek opvalt (inhoudelijke overeenstemming, afwijzing van de 'toon die de muziek maakt'), heeft tien jaar later, in 1934, een vervolg in zijn *ondubbelzinnige* afwijzing van Brunners eigen positie. Nu het om het geheel van de theologische bezinning gaat, geldt volgens Barth: „Als de structuur van onze kerkelijke verkondiging ongeveer blijft zoals ze in de ontwikkelingen van de 18de en 19de eeuw geworden is, ... dan heeft (de evangelische kerk) de veldslag waar we nu in betrokken zijn verloren, ook als het schandaal dat nu aan de orde is haar dan niet verder zou kwellen."[22] Het mes snijdt zijns inziens aan twee kanten. Brunners al te snelle afrekening met Schleiermacher in 1924 blijkt nu zó uit te pakken dat hij „de verkeerde denkbeweging, waardoor de kerk vandaag bedreigd wordt, op het beslissende punt meemaakt".[23] Dit beslissende punt is de *Vermittlung*, de bemiddeling tussen 'natuur en genade'. Brunner is in een combinatietheologie verzeild geraakt, waar op de een of andere wijze het gegevene, algemeen bekende en inzichtelijke, als uitgangspunt en basis kan dienen voor het spreken over God en mens.

3.5. Dit 'beslissende punt', de afwijzing van iedere vorm van 'combinatietheologie', markeert de radicale wending in Barths theologie. In de Barth-interpretatie worden terecht allerlei biografische 'ervarings-motieven' aangevoerd die deze wending mede hebben bepaald. Theologisch kan deze wending worden omschreven als het laten gelden van het eerste gebod als theologisch axioma,[24] waardoor Gods bevrijdende werkelijkheid in christologische concentratie eerst recht en volstrekt kan worden gekend. *Precies dit inhoudelijk*

20. „Het Woord Gods is de even noodzakelijke als onmogelijke opgave van de theologie", K. Barth, „Das Wort Gottes als Aufgabe der Theologie", 1922, geciteerd naar: *Anfänge der dialektischen Theologie* red. J. Moltmann, München 1962, 216.
Dit gezichtspunt zal, vanuit de 'Anfänge', heel Barths theologie blijven begeleiden, maar door hem christologisch gepreciseerd worden (ontdaan van alle abstractie) door streng vanuit de werkelijkheid van het geschieden van het Woord de mogelijkheid ervan na te denken: alleen zo „zullen wij de strijd met de grote menselijke onmogelijkheid manmoedig kunnen aanvangen", *Kirchliche Dogmatiek* I, 2, 838. Deze streng doorgevoerde anselmiaanse inzet in de werkelijkheid van het credo heeft Barth blijvend ook aan Schleiermacher verbonden.
21. K. Barth, *Brunners Schleiermacherbuch*, 62.
22. K. Barth, „Nein! Antwort an Emil Brunner", *Theologische Existenz Heute*, 1934, Heft 14, 6. Geciteerd naar: *Dialektische Theologie in Scheidung und Bewährung 1933-1936*, red. W. Fürst, München 1966, 209.
23. Ibid., 208.
24. Zie het gelijknamige opstel van K. Barth, in *Zwischen den Zeiten* XI, 1933 (!). 297-314.

kernpunt van Barth's theologie is het, waaraan zijn vragen aan en laatste onzekerheid over Schleiermacher ontspruiten. Per slot van rekening gaat het om een hermeneutische vraag: Moet Schleiermacher, wat Barth lijkt te willen, als bemiddelingstheoloog worden verstaan? Of moet hij juist op grond van de *Reden über die Religion*, de *Glaubenslehre* en de preken, als eerste theoloog van de *Neuzeit* worden beschouwd, die, naïever dan Barth, en daarom ook tot allerlei misverstanden aanleiding gevend, consequent de éénvoud van de godskennis heeft willen leren, omdat hij daaruit leefde? Zo zegt Schleiermacher zelf: „Er is slechts één bron waaruit alle christelijke leer wordt afgeleid, nl. de zelfverkondiging van Christus, en slechts één wijze, waarop de leer, meer of minder volkomen, uit het vrome bewustzijn zelf en de directe uitdrukking daarvan ontstaat" *(Zusatz* bij par. 19 van de *Glaubenslehre)*.[25] Dit citaat kan Barth's uitspraak verduidelijken dat hij „met de mogelijkheid zou willen rekening houden dat een theologie van de heilige Geest Schleiermachers wellicht niet bewuste, maar hem feitelijk bepalende legitieme bedoeling zou kunnen zijn geweest".[26] Hiermee is mijns inziens tevens de reden gegeven waarom Barth zijn 'verhouding met Schleiermacher' uiteindelijk zijn leven lang niet heeft uitgemaakt.

3.6. In dit opstel is, denk ik, tot nu toe de relatie van Barth tot Schleiermacher niet onjuist maar wel eenzijdig getekend. Barth schrijft in 1968: „Zeker is, dat ik het bij alles, wat ik ongeveer sinds dat jaar (1916 TRN.) dacht, zei en schreef, zonder hem (Schleiermacher, T.R.N.) deed, en dat zijn bril niet op mijn neus was, toen ik de brief aan de Romeinen uitlegde. Hij was voor mij niet langer 'kerkvader'.[27]
In verband met die bril is trouwens de opmerking vermeldenswaard uit de 'Vorrede' bij de colleges over Schleiermacher, die Barth in 1923/24 hield: „Paulus en de reformatoren *bestudeert* men, maar met de ogen van Schleiermacher *ziet* men, en in zijn lijn denkt men. Dat geldt ook daar, waar men de belangrijkste van zijn theologische leerstukken, of zelfs het geheel daarvan, kritisch of afwijzend beziet".[28] Maar dit terzijde.
Het citaat uit 1968 vervolgt: „Zeker is ook, dat dit 'zonder hem' een tamelijk (*ziemlich*) scherp 'tegen hem' impliceerde. Bij gelegenheid heb ik dat willens en wetens expliciet gemaakt."
Dat is zacht uitgedrukt. Op tal van plaatsen is Barth uitermate scherp, als hij het over Schleiermacher heeft. Zo bespreekt hij Schleiermacher in de *Christliche Dogmatik* (1927), onder de noemer 'de grote verwisseling/verwarring/vergissing' *(Verwechselung)*; Barth heeft daarmee de verhouding van de genade en de godsdienst voor ogen. Hij schrijft hier onder andere: „Dat (men kan werkelijk slechts zeggen: *dat*, wat hier, onontkoombaar in het menselijk gevoel ingesloten, daarin 'meegezet', 'God' heet, heeft met de in zijn genade de mens

25. F. Schleiermacher, *Der christliche Glaube*, red. M. Redeker, Berlin 1960, Erster Band 124.
26. Bolli 311.
27. Ibid., 296.
28. K. Barth, *Die Theologie Schleiermachers*, Vorlesung Göttingen Wintersemester 1923/24, red. D. Ritschl, Zürich 1978, 1.

handelend tegemoettredende God niets te doen. ... De schleiermacherse godsdienst heeft geen voorwerp."[29]
En vijf jaar later, in K.D. I/1 heet het: „De betekenis van Schleiermacher bestaat er voor alles in dat hij in zijn leer over de christelijke vroomheid als het zijn der kerk aan deze haeresie (nl. die van het neo-protestantse 'religionisme': de godsdienst is niet vanuit de openbaring, maar de openbaring is vanuit de godsdienst te verstaan, T.R.N.) een formele fundering gegeven heeft."[30] Ook dit liegt er niet om. En zo zouden nog vele citaten te geven zijn. Maar steeds is er bij Barth dan toch weer de vraag of Schleiermacher op zijn wijze tenslotte niet gewild heeft wat Barth zelf voor ogen stond: Het doel, vanuit de werkelijkheid van de Openbaring de mogelijkheid ervan te bedenken. Zoals Schleiermacher zelf schrijft: „Ik zou wensen (de dogmatiek) zo in te richten, dat het de lezer waar mogelijk op ieder punt duidelijk had moeten worden dat Joh. 1 : 14 de grondtekst van heel de dogmatiek is..."[31]

4. *Het geding*

4.1. De dogmatiek is bij Barth als zodanig ook ethiek. „Slechts de dader van het Woord is zijn werkelijke hoorder, en wel daarom, omdat het het Woord van de werkelijke God tot de werkelijke, d.w.z. tot de handelende, in de daad van zijn leven bestaande mens is... De dogmatiek zou dus niet meer en niet minder dan haar voorwerp en daarmee alle zin verliezen, als het in haar niet ook, *en wel voortdurend* ook om het bestaan, om de werkelijke situatie van de mens zou gaan; als haar vraag, de vraag naar de zuiver heid van de leer of naar het Woord Gods in de christelijke verkondiging niet als *zodanig* ook de vraag naar het door het Woord Gods bepaalde leven van de mens zou zijn: de vraag naar hetgeen wijzelf te doen hebben."[32]
Dat betekent omkeerd dat er voor Barth ook geen zelfstandige ethiek kan zijn. Er is dientengevolge geen andere vrijheid dan die, welke is gekwalificeerd als antwoord op Gods gebod. „Het gebod Gods is gebiedend .. doordat het ons gebiedt vrij te zijn. En het zet zich daarmee door, het verschaft zich daardoor gehoorzaamheid, doordat het ons in de vrijheid plaatst.'[33] Juist dit bevrijdende karakter van Gods gebod onderscheidt het van alle andere geboden. En de vrijheid die met recht 'vrijheid' heet, is juist vrijheid „voor de staat en dienst waarvan de mens zich vervreemd heeft".[34]
4.2. Ook voor Schleiermacher geldt, dat dogmatiek en 'zedeleer' bijeenhoren; beide ontspruiten aan dezelfde bron. De dogmatiek vraagt: wat moet zijn, en

29. K. Barth, *Die christliche Dogmatik im Entwurf,* Erste Band, Die Lehre vom Worte Gottes, München 1927, 311.
30. K. Barth, *Die Kirchliche Dogmatik*, Erster Band, Die Lehre vom Worte Gottes, 1932, 35. De toevoeging tussen haakjes is ontleend aan K.D. I/2 (1938), 316.
31. F. Schleiermacher, *Über seine Glaubenslehre*, an Herrn Dr. Lücke, Zweites Sendschreiben (1829), geciteerd naar Bolli, 144
32. K. Barth, K.D. I/2, 886; cursivering van TRN.
33. K. Barth, K.D. II/2, 1942, 659.
34. Ibid., 656.

de zedeleer vraagt: wat moet worden, gegeven het religieuze zelfbewustzijn?[35]
Maar juist hier, in zijn ethische toespitsing, zal blijken hoezeer Schleiermachers theologie, (en niet alleen de zijne!) voorzover zij van ons 'gegeven bewustzijn' uitgaat, zich vroeg of laat wel móet aanpassen aan de werkelijkheid zoals die is en zich in het bewustzijn spiegelt. Het begrip 'vrijheid', zoals Schleiermacher dat hanteert, leent zich er bij uitstek toe om dat aan te tonen.
Schleiermacher heeft in paragraaf 4 van de *Glaubenslehre*[36] zijn vrijheidsbegrip ingevoerd en aangeduid, in correlatie met de invoering van het begrip 'afhankelijkheid'. Nadat hij in paragraaf 3 de „vroomheid, die de basis van alle kerkelijke gemeenschappen vormt", heeft beschreven als „noch een weten, noch een doen, maar een bepaaldheid van het gevoel of van het onmiddellijke zelfbewustzijn", is zijn volgende stap, in paragraaf 4, de bepaling van het wezen van de vroomheid. Vroomheid is „dat we onszelf als volstrekt afhankelijk, of, wat hetzelfde zeggen wil, als van de relatie met God bewust zijn".[37]
Nadat Schleiermacher in het eerste onderdeel van deze paragraaf heeft beschreven hoe in ieder zelfbewustzijn twee elementen te onderscheiden zijn, ontvankelijkheid en zelfwerkzaamheid, zet hij in het tweede onderdeel uiteen dat met de ontvankelijkheid het menselijk afhankelijkheidsgevoel gegeven is, en met de zelfwerkzaamheid het vrijheidsgevoel. „Dienovereenkomstig bestaat ons zelfbewustzijn als bewustzijn van ons zijn in de wereld of van ons samenzijn met de wereld uit de combinatie van vrijheidsgevoel en afhankelijkheidsgevoel; een gevoel van volstrekte afhankelijkheid echter, . . .of een gevoel van volstrekte vrijheid . . . is er in dit hele bereik niet."
In het derde onderdeel wordt dan beschreven waarom de *Leitsatz* desondanks kan spreken van een „bewustzijn volstrekt afhankelijk te zijn". Ons zelfbewustzijn is, ook in zijn component van het relatieve vrijheidsgevoel, een gevoel van volstrekte afhankelijkheid, omdat we in ons bewustzijn niet alleen de oorsprong van onze ontvankelijkheid, maar ook die van onze zelfwerkzaamheid als geschonken ervaren. Het woordje 'God', zo concludeert hij dan in het vierde onderdeel, is, naar zijn „voor ons waarlijk oorspronkelijke betekenis, de in dit zelfbewustzijn vooronderstelde werkzame grond *(das Woher)* van ons ontvankelijke en zelfwerkzame zijn."
Zowel het bewustzijn van de menselijke activiteit als van zijn passiviteit is dus gegrond in de 'scheppingservaring': de mens kan zichzelf zijn bewustzijn, ook zijn vrijheidsbewustzijn, niet geven. Met het 'gevoel van volstrekte afhankelijkheid' correspondeert dus geen 'gevoel van volstrekte vrijheid' – dan zou de mens God zijn.
Vrijheid valt, in Schleiermachers visie, samen met (het bewustzijn van) de mogelijkheid om het zijn van anderen te beïnvloeden. Tussen mensen is er

35. F. Schleiermacher, *Die christliche Sitte nach den Grundsätzen der evangelischen Kirche in zusammenhänge dargestellt,* red. L. Jonas, Berlin 1884², 23.
36. *Der christliche Glaube*, 23-30.
37. Ten aanzien van de 'Lehnsätze' uit de 'ethiek' (is bij Schleiermacher zoiets als geschiedfilosofie) stellen we, zonder er hier verder op in te gaan, dat deze door Schleiermacher ontwikkeld worden vanuit een elliptische visie op de werkelijkheid, waarbinnen theologie en filosofie de brandpunten vormen.

altijd een 'gemengde situatie' van vrijheid en afhankelijkheid; de tyrannieke huisvader is altijd nog enigszins gebonden aan de eigen zelfwerkzaamheid van het kind.
Alleen God is volstrekt vrij, niet te beïnvloeden (het gebed heeft wat dit betreft geen plaats). Het wezen van de mens is, naar het vrome besef, zijn volstrekte afhankelijkheid, waar de oorsprong ligt van zowel zijn relatieve vrijheid als ook zijn relatieve afhankelijkheid.
4.3. Dit vrijheidsbegrip van Schleiermacher is levensgevaarlijk, omdat hier de vrijheid en de afhankelijkheid van meet af aan tegen elkaar worden opgezet. Hij bepaalt vrijheid principieel als 'zelfverwerkelijking', zodat hier lijkt op te gaan wat D. Schellong in ander verband over Schleiermacher schrijft: „Hij toont daarmee aan hoezeer hij denkt vanuit de heerschappij van het burgerlijke principe van de immanente *conservatio sui* (zelfhandhaving) als vermeerdering van het zelf". Vrijheid voor de één is immers afhankelijkheid, onvrijheid voor de ander. „Bewust of onbewust: de facto verried Schleiermacher hier (Schellong doelt op Schleiermachers visie op de noodzakelijke, 'natuurlijke', samenhang van goed en kwaad, maar de verhouding van vrijheid en afhankelijkheid valt mijns inziens evenzeer onder dit oordeel, T.R.N.) het geheim van de burgerlijke vooruitgang". En verder: „De plundering van de koloniën door de europese burgerij is voor de gekoloniseerde volkeren weliswaar kwaad, maar ze is nu eenmaal nodig voor de opbloei en rijkdom van de europese burgerij. Zo ging en zo gaat de geschiedenis nu eenmaal."[38]
Juist op het punt van de relatie tussen vrijheid en afhankelijkheid heeft ook Barth Schleiermacher wellicht op zijn felst aangevallen. Religie, als 'gevoel van volstrekte afhankelijkheid', is volgens hem een regelrechte aanslag op het wezen van de mens. Een aanslag die niet alleen op grond van een of ander humanisme, maar juist naar dogmatisch oordeel niet is te dulden. „Als nu ook het christelijk geloof zelf niet anders zou zijn dan een bijzondere bepaling van het gevoel van volstrekte afhankelijkheid, dan was daarmee niet alleen vastgesteld dat ook het christelijk geloof overgeleverd zou zijn aan een diep gefundeerde skepsis van de mens tegen alle religie, maar (ook) dat deze skepsis ook t.a.v. hem (nl. het christelijk geloof, TRN.) gelijk zou hebben, en dat in naam van de menselijkheid ook tegen hem geprotesteerd zou moeten worden. *Dat het humanisme van Schleiermacher tenslotte in deze inhumane visie op de verhouding van de mens tot God culmineert*, dat men tenslotte in naam van de humaniteit tegen zijn leer over de religie protest moet aantekenen, is merkwaardig genoeg. Maar het is zo. Prometheus heeft nu eenmaal gelijk tegenover Zeus."[39]

4.4. De God van profeten en apostelen, de Bevrijder van Israël en de Vader van Jezus Christus, is geen Zeus. Zijn berg is niet de Olympus, van waaraf de mens klein wordt gehouden, maar de Sinaï, waar het verbond van de

38. D. Schellong, *Bürgertum und christliche Religion*. Anpassungsprobleme der Theologie seit Schleiermacher, München 1975, 44, 45.
39. K. Barth, K.D. II/2, 614; cursivering van T.R.N.

vrijheid wordt gevierd. Die vrijheid is geen zelfbepaling, maar het gaan van een weg die wordt gewezen, de weg van de solidariteit, waarin ik me afhankelijk weet van de genade Gods in het aangezicht van de naaste. Voor wat diens godsbegrip en diens opvatting van geloof en menselijke vrijheid betreft is het traject van Schleiermacher niet te volgen.

5. *Slotsom*

5. Schleiermachers grootheid blijft gelegen in zijn poging om theologisch met alle separatisme af te rekenen. Bij hem geen schizofrenie van 'geloof' en 'wetenschap'. Geen boedelscheiding tussen natuur en bovennatuur, tussen zelfbewustzijn en godsbewustzijn, tussen Christus en de mensheid, tussen godsdienst en cultuur, tussen hemel en aarde, tussen theologie en filosofie. wel: onderscheidingen. Zijn model is voortdurend de ellips, waarin de beide brandpunten het gehele veld bestrijken, maar toch hun eigen relatieve zelfstandigheid behouden. Zo is zijn denken principieel open voor alle ervaringen die tot de geschiedenis behoren.
Anders, beter(?) dan Schleiermacher, weten we inmiddels wat voor een dubbelzinnig verschijnsel religie is, waar het geloof in Gods genade ieder moment kan worden ingeruild voor de verering van het eigenbelang. Bij Schleiermacher blijft onhelder, dat ook zijn religie alleen bestaan kan bij de gratie van de bede om vrijwaring voor deze goddeloze bezoeking. Door de religie-kritiek van wat hij inderdaad als het óude testament zag heeft Schleiermacher zich niet willen laten gezeggen. Daardoor is zijn theologie in eerste en laatste instantie een weerloze prooi van de projectiemechanismen, die de mens in zijn geschonken vrijheid bedreigen. Dat hebben alle 'vrijzinnigen' van Barth te leren, en ook van Ernst Beker aan te nemen. Maar minder hoog dan Schleiermacher mag de theologie niet mikken.

MAAK ONS VAN ZONDE VRIJ...
Een discussie over feminisme en theologie

Herrianne Allewijn, Grietje van Ginneken, Saar Hoogendijk, Johanna Hooysma, Esther van der Panne, Elsje Pot

> „...dass bei der Frau die Kraft Schwachheit wird in dem Masse, als ihr psychische Plastizität ihr erlaubt, zum Teil (und oft sehr Gut) nach dem männlichen Prinzip zu denken. ...
> Beim Mann ist es das Gegenteil: Seine Schwäche ist seine Kraft. Unfähig, andere Kategorien zu begreifen als seine eigenen, ist es für ihn ein Selbstbeweis, sie als Normen aufzurichten und diese der ganzen Welt aufzudrängen. ...
> In der Tat, wenn ein Mann behauptet, diese Folgerung einer Frau sei unlogisch, geschieht dies oft gerade dann, wenn sie ihrem eigenen Grundsatz treu ist. Dann wirft man ihr Mangel an Objektivität vor. Aber was ist Objektivität? Könnte sie nicht letzlich männliche Subjektivität sein, welche sich selbst heiligt und sich als unantastbar erklärt, auf eine Art und Weise, die nicht zulassen will, dass Gott sie zu durchdringen vermag? Mann will objektiv denken, objektiv beobachten und sogar objektiv glauben! Und an was? An den objektiven Geist, wohlverstanden."

Van protest naar analyse

Het theologische debat met Karl Barth om de positie van de vrouw dateert niet van vandaag of gisteren. Bovenstaande regels zijn al in de dertiger jaren door Henriette Visser 't Hooft aan hem gericht. Waarschijnlijk is zij de eerste vrouw geweest, die Barth kritisch op zijn dogmatische uitspraken over de verhouding tussen man en vrouw heeft aangesproken.[1] Zij protesteerde met name tegen diens letterlijke interpretatie van die passages in de brieven van Paulus, die over de onderwerping van de vrouw aan de man gaan. Sindsdien is dit protest niet meer verstomd. Henriette Visser 't Hooft heeft een lange reeks van tegenstemmen geopend. Wel zijn er in de loop der tijd accentverschuivingen opgetreden. Zo ligt vandaag de dag de nadruk niet meer op het protest als zodanig, zoals bij Henriette Visser 't Hooft, ook al heeft dat niets aan kracht ingeboet. De huidige nadruk ligt op de analyse. Gaandeweg hebben vrouwen namelijk een onderzoek op gang gebracht naar de opbouw van de theologie van Barth. Daarbij is deze vraag centraal komen te staan: Is er in diens behandeling van de sexenverhouding enkel sprake van een incidentele 'blinde vlek', of is diens opvatting over de positie van de vrouw een logisch uitvloeisel van de hele structuur van zijn denken? Ook wij willen ons in dit artikel over juist deze laatste vraag buigen. Ons vertrekpunt ligt in een analyse van Barth's

1. H. Visser 't Hooft, „Eva wo bist du?", in: *Kennzeichen* 8 (1981).

visie op de verhouding tussen man en vrouw. Welke blokkades werpt dit soort theologie op voor een *bevrijdingstheologie van vrouwen?*.
Dit kan een hachelijke onderneming lijken aan een faculteit, waar wij van de scheidende hoogleraar dogmatiek hebben geleerd, dat de betekenis van Karl Barth voor de theologie van onschatbaar belang is. Niettemin, geïnspireerd door een gestaag aangroeiende rij van vrouwen die zich te weer stellen tegen een door mannen geformuleerde theologie, lijkt het ons van essentieel belang om onze gezamenlijke vragen aan een geschiedenis te richten, die wij vrouwen gemeenschappelijk hebben.[2]
Om bovendien de maatschappelijkheid van zowel onszelf als van onze vragen uit te drukken, hechten wij eraan dit artikel als een collectief product te presenteren.

Barth in revisie?

Barth's visie op de verhouding tussen man en vrouw kan ons inziens goed aan de hand van een tweetal publicaties aan de orde worden gesteld, beide representatief voor in de zogenaamde 'Barth-kritiek' van de afgelopen tien jaar. Het ene artikel is van Rinse Reeling Brouwer en heet 'Barth over man en vrouw';[3] het andere is van Joan Romero en heet „The Protestant Principle: A Woman's – Eye View of Barth and Tillich".[4] Wij behandelen eerst het stuk van Rinse Reeling Brouwer, daarna dat van Joan Romero onder een nieuw kopje.
Rinse Reeling Brouwer vraagt zich in zijn artikel af, of er in de structuur van het dogmatische vertoog geen 'schoonmaakwerk' verricht kan worden, waardoor voortaan structurele dogmatische belemmeringen zouden kunnen worden vermeden voor de strijd van vrouwen en flikkers heden ten dage. Hij wijst erop dat zijns inziens Barth verre bij zijn eigen theologische inzet ten achter blijft, als hij het over de plaats en de rol van vrouwen heeft. Barth trapt hier namelijk in de val van de door hem zelf zo fel bestreden natuurlijke theologie. Hij behandelt de verhouding tussen man en vrouw immers als een gelijkenis die in de schepping ligt verankerd. In dit licht bezien moet volgens Barth het *natuurlijk* verschil tussen man en vrouw worden beschouwd als een verwijzing naar het (eeuwige) verbond tussen de Messias als bruidegom en zijn gemeente als bruid. Je kunt je echter in gemoede afvragen, waarom nu juist de verhouding tussen man en vrouw door Barth uit de opsomming wordt gelicht, die Paulus in Galaten 3 : 28 van de tegenstellingen geeft die onder de kinderen Gods zijn opgeheven – Jood en Griek, slaaf en vrije, man en vrouw – en vervolgens als een tegenstelling wordt opgevoerd, die vanuit de schepping tot in der eeuwigheid vast zou liggen. Zodoende wordt elke hoop op een bevrijdende opheffing

2. Zie Jodien van Ark en Renate Rotscheid, *De vrouw als subject van de heilsgeschiedenis? Een confrontatie tussen feministische theologie, de theologie van Karl Barth en marxistische kritiek,* doctoraalscriptie KTHU 1983.
3. R. Reeling Brouwer, „Barth over man en vrouw", in: *Opstand* (1980/2), 18-24. Oorspronkelijk geschreven voor een studiedag op de theologische faculteit van de UvA, januari 1980.
4. Joan Arnold Romero, „The Protestant principle: A Womans-Eye View of Barth and Tillich", in: *Religion and Sexism,* ed. Rosemary Radford Ruether, New York 1974, 319-340.

van sexentegenstellingen of van de sexen als zodanig door Barth de bodem ingeslagen uit angst voor het onbekende en een vermeende chaos. Rinse Reeling Brouwer stelt daarom een revisie voor. Het hoofdstuk over man en vrouw bij Barth moet zijns inziens uit de leer van de schepping worden weggenomen en onder het gezichtspunt van de voleinding worden behandeld, zodat de verschillen tussen de sexen en de organisatie van de sexentegenstellingen in het teken van hun opheffing zouden komen te staan. Let wel: in het *teken* van hun opheffing, want, zo stelt hij, nu wij weten dat in de Messias man noch vrouw is, nu worden wij eerst goed onrustig over de feitelijke strijd die tussen de sexen bestaat.
Precies deze onrust is het echter, die ons dwingt om door te vragen naar de algehele ratio van een vertoog, waarin de man als 'A' en de vrouw als 'B' wordt beschreven. Of in het jargon van Barth, de man in termen van *'Vor'*- en *'Überordnung'*, en de vrouw in termen van *'Nach'*- en *'Unterordnung'*. Wat zegt een dergelijke beschrijving over de totale structuur van Barth's dogmatische vertoog? Kunnen wij wel volstaan met een 'goede beurt' of moet het hele huis op zijn kop? Wij willen deze kwestie aan de hand van het bovengenoemde artikel van Joan Romero behandelen. Alvorens dat te doen, wijzen wij eerst kort op lezingen, die onder feministische theologes van Barth's theologie worden beproefd.

Het universum 'man'

Onder feministische theologes valt een groeiende behoefte te constateren aan een verdergaande analyse. Dat geldt uiteraard niet uitsluitend wat de theologie van Barth betreft. Het is echter wel zo, dat feministische theologes bij hem als één van de eersten wijzen op de universele pretenties waardoor deze theologie wordt geschraagd, gelet op de grote invloed die van Barth op allerlei progressieve theologen is uitgegaan. Zij brengen twee punten naar voren.
Allereerst wordt het feit dat meer dan de helft van de mensheid niet aan het woord kan komen, hier als een (gelukkige?) bijkomstigheid verzwegen. Terwijl er van niets minder dan 'bevrijdingspraxis' wordt gesproken, blijft desalniettemin de mannelijke superioriteit onbetwist canoniek. Nu sinds de opkomst van de vrouwenbeweging echter vrouwen het zwijgen hebben verbroken en zelf het woord hebben genomen, dringt zich de vraag op, of de bijbel voor vrouwen wel het bevrijdende boek is, waarvoor het door barthiaanse theologen wordt uitgegeven. Het zal duidelijk zijn, dat deze vraag verstrekkende gevolgen heeft voor de universeel geformuleerde, maar exclusief mannelijke pretenties van de barthiaanse theologie. Wij komen in de loop van dit artikel daarop terug.
In de tweede plaats is hun kritiek wat Barth betreft voornamelijk op de hiërarchische opbouw van diens denken gericht. Bij hem is de man het 'centrum', de vrouw zijn 'tegenover'. Weliswaar ijkt Barth dit 'tegenover' in antiburgerlijke zin, namelijk: als een kritische grens die aan mannelijke machtsontplooiing is gesteld. Maar toch is *hij* het nog altijd, die onverminderd bepaalt wat *haar* plaats zou wezen. Zoals de kritische notie van God als de 'Ganz

Andere', die niet kan worden ingekapseld door onze burgerlijke vooringenomenheid, kan gaan dienen als een rechtvaardiging van een buitensluitend en daarmee inperkend spreken over God,[5] zo werkt ook de schijnbaar ruimte biedende definitie van de vrouw als een 'Gegenüber' voor ons, vrouwen, veeleer als een grenzen stellende. Van dit laatste treffen wij een analyse aan bij Joan Romero. En daarmee zijn wij bij het volgende artikel aangeland van de twee, die wij als markante voorbeelden van 'Barth-kritiek' opvoerden.

Heer – knecht: een mannenverhaal

Joan Romero onderscheidt bij Barth drie hoofdthema's: God, mens en vrijheid. In elk van die thema's is er van een relatie sprake, die in enkele vaste rolpatronen vastligt: horen, gehoorzamen, gehoorgeven, antwoorden, gehoorzaamheid. Zo is het God, de 'Ganz Andere', die spreekt en de mens, die gehoor geeft. Romero signaleert hier een fundamenteel probleem. De relatie, die in zulke bewoordingen wordt aangegeven, verheft namelijk ongelijkheid tot een onvoorwaardelijke norm. Dit heeft niet alleen consequenties voor de verhouding tussen man en vrouw, die volgens Barth in de scheppingsorde zou vastliggen, zoals wij hebben gezien. Dit levert ook een begrip van *zonde* en *vrijheid* op, dat de onderdrukking van vrouwen legitimeert en versterkt.
Met betrekking tot de zonde vestigt Romero vooral de aandacht op het begrip *hubris* bij Barth. Doordat hij de orde tussen man en vrouw in de schepping meent te kunnen vastleggen, perkt hij haars inziens de mens in; elke poging om deze orde te doorbreken wordt door hem immers als een ongehoorde vorm van hoogmoed gediskwalificeerd.[6] Dus ook ieder streven naar opheffing of elk overschrijden van patriarchale onderdrukking. Of het nu om androgynie gaat,[7] of om de vrouw-vrouw relatie,[8] het zijn in het dogmatische vertoog van Barth ongehoorde staaltjes van hoogmoed, die niet te rijmen vallen met gehoorzame liefde.
Deze gehoorzaamheid staat ook in het vrijheidsbegrip van Barth centraal, waar sprake is van de mens die vrij is om te gehoorzamen.
Goddelijke vrijheid betekent voor hem 'keuze', 'initiatief', 'inspiratie', menselijke vrijheid bestaat in het handelen naar de goddelijke keuze en opdracht. Vrouwen staan in een analoge relatie tot mannen. Betekent dat niet dat haar vrijheid niets anders is dan gehoorzaamheid aan de man? De vrouw is immers *untergeordnet,* gehoorzaamheid aan de/haar man betekent dan ook gehoorzaamheid aan God. Een anonieme vrouw uit Zuid-Afrika zegt het zo: „God is male, God has the right to dictate and demand obedience, males share this right with God."[9] Mary Daly brengt het nog pregnanter onder woorden:

5. Maria de Groot zegt het zo: „Als 'het dwarse woord' heeft men God klein gekregen. Zo klein, dat men nu alle 'ervaringstheologie' in naam van deze God kan afwijzen." M. de Groot en R. Beurmanjer, *Twee emmers water halen,* Haarlem 1982, 51.
6. Karl Barth, *Kirchliche Dogmatik,* Zürich 1932-1967, III/4, 157; verder afgekort als KD.
7. KD III/4, 174.
8. KD III/4, 182.
9. „Towards a Theology of Sexual Politics", geciteerd in: Romero o.c., 319.

„If God is male, then the male is God."[10]
Een dergelijke toebedeling van vrijheden roept vragen op, en niet alleen bij ons. Barth zelf vroeg zich al af, of de begrippen 'gebod' en 'gehoorzaamheid' niet uitgaan van een actieve God, terwijl de mens zich alleen maar passief heeft te onderwerpen. Hij wil de indruk wegnemen, dat het hem in laatste instantie om dociele 'invoeging', 'verootmoediging' of 'deemoed' zou gaan: „Wo Gott gebietet – der Gott, der als der den Menschen beschränkende Schöpfer und Herr in Jesus Christus sein gnädiger Vater ist – und wo der Mensch in seiner Beschränkung Gott, in Jesus Christus *diesen* Gott, hört und Ihm gehorsam wird, da geht es gerade bei des Menschen unvermeidlicher Unterordnung, Einfügung, Beugung und Demütigung inmitten seiner Beschränkung letzlich und eintscheidend um seine Erhebung, Aufrichtung, Ermutigung, ja *Erhöhung*, da wird er *durch* das Gesetz – es ist ja das 'Gesetz des Geistes und des Lebens' und nicht das der Sünde und des Todes (Rom. 8 : 2), das er hier zu hören bekommt und das er hier gehorsam wird – nicht *unter* ein Gesetz gestellt, sondern in die Freiheit gerufen Aller Schein – es kann je nur ein Schein sein! – von Unehre, die den begriffen 'Gebot' und 'Gehorsam' noch anhaften möchte, muss dann schwinden."[11]
Het lijkt ons echter een verre van gemakkelijke operatie om bovenstaande begrippen te schonen van alle valse schijn en oneer. Maar al te vaak wordt immers de inhoud van een gebod bepaald door degenen die de macht hebben het uit te leggen. Hoe vaak is het horen naar Gods Woord niet voor gehoorzaamheid aan een heel bepaalde exegese van de teksten uitgegeven?

Vrijheid en vrijheid is twee

Het zal inmiddels duidelijk geworden zijn, dat Barth en Romero er een totaal verschillend begrip van *vrijheid* op nahouden.
Romero pleit met haar *Woman's-Eye View* voor vrijheid als actieve keuze; dat leidt tot het verwijt aan Barth dat hij juist déze vrijheid voor God heeft gereserveerd.
Toch hebben wij de indruk dat Romero niet helemaal recht doet aan de dialectiek die er bij Barth tussen de goddelijke en de menselijke vrijheid is. Want hoe ziet Barth's vrijheidsbegrip er in grote lijnen uit?
Het gaat Barth om het volgende. Door Gods vrijheid wordt de mens vrij, niet om slaafs te gehoorzamen, maar om vrij te zijn van elke onmacht, zodat hij (sic!) tot vervulling kan komen. De mens beantwoordt aan zijn bestemming, als hij zich realiseert dat hij geschapen is als een schepsel ter ere van God, als partner in het verbond met God. De zonde van de mens is zijn hoogmoed. „Gott wird und ist wie wir, wir aber wollen sein wie Gott, wollen selbst Gott sein."[12] De mens die wil zijn als God heeft een verkeerd godsbeeld: hij kan God niet anders zien dan als een zelfgenoegzaam hoogste wezen. Een dergelij-

10. Mary Daly, *Beyond God the Father,* Boston 1973, 19.
11. KD III/4, 745.
12. KD IV/1, 464.

ke God heeft echter met de God van de bijbel niets uitstaande. De God van de bijbel is niet in zichzelf besloten, maar is er *pro nobis*. 'De heer wordt knecht' – dát is de noemer waaronder Barth de hoogmoed als zonde behandelt. De heerschappij van Christus is onderwerping tot het einde toe – dát is de deemoed van Gods handelen dat in Jezus voor ons geschiedt. Het is echter steeds weer de mens die desondanks heer en meester wil spelen.
Ons gaat de kritiek ter harte, die Barth ten opzichte van de 'burger-die-zich-Gode-gelijk-waant' dogmatisch onder woorden brengt. Toch blijft er een brandende kwestie. Hoe is het mogelijk dat Barth de heer-die-knecht-wordt als de radicale opheffing van àlle machtsbetoon bedoelt, terwijl Romero dit niet als bevrijdend voor vrouwen ervaart? Deze discrepantie wordt naar onze mening door het feit veroorzaakt dat Barth bij deze locus wel de vraag aan de orde stelt, wie eigenlijk de macht, de privileges hebben om die zonde van de hoogmoed te kunnen begaan, maar dit waardevolle inzicht vervolgens niet koppelt *aan de verhouding tussen de sexen*. En zo gebeurt het, dat iemand met de pretentie, een alomvattende theologie te schrijven, volkomen voorbij kan gaan aan de maatschappelijke verschillen tussen mannen en vrouwen, die de harde werkelijkheid van ons alledaagse leven uitmaken. Vanuit feministisch oogpunt bezien zijn het immers mannen, die het economische, militaire, juridische, politieke en niet te vergeten kerkelijke erf hebben bezet en krampachtig in bezit houden, vrouwen niet. Vrouwen koesteren, zijn geduldig en aantrekkelijk. Kortom: de één heeft macht, de ander heeft lief. Dat moet ónze maatschappelijke werkelijkheid verbeelden. Twee verschillende werelden, waarin macht en liefde in grote lijnen naar sexe zijn verdeeld. Deze domeinen vormen een wankel evenwicht, dat overigens voortdurend opnieuw veilig moet worden gesteld. Elk systeem kent immers zo zijn 'mislukkingen', die de heersende vanzelfsprekendheden aanvechten.[13] Wat ons betreft zou het inderdaad een vorm van bevrijding zijn als mannen gehoor zouden geven aan de kritiek die Barth op de hoogmoed levert. Voor vrouwen zijn termen als 'gehoorzaamheid' en 'deemoed' echter in de allereerste plaats een on-deugd. Vrouwen zullen haar eigen weg van bevrijding moeten ontwerpen en gaan. Laten wij daarom dit ondeugdelijke in het nu volgende verduidelijken aan de hand van het begrip *zonde*.

Van de nood een deugd maken

Aangezien het nog steeds bijdraagt tot de overredingskracht van een artikel om te citeren uit de 'patriarchale canon', nemen wij een stuk van Barth's tijdgenoot Brecht, om aan te geven wat er aan de zonde(n) zoal kan deugen of niet. Dit, bij wijze van een kleine excursie.
In het stuk *Die sieben Todsünden der kleinbürger* (1933) maakt Brecht duidelijk, dat de afbakening van goed en kwaad nauw samenhangt met de belangen van degenen die op het moment de macht/het geld hebben. Hij laat ook zien, dat wat voor de zeven doodzonden doorgaat, op een heel bepaalde

13. Zie Göran Therborn, *Ideologie en macht*, Amsterdam 1982, 56.

wijze kan worden beteugeld. In dit stuk, een ballet, zien wij twee zusters, die beiden Anna heten. Zeven jaar lang trekken zij van stad naar stad om geld te verdienen, zodat zij samen met haar ouders en haar twee broers een huisje in Louisiana kunnen kopen. Anna I is de praktische, de manager en verkoopster. Anna II is mooi en een beetje gek, zij is kunstenares en koopwaar. Om het benodigde geld bijeen te garen dat aan het geklaag van de familie een einde moet maken, voegt Anna II zich aan het slot van elke scène weer 'vrijwillig' in het vaste stramien van goed en slecht. Maar aangekomen in de laatste stad op haar route, San Fransisco, kan ze nog altijd haar jaloezie niet verkroppen op ieder die zijn dagen in luiheid doorbrengt, die geen koopwaar is maar trots, die woedend kan worden over elke rotstreek, die alleen maar hoeft te houden van zijn geliefde en openlijk neemt wat hij maar nodig heeft. Na zeven jaar heeft zij echter wel zoveel ervaring als koopwaar opgedaan, dat zij is gaan inzien dat zo'n levenswandel bepaald niet naar de triomf toeleidt. De doodzonden *luiheid, trots, toorn, vraatzucht, ontucht, hebzucht* en *afgunst* brengen immers geen geld in het kleinburgerlijke laatje. Anna I geeft haar zuster tenslotte dan ook dit potsierlijke advies: „Iss nicht, trink nicht und sei nicht träge. Die Strafe bedenk die auf Liebe steht! Bedenk was geschieht wenn du tätst was dir läge! Nütze die Jugend nicht: sie vergeht."[14]
Hoewel dit stuk van Brecht over een vrouw in tweevoud gaat, wijzen wij er hier niet op vanwege het 'feministische' gehalte; evenals bij Barth gaat het hier om een formulering van kritiek op de 'burger'. In de *Sieben Todsünden der Kleinbürger* wordt de heersende moraal ontmaskerd als heersersmoraal en de vrijwillige invoeging als een gangbaar repressiemiddel. Alhoewel wij niets hebben tegen de kritiek op de burger, gaat het ons wel om een verdergaande analyse van 'zonde'. Wij zijn op een analyse uit, die de sexe-belangen aangeeft, waardoor normatieve begrippen van zonde worden gedragen.
In dit licht bezien is het opvallend dat Barth naast de zonde van de hoogmoed ook de zonde van de traagheid noemt. Hij doelt daarmee op de zonde van de mens die niet aan zijn bestemming toekomt. Hoogmoed en traagheid zijn dus twee kanten van dezelfde medaille. Judith Plaskow wijst op een soortgelijke opvatting bij Paul Tillich, die spreekt over 'uncreative weakness', dat wil zeggen: over de impertinente weigering om je eigen verantwoordelijkheid te nemen.[15] Zou dit begrip van zonde als traagheid van belang kunnen zijn voor een bevrijdingstheologie van vrouwen? Plaskow waarschuwt ons voor een al te groot optimisme: zo merkt zij op dat bij Tillich de 'zwakheid' in de schaduw blijft van de veel zwaardere zonde van de zelfverheffing. Is het niet paradoxaal dat zodra vrouwen opstaan uit onderdrukkende verhoudingen en zo de zonde van de traagheid te boven proberen te komen, maar al te snel te horen krijgen dat zij zich schuldig maken aan de zonde van de hoogmoed?
Dit meten met twee maten komen wij vaker tegen in het taalgebruik rond 'vrouwelijke deugden'. Mannen noemen liefdadigheid, gehoorzaamheid, ne-

14. In: *Die Stücke von Bertholt Brecht in einem Band*, Frankfurt am Main 1978, 975-981.
15. Judith Plaskow, *Sex, Sin and Grace – Women's Experience and the Theologies of Reinhold Niebuhr and Paul Tillich*, Washington 1980, hoofdstuk 3.

derigheid, zelfverloochening 'deugden', voor vrouwen wel te verstaan; zij idealiseren deze machteloos makende gedragsregels, terwijl zij niet de geringste behoefte tonen zichzelf op deze kwalificaties te laten voorstaan. Tegelijkertijd kan een bikkelharde strijd in mannenland en mannenkerk om een aantrekkelijke baan of een fraaie promotie geacht worden te getuigen van *roeping* en *dienstbaarheid* aan de gemeenschap.

Mannenangst door de eeuwen heen

Vanzelfsprekend komt een dergelijk ideologisch, door eigen belang ingegeven taalgebruik niet uit de lucht vallen. Dit merkwaardige bouwwerk blijkt op hechte pijlers te rusten: *Mythisch-ideologische* voorstellingen die, zeker in de theologie, een werkingsgeschiedenis van je welste hebben. Rosemary Radford Ruether haalt bijvoorbeeld de 'oorsprongsmythen' aan die zijn te vinden in verhalen over Pandora, Eva, de vrouwen die reuzen baren (Gen. 6 : 1-4) en Lilith.[16] Deze verhalen, die tot de fundamenten van de griekse en de joodschristelijke traditie behoren, vertellen van oer-vrouwen, die telkens weer een oorspronkelijke paradijselijke harmonie hebben verstoord. Hun ongetemdheid, ongehoorzaamheid en verleidelijkheid bedierven voorgoed het heerlijk leven in de tuin van Eden, of, zoals bij Pandora, de gelukzalige voortijd die vrij van pijn, moeiten, arbeid, ziekte, dood en verderf was.
Zonder nu verder in details te treden, kunnen wij met Ruether stellen dat wij hier te maken hebben met een set van mannenverhalen, die alle in wezen dezelfde boodschap hebben: de waarschuwing, dat het opstaan van vrouwen per se destructief werkt. Hoewel er een zekere dubbelzinnigheid in het feit schuilt, dat vrouwen ondanks haar inferieure rol kennelijk toch tot zulk doorslaggevend handelen in staat zijn, wordt het optreden van de vrouwen van weleer in de verhalen zoals wij die nu te horen krijgen als de oorzaak beschreven van zondeval, pijn en moeite, ontrouw en duvelswerk. Mary Daly noemt dit 'blaming the victim': het slachtoffer – de vrouw is en blijft immers inferieur – krijgt ook nog eens de schuld van 'alles'.[17] Deze mythe van 'het vrouwelijk kwaad' doet nog altijd opgeld in verdachtmakingen, als zou elke initiatiefrijke vrouw zondig, ja levensgevaarlijk wezen.
Is het dan toevallig dat Barth uitgerekend de sexenstrijd als een voorbeeld opvoert van de rebellie van de mens tegen de goddelijke orde?[18] Het lijkt er verdacht veel op, dat hier het opstaan van vrouwen als toppunt van rebellie wordt opgevoerd. Daardoor wordt het oeroude vooroordeel weer eens bevestigd, dat vrouwen het einde van alle wijsheid betekenen.

Misser of mist?

Wij begonnen onze lezing van Barth met een kritiek van Rinse Reeling

16. Rosemary Radford Ruether, *Sexism and Godtalk – Toward a Feminist Theology*, Boston 1983, 165-169.
17. Mary Daly o.c., 49.
18. KD IV/1, 484.

Brouwer voor ogen. Gaandeweg is ons gebleken, dat de revisie die hij voorstond niet toereikt. De patriarchale aanpak van Barth behelst meer dan enkele defecte pagina's. Wij moeten echter de verleiding weerstaan hierop nu te reageren met een gelijkschakeling van rationeel, systematisch denken en sexistisch denken. Alsof logica, coherentie en systematiek op zich vrouwvijandige zaken zijn.
Wij moeten echter één ding nuchter onder ogen zien: Barth heeft stelselmatig de werkelijkheid genegeerd, zoals die zich aan vrouwen opdringt. In díe zin is zijn theologie sexistisch. Met zoveel woorden is dat duidelijk als hij een dogmatisch pleidooi houdt voor de bestaande hiërarchie van man en vrouw. Maar het voorbijgaan aan het bestaan van vrouwen tekent eveneens zijn invulling van de begrippen zonde, vrijheid en gehoorzaamheid. Een theologie, die de helft van de werkelijkheid verdonkeremaant en de andere helft voor de hele waarheid uitgeeft, kan nog zo'n lucide indruk maken, maar is in feite dichte mist.

Een koekje van eigen deeg

Uiteraard zijn wij niet geneigd om al onze theologische energie te gaan steken in een reactie op een mannelijke dogmatiek. Per slot van rekening gaat de theologie van zichzelf 'verheffende' vrouwen haar eigen weg. Van dit traject willen wij tenslotte nog iets laten zien.
„Die weibliche Logik", stelde Henriette Visser 't Hooft al, „ist sicher nichts besser als die männliche, aber sie soll ihre eigene Belange pflegen. Vielleicht wird der Mann eines Tages entdecken, dass die Einsichten einer Frau ihren eigenen Ausgangspunkt und ihre eigene Entwicklung haben könnten. Die beiden Linien schneiden sich an einem Punkt, aber um gerade zu verlaufen, müssen sie notwendigerweise ihrer eigenen Verlängerung folgen".[19] Onontbeerlijk voor het formuleren van eigen vragen en het ontwerpen van een eigen theologie is een aparte ruimte voor vrouwen. Daar ontmoeten vrouwen elkaar, vaak voor het eerst, en vertellen hun eigen verhaal. Verhalen waaruit veel pijn en moeite, maar vaker nog inspiratie en energie spreekt. Zij hebben de behoefte aan verandering gemeenschappelijk, de behoefte om voortaan eigen ervaringen een plaats te geven, om te zien en te zijn. Dat te realiseren is echter geen sinecure!
Mary Daly analyseert in haar boek *Beyond God the Father* hoe vrouwen steeds opnieuw de moed ontnomen is om te zien en te zijn. Het hebben en erkenen van eigen ervaringen betekent voor vrouwen in een patriarchale maatschappij haar *non-being*[20] onder ogen zien en een confrontatie aangaan met een volstrekte uitsluiting, ontkenning, kleinering en verkrachting in geschiedenis, literatuur, theologie en maatschappelijke verbanden. Deze confrontatie roept angst en afweer op: je eigen traditie, opvoeding, socialisatie staan immers op het spel. Er groeien niet alleen tegenstellingen tussen het 'ik' en de buiten-

19. Zie noot 1.
20. Mary Daly o.c., 23.

wereld, maar ook tussen het 'ik' en het 'zelf'. Mary Daly spreekt in dit verband van een *divided self*, dat slechts kan worden geheeld door de patriarchale verbeelding tot in het diepst van het (onder)bewuste te achterhalen, te identificeren en vervolgens te castreren en te exorceren.[21] Een poging om het proces te analyseren, waarin aan bepaalde dingen een bepaalde betekenis wordt toegekend, onderneemt Rosemary Radford Ruether. Zij toont ons hoe sinds mensenheugenis mannelijke machthebbers dank zij hun centrale positie definities hebben kunnen afkondigen van het collectieve 'zelf' van de eigen groep, in onderscheid met de negatieve kwalificaties die de 'ander' (vrouwen, andere rassen en klassen) kreeg opgedrongen. Dit zelf-ander systeem wordt dus gekoppeld aan een goed-kwaad waardering. Door het ten eigen bate en exclusief benoemen van het collectieve 'zelf' en de 'ander' wordt uitbuiting van en geweld jegens die 'ander' op voorhand gerechtvaardigd.[22]

Op grond van het inzicht dat macht en naamgeving nauw samenhangen, is gehoorzaamheid aan dergelijke valse definities de instandhouding van een valse werkelijkheid. Bevrijding van vrouwen is alleen mogelijk door te doen wat in mannen-ogen zondig is.

21. Ibid., 48.
22. Radford Ruether, *Sexism and Godtalk*, 159-164.

BEVRIJDING VAN THEOLOGIE EN PASTORAAT, VOORWAARDE VOOR DE BEVRIJDING VAN GEVANGENEN?
Theologie in debat met criminologie

Ton Honig

Juist in een bundel over het thema vrijheid lijkt me het vraagstuk van de detentie op zijn plaats. De aandacht zal daarbij niet uitgaan naar de vraag of het ethisch gezien al dan niet verantwoord is om mensen van hun vrijheid te beroven. Er zullen in deze bijdrage twee vraagstellingen aan bod komen:

1. Hoe wordt de verhouding tussen (straf)recht en theologie in de huidige theologische discussie gedefinieerd?
2. Welke houding zou de kerk moeten innemen tegenover het gevangeniswezen en de delinquenten, die immers in directe zin van hun vrijheid worden beroofd?

Ik wil deze vraagstellingen nu reeds scherper formuleren:

1. Opteren wij voor een 'vrije theologie', die zich bewust is van de 'eigenaardigheid' van Tenach en Evangelie, of kiezen we voor een theologie die de heersende rechtsopvatting weerspiegelt?
2. Is het gevangenispastoraat in de huidige vorm wenselijk, of moeten er nieuwe wegen worden gebaand?

Het is plezierig deze gedachten te overwegen in een afscheidsbundel voor professor Beker, die in zijn amsterdamse tijd de barthiaanse theologie levend heeft willen houden. Deze theologie heeft mij op weg geholpen bij het zoeken naar voorlopige antwoorden op de gestelde vragen.

1. *De verhouding theologie-strafrecht*

In welke verhouding theologie en (straf)recht tot elkaar staan, is altijd een omstreden punt geweest. De discussie over een theologische fundering van het recht heeft geen éénduidig uitsluitsel gegeven. Vanwege het afbrokkelen van het natuurrechtelijk denken in de 19e eeuw heeft het recht geen zwaartepunt meer in zichzelf. Onder invloed van de codificatie, hetgeen inhoudt dat alle recht in een systeem moet worden vervat, is het natuurrecht terzijde geschoven. Recht is bevel van de staat geworden; uit het gesloten systeem van de wet moet het concrete recht afgeleid worden.[1]

Uiteraard kan ik in deze bijdrage slechts enkele aspecten van de discussie belichten. Ik heb gekozen voor de confrontatie van twee modellen:

a. De benadering van de *ordeningstheologie* (W. Elert, P. Althaus, W. Künneth en in zekere zin ook E. Brunner).
b. De *christologische* benadering van Karl Barth en de zijnen.

1. Zie P. Scholten, *Recht en billijkheid*, Verzamelde Geschriften II, Zwolle 1949, 241.

Ik wil allereerst ingaan op het model van de ordeningstheologie. De leer van de scheppingsordeningen gaat terug op Luthers tweerijkenleer. Luther onderscheidde drie standen: de geestelijke, de economische en de politieke stand, respectievelijk, huwelijk, gezin en staat. Deze standen zijn door de latere lutherse theologen als scheppingsordeningen van God opgevat. Bij de ordeningstheologie is de handhaving van recht en ordening op zichzelf bepalend voor het karakter van de straf, omdat een overtreding van het menselijk recht automatisch ook een overtreding jegens God is. Hierbij is verondersteld dat het historisch recht een uitwerking is van een heilige en goddelijke ordening. Zo omschrijft de Lutheraan P. Althaus het begrip straf als volgt: „Das Geltendmachen der heiligen Rechtsordnung gegenüber dem Rechtsbrecher".[2] De ordeningstheologie houdt zich alleen bezig met de daad van de rechtsovertreder. Straf is per definitie terechte straf als herstel van geschonden recht. De straf dient daarmee tevens als verzoening. Nogmaals P. Althaus: „Die Strafe ist primär nicht Mittel zur Erreichung jener rationalen Straf-Zwecke (afschrikking, opvoeding, preventie A.G.H.) sondern hat ihren eigen Sinn als Sühne, d.h. selbstzweckliche Behauptung bzw. Wiederherstellung der Rechtsordnung in ihrer Heiligkeit".[3] De overtreder heeft door de straf deel aan het verzoeningsproces, door de straf wordt hem eigenlijk eer aangedaan. Vanwege het sterke accent dat op de daad gelegd wordt, verdwijnt de dader uit het vizier. Op welk een radicale wijze dit geschiedt, bewijzen de pleidooien voor de doodstraf uit de hoek van de ordeningstheologie.[4] De antropologische vooronderstelling bij de ideeën der ordeningstheologie is de vrije wil der mensen. Als ieder mens keuzes doet uit vrije wil kan ook worden beweerd dat de delinquent zijn eigen overtreding kiest en dat straffen derhalve een zinvolle correctie is. Ook G. W. F. Hegel, wiens filosofie wordt gezien als het hoogtepunt van het Duitse idealisme, heeft deze zienswijze. Een overtreding van de wet is het verstoren van de natuur. Daarom moet de wet zichzelf handhaven indien het recht geschonden wordt. Om deze reden mag men een straf niet slechts als dwang zien. Het gevoel van buitenaf gedwongen te worden verdwijnt, wanneer de gedwongene in vrijheid aanvaardt waartoe men hem dwingt. De volwassen geest stijgt boven de subjectiviteit uit, algemene objectieve menselijkheid wordt de maatstaf voor zijn handelen. Dit is een uiting van de ware vrijheid, terwijl een gepleegd misdrijf steeds het bewijs is van de innerlijke onvrijheid van de dader.[5]
Zowel de gedachte dat er vastliggende ordeningen zouden zijn, als ook de vrijheidsopvatting van de ordeningstheologie roepen vragen op. Zijn er wel ordeningen die aan alle historisch gegroeide maatschappijvormen op gelijke

2. P. Althaus, *Grundriss der Ethik*, Gütersloh 1935, 135.
3. Ibid.
4. Althaus o.c., 134; W. Elert, *Das christliche Ethos*, Tübingen 1949, 155; W. Künneth, *Die Frage der Todesstrafe,* München 1962, 163.
5. G. W. F. Hegel, *Die Grundlinien der Philosophie des Rechts,* in: Theorie Werkausgabe Bd. 7, Frankfurt a/M. 1970. Recentelijk trachtte J. A. Oosterbaan Hegels rechtsfilosofie nieuw leven in te blazen, zie zijn „Wijsgerig - ethische vooronderstellingen in de kerk in de gevangenis" in J. Spoor e.a., *De kerk in de gevangenis,* feestbundel voor C. Brüsewitz, Kampen 1983, 54-74.

wijze ten grondslag liggen? Is niet elke maatschappijvorm historisch bepaald?[6] Welke verhouding bestaat er tussen gelijkblijvende grondstructuren en wisselende concretiseringen? De criminoloog H. Bianchi, verbonden aan de V.U. te Amsterdam, heeft opgemerkt dat we bij het beschouwen van de geschiedenis vaak het slachtoffer zijn van een soort 'optisch bedrog': We menen dat de (rechts)instituten van onze eigen tijd er wel altijd geweest zullen zijn. Dit is een soort Darwinistische geschiedsopvatting over elkaar afwisselende instituten op grond van een 'survival of the fittest'.[7] In werkelijkheid blijken rechtsstaat, politie en criminologie als wetenschap onder bepaalde historische omstandigheden te zijn ontstaan. Vóór de Franse revolutie werd een groot deel van de criminaliteit door mensen onderling geregeld langs de weg der onderhandeling (verzoening, schadevergoeding). Na de Franse revolutie zijn het de burgers geweest, die riepen om politie en strafrecht in de huidige vorm. Het lijkt me van eminent belang dat ook een theoloog interesse heeft voor de specifieke context waarbinnen een ordening ontstaat.

De onlangs overleden filosoof M. Foucault ziet eveneens eerder een verschuiving in de praktijk van het straffen dan een gelijkblijvende ordening.[8] In het *ancien régime* had iedere maatschappelijke klasse bepaalde 'illegalismen' die door de andere klassen werden getolereerd. De vergroting van de rijkdommen, de toename van de bevolkingsgroei en de opkomst van de industriële revolutie deden het karakter en de verbreiding van de illegalismen sterk veranderen. Handels- en industriële eigendommen, grondstoffen, werktuigen en dergelijke kwamen direct onder bereik van de arbeiders. De bourgeoisie kon geen aantasting van het bezit tolereren, diefstal moest streng bestraft worden. De strafrechthervormers hadden een dwang op de *ziel*, namelijk verbetering van de misdadiger, voorgestaan. Desalniettemin wordt ook het *lichaam* gedresseerd. Binnen de justitiële orde hadden disciplinaire technieken ingang gevonden. Deze waren in staat de mens aan te passen aan de eisen van het kapitalistische productiesysteem.

Vanuit de inzichten van M. Foucault kan men tevens vraagtekens plaatsen bij de vrijheidsopvatting van de ordeningstheologie. De officiële doelstelling van het instituut gevangenis, het onderdrukken van de criminaliteit, is mislukt. Men moet zich echter wel afvragen, stelt Foucault, wat er gelukt is aan de mislukking! Men moet het instituut gevangenis niet louter negatief beoordelen, in de zin van een apparaat dat delinquentie zou moeten onderdrukken. Het apparaat heeft veel meer een positieve functie, namelijk produceren van een ongevaarlijk type delinquentie. Het instituut gevangenis, met als officiële ideologie het verbeteren van misdadigers, heeft behoefte aan kennis van de persoonlijkheid van degene die is opgesloten. De delinquent, het product van dit weten, onderscheidt zich van de wetsovertreder. De afwijkende eigenschappen worden op zijn gehele persoon overgedragen. Delinquentie is der-

6. W. Pannenberg, „Zur Theologie des Rechts", *ZEE* 7 (1963), 1vv.
7. H. Bianchi, *Basismodellen in de kriminologie,* Deventer 1980, hoofdstuk I.
8. M. Foucault, *Surveiller et punir*. Naissance de la prison, Parijs 1975. Eng. vertaling: *Discipline and Punish*, New York 1977.

halve een wetenschappelijke en geen juridische kwalificatie! De autonome delinquentenklasse blijkt politiek en economisch van nut te zijn. De delinquentie laat zich door het mechanisme van de stigmatisering gemakkelijk controleren en reduceren tot een gelocaliseerde en ongevaarlijke criminaliteit. De aanwezigheid van het politie-apparaat wordt gelegitimeerd met een verwijzing naar het bestaan van delinquentie. Het object van de penitentiaire praktijk is dus niet het vrije individu dat ongehoorzaam is aan de wet, zoals bij eerder genoemde Hegeliaanse opvatting, maar het gedisciplineerde individu dat afwijkt van de norm.
Het idee van de gelijkblijvende grondstructuren, gegeven met de menselijke natuur zelf, roept ook een belangrijk theologisch bezwaar op. Binnen het concept van de ordeningstheologie kan de zonde niet in haar radicaliteit worden begrepen. Men houdt aan een 'goede rest' in de mens vast, die zich uit in de aanwezigheid van de scheppingsordeningen. Goed en kwaad zijn twee met elkaar concurrerende machten. In dit verband zou ik de theoloog K. H. Kroon willen citeren: „Want het boze ligt niet in de wereld, zoals er een worm zit in de peer. Die worm, daar kun je omheen eten, of je kunt hem eruit snijden, of je doet of je het niet erg vindt en eet hem mee op. Het is andersom: de wereld ligt in het boze: de hele wereld moet uit het boze gehaald worden. De hele wereld moet gered en thuisgebracht worden".[9] De ordeningstheologen zelf spreken liever van 'Erhaltungsordnungen', ordeningen die door God gegeven zijn terwijl de zonde al is verondersteld, teneinde de mensheid voor de vernietigende werking van de zonde te behoeden (Bonhoeffer gebruikte de term al in '32, later ook Elert, Thielicke en Künneth).
De vraag naar zulke onveranderlijke ordeningen en structuren is echter typisch voor het Griekse denken. Het Israëlitisch-bijbels denken is niet georiënteerd op een onveranderlijke Kosmos, maar op het altijd nieuwe en onverwachte handelen van God.
Het concept van de ordeningstheologie is immobiel. Iedere vraag naar het wezenlijk functioneren van het (straf)recht is hier onmogelijk geworden.

Nu wij zicht gekregen hebben op de rechtsopvatting van de ordeningstheologen, wil ik de benadering van Karl Barth c.s. ter sprake brengen. Ook hier zal ik mij sterk beperken. Allereerst probeer ik de opvatting van Barth zelf in het vizier te krijgen, vervolgens zullen wij zien welke fundamentele kritiek H. Gollwitzer op Barths uitlatingen heeft.
Voor Karl Barth is de daad van God aan ons in Jezus Christus het centrale moment van de gehele theologie. Niet de daad van de wetsovertreder op zichzelf of de handhaving van de rechtsorde zijn het object, maar de schuldige mens omwille van wie verzoening heeft plaatsgehad.[10] De doelstelling van de straf wordt verbonden met het aanvaarden en beschermen van de dader in een op redding gerichte opvoedende straf. De straf krijgt daardoor bij Barth een pedagogisch aanzien in plaats van een rechtskarakter. Barth toont echter wel

9. K. H. Kroon, *Openbaring 12-22*, Kampen 1984, 126.
10. K. Barth, *Kirchliche Dogmatik* III/4, Zürich 1951, 507

wat al te veel vertrouwen in de pedagogie. Met Bianchi vraag ik mij veeleer af, of veel pedagogie niet ontmaskerd zou moeten worden als „verhulde gewelddadigheid van de zachte handschoen".[11] Ik verwijs tevens naar bovenstaande kanttekeningen, ontleend aan Foucault, over de verschuiving van rechtshandhaving naar normhandhaving.
Barth gaat acht jaar voor zijn dood nog eens nadrukkelijk op onze problematiek in, wanneer hij in een niet al te bekend stuk vragen beantwoordt op de *Evangelische Konferenz für Straffälligenhilfe* in Fulda.[12] Bij delinquenten is volgens hem afvalligheid van God manifest, terwijl bij andere mensen dezelfde afvalligheid latent aanwezig is. Barth ziet de straf als een door de staat wegens overtreding opgelegde maatregel. Het recht van de staat om te straffen is gegrond op en begrensd in de goddelijke opdracht aan de staat: Zorg dragen voor alle leden met behulp van wetscontrole. Wet en straf zijn echter menselijke categorieën die geen enkele aanspraak op goddelijkheid kunnen maken. Straf is dus een voorzorgsmaatregel en beslist geen verzoening, zoals we bij de ordeningstheologie konden lezen. De verzoeningsdood van Jezus Christus is de enige mogelijkheid om de verstoorde verhouding tussen God en mens te herstellen.
In de *Römerbrief* van 1919 rept Barth nog met geen woord over de staat. In zijn *Römerbrief* van 1922 ziet hij bij de bespreking van Romeinen 13 de staat slechts als de grote negatieve mogelijkheid. Geen legitimatie van de staatsordening, maar Gods revolutie ruim baan geven.
In *Rechtfertigung und Recht* van '33 en *Christengemeinde und Bürgergemeinde* van '38 stelt Barth voor het eerst de vraag naar de verhouding tussen recht en christelijk geloof als zodanig aan de orde. De aanvankelijk negatieve benadering maakt plaats voor een meer positieve. Barth sluit zich aan bij de reformatoren en meent met hen dat overheid en wet berusten op een bijzondere *ordinatio* van de goddelijke voorzienigheid om de mensen te beschermen tegen de nog niet overwonnen macht van de zonde. Barth waarschuwt ervoor, de wereld van het menselijke niet als Rijk Gods te betitelen. Bovendien mag het menselijk recht niet met een beroep op de algemene voorzienigheid losgemaakt worden van Gods rechtvaardiging van de mens in Jezus Christus. Kerk en staat staan naast elkaar, zij het dat de kerk de eigenlijke *πολίτευμα* is en ze binnen het bereik van de staat een vreemdelingengemeenschap *(παρ- οικία)* blijft. De jurist P. Scholten, eens hoogleraar aan de Universiteit te Amsterdam, sluit zich bij Barth aan: „Het recht is hoogstens niet-ongehoorzaamheid, onze rechtsvrede is nooit meer dan een flauwe afspiegeling van de vrede op aarde van de kerstnacht".[13] Ter handhaving van onze rechtsvrede spreekt de rechter zijn oordeel uit. In onze samenleving is dit het laatste oordeel, voor God is het een vóórlaatste oordeel. De afstand tussen Gods recht en ons recht is oneindig groot, identificatie is onmogelijk. Staatsmacht en kerk behoren beide tot het

11. Bianchi, *Basismodellen*, hoofdstuk 8.
12. Tekst in U. Kleinert e.a., *Strafvollzugsanalysen und Alternativen*, Frankfurt/Mainz 1972, hoofdstuk I, 46vv. „Antworten auf Grundfragen der Gefangenenseelsorge".
13. *Evangelie en recht*, Verz. Geschr. II, 421.

Rijk Gods. We mogen echter niet spreken van een natuurrechtelijk gegronde macht. De houding van de christen en de kerk ten opzichte van deze macht dient gekenmerkt te worden door medeverantwoordelijkheid en niet door blinde gehoorzaamheid. Barth waarschuwt de kerk nadrukkelijk: Ze is niet in de positie om een christelijke staatsleer op te stellen.[14] Barths christologische benadering sluit een metafysische fundering van het recht nadrukkelijk uit. Wanneer ik nu het model van de ordeningstheologie vergelijk met het Barthiaanse model kan ik concluderen dat er bij de benaderingswijze van Barth, in tegenstelling tot de ordeningstheologie, ruimte ontstaat voor een dialectische verhouding tussen recht en theologie. En daarmee ook ruimte voor een kritische zienswijze op het (straf)recht.
Barths grondkeuze mag baanbrekend wezen, de praktische uitwerking van zijn concept wijkt niet ver af van het werk van de natuurlijke theologie. Er is bij Barth geen sprake van een werkelijke interesse in de wijze waarop het strafrecht functioneert.

Het is Barths leerling H. Gollwitzer geweest die zijn leermeester op dit punt streng heeft bekritiseerd: „Zijn prediking in de strafinrichting te Bazel schijnt hem nooit tot een zelfde reflectie op het maatschappelijk kader van het straffen gebracht te hebben als zijn kennisname van de situatie der industriearbeiders in Genève en Safenwil".[15] Dit liegt er niet om!
Gollwitzer is van mening dat Barths uiteenzettingen over ons onderwerp een begripsmatige helderheid ontberen. Van de christelijke gemeente verwacht Barth een voorbeeld recht, de burgerlijke gemeente kan dit niet realiseren omdat haar recht op grond van elders verkregen principes bepaald is. De wereld is nu eens het ongelovig décor voor de ideale gelovende kerk, dan weer een gebied waar Christus evenzeer heerst als in de kerk.
We zagen reeds dat Barth de bescherming van de maatschappij en de voorzorgsmaatregel ten behoeve van de dader als doelstellingen van de straf noemde. Maar de straf, zegt H. Gollwitzer, dient ook als afschrikking. We leven bovendien onder maatschappelijke omstandigheden die deze afschrikking 'nodig' maken.[16]
De pastor moet in Barths ogen de straf voor de bestrafte inzichtelijk maken. Maar als de bestrafte met zijns inziens terechte argumenten zijn straf als onrechtvaardig aanvecht? Weliswaar onderstreept Barth dat de justitie een menselijke categorie is, maar hij mist een kritisch bewustzijn ten aanzien van de negatieve kanten van deze justitie.
Het recht, meent Gollwitzer, heeft in de burgerlijke staat een dubbele functie. Enerzijds ieders recht beschermen maar anderzijds ook het recht (de privileges) van enkelen, namelijk de bevoorrechten te beschermen. In een klassenmaatschappij als de onze concurreren deze twee functies van het recht noodzakelijkerwijze met elkaar. Ik laat opnieuw Gollwitzer aan het woord:

14. Barth, *Christengemeinde und Bürgergemeinde,* Zürich 1976, 15.
15. H. Gollwitzer, *Rijk Gods en Socialisme bij Karl Barth*, Baarn 1972, 48.
16. Gollwitzer, *Kommentar und Kritik*, in Kleinert o.c., 66.

„De theologische sociaal-ethiek heeft tot nog toe, honderd jaar na Marx, de pretentie van de staatsorganen, neutrale instanties te zijn, verheven boven de klassentegenstellingen, als zoete koek geslikt en ook Barth, die op andere momenten wel beter wist, volhardt hier in een achterhaalde traditie. Hij toont hier geen kritische reflectie".[17]
De straf als werkelijke voorzorgsmaatregel zou de ware aard van de klassenmaatschappij aan de kaak moeten stellen en niet als een op aanpassing gerichte resocialisatie de bestaande productieverhoudingen intact mogen laten. Soms lijkt het bij Barth, meent Gollwitzer, alsof de verwachting van het heil op aarde verdrongen is. Zo noemt Barth de christelijke gemeente een gemeenschap die volken, rassen en klassen omspant. De christelijke gemeente zou verabsolutering van de klassenverschillen moeten tegengaan en tekenen moeten oprichten van hun opheffing. De gemeente dient zich noch over kapitalistische noch over socialistische opvattingen uit te laten. Alle mensen moeten er indringend op aangesproken worden dat ze kinderen Gods zijn en daarom bij elkaar horen. Rijkelijk idealistisch, deze opvattingen van Barth, zegt Gollwitzer. Het denken zal zonder de praktijk nauwelijks in staat zijn om te ontkomen aan de remmende invloeden van milieu en klassenbepaaldheid. Ook het kerkelijk systeem en het theologisch denken moet kritisch worden geanalyseerd. In hoeverre reproduceert het kerkelijk systeem het machtssysteem van de haar omringende wereld?
Kortom, hoe vrij zijn kerk en theologie?
Een verantwoorde theologische bemoeienis in dezen behelst mijns inziens drie componenten: Helderheid omtrent het gekozen theologisch uitgangspunt, een kritische maatschappij-analyse en inzicht in de wijze waarop maatschappelijke instituten functioneren.[18]

2. *Hoe vrij is het gevangenispastoraat?*

Nadat ik in het eerste deel van deze bijdrage enkele aspecten heb laten zien van de problematische verhouding tussen recht en theologie, waarbij de vrijheid van de theologie zélf ter sprake kwam, wil ik nu nader ingaan op de positie van de kerk ten aanzien van de delinquenten.
De Rotterdamse criminoloog G. P. Hoefnagels merkt snedig op: „De strafreactie is een telelensreflex: alles zien van weinig en daaromheen niets".[19]
Wanneer we ons bezighouden met het gevangenispastoraat, moeten we ons bewust zijn van bepaalde selectiemechanismen. Dit gevangenispastoraat is namelijk gericht op een uitgeselecteerde groep; daarom dienen mensen die zich met dit pastoraat bezighouden, rekenschap af te leggen van de vraag, waarom juist deze mensen worden gecriminaliseerd. Vooral mensen uit de

17. Gollwitzer, ibidem.
18. Contra H. Wiersinga, *Verzoening als verandering*, Baarn 1972, 84. Wiersinga zegt zich te concentreren op het gehoopte proces van verzoening in het strafrecht. Zijn opmerkingen zijn mij sympathiek, maar snijden naar mijn mening weinig hout, omdat hij zich niet concentreert op de reële wijze waarop het strafrecht functioneert.
19. G. P. Hoefnagels, *De Straf – een oergevoel in de wijsvinger*, Amsterdam 1974, 41.

laagste sociale klassen zijn in de gevangenis aan te treffen, hetgeen nog geenszins wil zeggen dat deze mensen crimineler zijn dan anderen. De onderzoekingen van het criminologisch instituut in Groningen (R. W. Jongman c.s.) hebben duidelijk gemaakt dat mensen uit hogere sociale klassen wel degelijk delicten plegen, maar van een geheel eigen karakter (fraude, valsheid in geschrifte, belastingontduiking etc.).[20] Als deze delicten aan het licht komen, blijkt er minder vaak strafrechtelijk tegen opgetreden te worden. De politie maakt minder snel procesverbaal op, de officier van justitie is eerder geneigd tot seponeren, de rechter neigt tot het geven van lagere straffen. Er is sprake van een selectief vervolgingsbeleid.
G. P. Hoefnagels noemt misdaad „tot strafbaar feit benoemd gedrag".[21] Ook H. Bianchi tendeert naar deze richting wanneer hij opmerkt dat het begrip criminaliteit een relatieve en geen absolute inhoud heeft.[22] Wanneer we de literatuur over het gevangenispastoraat erop naslaan, blijkt dat de selectiviteit nauwelijks een thema is dat in de overwegingen betrokken wordt. Uitzonderingen hierop zijn een boekje van G. Bach,[23] voormalig pastor van de Bijlmerbajes en een opstel van J. Firet, hoogleraar praktische theologie van de V.U. te Amsterdam.[24] In de overige literatuur valt er wel kritiek te bespeuren maar deze concentreert zich op twee punten:

1. De onrechtvaardigheid in de maatschappij wordt aangestipt om duidelijk te maken dat de gedetineerden niet als enige zondebokken aangewezen mogen worden.
2. Het gevangenissysteem bevat onrechtvaardige elementen.

Vanuit het eerste punt wordt aangegeven dat de pastor ook maatschappij-kritisch dient te zijn. Vanuit het tweede punt wordt het belang van de aanwezigheid van een kritische pastor binnen het gevangeniswezen onderstreept. Buiten beschouwing blijft:

- De vraag, waarom mensen uit de laagste sociale klassen in de gevangenis oververtegenwoordigd zijn en daarmee de vraag naar de functie van het (straf)recht.
- De vraag, waarom het mislukte instituut gevangenis gecontinueerd wordt en daarmee de vraag naar de werkelijke functie van dit instituut.
- De vraag, of het pastoraat in de justitiële instellingen in principe gewenst is.

Kortom, er is iets mis met de kritiek van de gevangenispastores. Hun kritiek blijft immanent en kan niet fundamenteel worden. Ter verduidelijking wil ik iets laten zien van de twee typen van kritiek, die wij bij de gevangenispastores en anderen kunnen aantreffen.

20. R. W. Jongman en G. J. A. Smale, „Faktoren die samenhangen met het seponeringsbeleid van de officier van justitie; *NTvC* 15 (1973), 55vv.; Jongman, *Ongelijke kansen in de rechtsgang.* Openbare les, Assen 1972; Idem, „Verborgen criminaliteit en sociale klasse", *NTvC* 13 (1971), 141vv..
21. In R. J. Folter e.a., *Fenomenologie, Kriminologie en Recht*, Assen 1979, 51.
22. Bianchi, *Basismodellen,* hoofdstuk VII.
23. G. Bach, *Apart*. Preken en beschouwingen uit de bajes, Amsterdam 1981.
24. J. Firet, „De verantwoordelijkheid van de Gemeente", in J. Spoor o.c., 139-151.

Rond het eerste punt:
H. J. ter Haar Romeny, voorheen gevangenispredikant te Utrecht, meent dat de pastor tegen bepaalde maatschappijvormen en toestanden moet protesteren, een werkelijkheid van ongelijke kansen is allerminst democratisch.[25]
De Utrechtse gevangenispredikant N. van Egmond noemt strijdbaarheid een beslissend kenmerk van het pastoraat. Pastoraat heeft noodzakelijkerwijs een politiek-maatschappelijke dimensie, een keuze voor hen die geen macht hebben. Helaas werkt hij deze zienswijze niet bijster concreet uit.[26]
Het rapport *Verantwoording, een bezinning op het justitiepastoraat geschreven door de werkgroep pastoraat ingesteld door de hoofdpredikant bij de inrichtingen van justitie,* pleit voor een opbouwende maatschappij-kritiek. Overbevolking en vervreemding van de arbeid worden als mogelijke oorzaken van de criminaliteit genoemd. Het rapport signaleert de selectiviteit wel, maar de verklaring die het geeft is psychologisch van aard: Veel gedetineerden hebben hun jeugd doorgebracht in kinderbeschermingstehuizen of instabiele gezinnen.[27]
Het inmiddels sterk verouderde rapport *Het gevangenispastoraat*, een oriëntatie voor de pastores bij de inrichtingen van het ministerie van justitie uit 1963, heeft überhaupt geen kritiek van betekenis. De auteurs menen dat de pastor zijn werk in het resocialisatieproces moet inbouwen.[28]
Ook het beroemde hoofdstuk van de godsdienstpsycholoog van de universiteit van Nijmegen W. Berger *Justitiepastoraat een vergrootglas voor het algemeen pastoraat* bevat geen maatschappijkritiek.[29] De Groningse kerkelijke hoogleraar P. J. Roscam Abbing heeft vooral aandacht voor het schuldelement bij de gedetineerde. Tegenover veel ellende past wel maatschappijkritiek of politieke actie; niettemin, zegt hij, is het hoogst éénzijdig om alleen dit aspect te zien.[30]
Nog duidelijker is I. A. Diepenhorst, tot voor kort hoogleraar algemene staatsleer van de V.U. te Amsterdam: „Van boetpredikers binnen de inrichtingen tegen de maatschappij verwacht ik niets." Diepenhorst spreekt slechts karikaturaal over kritiek. Kritici zijn in zijn ogen warhoofden die niet met beide benen op de grond staan.[31]
Rond het tweede punt
Als uitstoting en stigmatisering het noodzakelijk gevolg zijn van de gevangenisstraf, zegt H. J. Ter Haar Romeny, kan deze beter afgeschaft worden.[32]
In een zeer helder artikel noemt J. Firet de dichotomie tussen bewakers en bewaakten als punt van kritiek en omschrijft hij de situatie van de gedetineer-

25. H. J. ter Haar Romeny, *Ik ben in de gevangenis geweest,* Baarn 1977, 10-12.
26. N. van Egmond, „De identiteit van de pastor", in J. Spoor o.c., 89-98.
27. *Verantwoording.* Een bezinning op het justitie-pastoraat, geschreven door enkele justitiepastores, 's Gravenhage 1978, hoofdstuk I, 33 en 43.
28. *Het Gevangenispastoraat.* Losbladige publicatie van het bureau van de hoofdpredikant, 's-Gravenhage 1963.
29. W. Berger, „Justitiepastoraat: een vergrootglas voor het algemeen pastoraat", *Helpen bij leven en welzijn,* Nijmegen 1975, 117 vv..
30. P. J. Roscam-Abbing, „Theologisch-ethische vooronderstellingen", in J. Spoor o.c., 49.
31. I. A. Diepenhorst, „De plaats van de pastor als overheidsfunktionaris", in J. Spoor o.c., 25-35.
32. Ter Haar Romeny o.c., 43.

den als *de-humaan.*[33] „We kunnen noch voor de samenleving, noch voor de gestraften van het strafsysteem veel goeds verwachten. Uitwerpen is geen middel tot integratie", aldus Firet.[34] *Verantwoording* noemt de strafinrichting een *no-society*, één van de meest absolutistisch georganiseerde instituten. Er moet een sfeer worden geschapen waarin sprake is van een leefgroep, de gedetineerde moet meer verantwoordelijkheid krijgen dan nu het geval is. De gevangenis levert niet het effect op dat we er mee beogen.[35] G. Bach zegt dat de gevangenis de mens in zijn waardigheid ontkent. De pastor moet voortdurend strijden voor humanisering van het gevangeniswezen.[36]
Bij N. van Egmond trof ik wel een heel merkwaardige uitspraak over het gevangeniswezen aan: „Ik beweer niet, dat het apparaat als zodanig op onderdrukking gericht is maar het is wel zo dat het feitelijk zo functioneert . . ."[37]Het feitelijk functioneren van een instituut is ten allen tijde interessanter dan de fraaie ideologie er omheen! *Verantwoording* en W. Berger zijn sterk individueel gericht in hun analyses. De gedetineerden zijn eigenlijk neurotici. Om met Foucault te spreken, een wetenschappelijke en geen juridische kwalificatie! Berger heeft wel kritiek geregistreerd maar geeft er een bedenkelijke draai aan: „Men (pastores op een tweetal studiedagen, A. G. H.) sprak erover of pastores ook niet zouden moeten demonstreren – desnoods met spandoeken en al – tegen het beleid van Justitie (en dus van het Nederlandse volk), maar men vond het gelukkig toch beter, dat eerst de pastores hun eigen vakkundigheid zouden pogen te verbeteren".[38] Van pastor tot gladde vakman!

Is de gevangenispastor een dominee of een ambtenaar?
De pastor heeft naast een kerkelijke binding de status van ambtenaar en is gehouden aan een eedformule:

> „Ik zweer dat ik in mijn ambt, voor zoveel van mij afhangt, orde en tucht en nauwkeurige naleving van de bestaande of later vast te stellen bepalingen omtrent het gevangeniswezen zal bevorderen en zelf, zoveel in mijn vermogen is, de naleving dier bepalingen zal betrachten. Zo waarlijk helpe mij God Almachtig".[39]

Ik heb eerder in deze bijdrage gepleit voor een dialectische verhouding tussen theologie en (straf)recht. Mijns inziens is het zeer de vraag of de dienaar van Gods Woord met deze ambtelijke status moet worden opgesierd. De pastor (en daarmee de kerk) dient de handen vrij te houden ten opzichte van het justitieapparaat. Dezelfde discussie doet zich voor rond de positie van de legerpredikant, die immers een militaire rang bekleedt en daarmee in het instituut is opgenomen.
Ik heb in het tweede deel van deze bijdrage ter verduidelijking iets laten zien

33. Firet, „Problemen van het Justitiepastoraat", *Ministerium* 5/2 (1972), 17 en 18.
34. Firet, „Verantwoordelijkheid . . .", 149.
35. *Verantwoording*, 17, 24 en 25.
36. Bach o.c.
37. Van Egmond, „De identiteit van de pastor", 95.
38. Berger o.c., 19.
39. Dir. Gevangeniswezen 3e afdeling A1 no 2332, 20 juni 1951.

van de kritiek die leeft onder de justitiepastores zélf. De wijze waarop zij hun kritiek gestalte moeten geven binnen het gevangeniswezen is problematisch te noemen.
De problematiek van het benoemingsrecht van de predikanten is niet nieuw, reeds in de zestiende eeuw deden zich problemen voor.[40] In 1824 (K.B. no 95) wordt ten aanzien van de R.K. geestelijke verzorging het benoemingsrecht aan de koning toegekend. In 1848 wordt door de tijdelijke benoemde minister inzake de rooms-katholieke eredienst het benoemingsrecht zo geregeld, dat het kerkelijk gezag de geestelijken benoemt (de geestelijke verzorging behoorde tot het *ius in sacra*). Dit besluit werd 23 oct. 1880 nog eens bevestigd. Bij de Rooms-Katholieken is deze situatie gehandhaafd gebleven. Bij de predikanten was het benoemingsrecht van gestichtspredikanten bij de directies der gevangenissen komen te liggen. In 1951 is deze zaak opnieuw geregeld, krachtens art. 64 van de Gevangenismaatregel: „Verzetten de eisen van de gezindte zich tegen de benoeming door de wereldlijke overheid, dan geschiedt deze door de kerkelijke overheid of door het kerkbestuur, doch wordt de benoemde niet zonder voorafgaande toestemming van onze minister toegang tot het gesticht verleend".
Deze regeling, uiteraard gemaakt met het oog op de katholieken, zou als uitgangspunt kunnen dienen bij een herbezinning op de formele positie van de gevangenispastor. De katholieken zelf wensen geen gebruik meer van deze regeling te maken, blijkens een schrijven van de toenmalige kardinaal Alfrink aan de minister van justitie van 6 dec. 1963. De R. K. pastores krijgen nu dezelfde sociale status als hun protestantse collegae.
Ook in de literatuur wordt er aandacht besteed aan de formele positie van de gevangenispastor. In *Het gevangenispastoraat* kunnen wij lezen dat de pastor loyaal dient te zijn. Een nieuwkomer heeft misschien de neiging tot een kritische houding ten opzichte van de strafrechtspleging, maar „de pastor onthoude zich ervan door afbrekende kritiek het algemeen penitentiaire beleid van de overheid te ondermijnen". Kritiek mag, maar moet te rechter plaatse tot gelding gebracht worden.[41]
Ook *Verantwoording* meent dat de pastor een bepaald organisatiekader binnentreedt dat hij heeft te respecteren, anders moet de pastor gemotiveerd heengaan. Helaas wordt die motivatie niet verder uitgewerkt.
I. A. Diepenhorst heeft totaal geen moeite met de pastor als overheidsfunctionaris.[42] Een pastor moet zich toch kunnen vinden in een goed idee als resocialisatie, zo stelt hij laconiek. Wanneer de overheid de pastor niet zou betalen, ontving hij voor zijn werkzaamheden wellicht slechts een habbekrats!
Hoe sterk de druk vanuit het gevangeniswezen op de pastor is, blijkt uit een citaat van de gevangenisdirecteur G. Jongkind: „Alle onderdelen van dat samenwerkingsverband (pastores en alle overige functionarissen, A.G.H.)

40. Gegevens ontleend aan: *Het Gevangenispastoraat*.
41. *Gevangenispastoraat*, 40.
42. Diepenhorst o.c., 26 en 31.

zullen met elkaar moeten harmonieëren en moeten in staat zijn de fundamentele beleidsfilosofie van het systeem weer te geven".[43]
N. van Egmond meent dat een kritisch pastor niet per se deloyaal ten opzichte van het systeem hoeft te zijn; het is toch denkbaar dat het gevangeniswezen een plaats inruimt juist voor die mensen, die niet zo nadrukkelijk tot het systeem behoren, om van hen de beste hulp te krijgen die je je wensen kunt, namelijk het meedenken over de zin van het leven en de grote vragen van misdaad en straf. Deze zienswijze lijkt mij rijkelijk idealistisch.[44] Tot nadenken stemt een artikel van P. Rassow, die als lid van de raad van de evangelische kerk in West-Duitsland voor pastorale vragen in justitiële inrichtingen werkt,[45] geschreven naar aanleiding van twee enquêtes gehouden onder functionarissen van het gevangeniswezen over hun zienswijze op de gevangenispastor. In de ogen van zijn medefunctionarissen is de ideale pastor een middelaar tussen gedetineerden en personeel, degene die agressie intoomt, de rustgevende baak in de branding. De kritiek richt zich op de 'eigen-wijze' pastor die niet loyaal is. Wanneer we gemakshalve aan mogen nemen dat de opvattingen van de functionarissen bij ons buurland niet fundamenteel verschillen van de gedachte zoals die in ons land leven, dan mag ik concluderen dat het zelfbeeld van de pastor in de praktijk vaak haaks staat op het verwachtingspatroon dat de overige functionarissen en het justitie-apparaat van hem hebben. Zowel de formele positie van de gevangenispastor als het inhoudelijk inkleuren van zijn relatie tot het instituut tonen ons een type pastoraat dat vastgeklonken zit aan gevangeniswezen en strafrechtspleging.
De literatuur toont ons toch enkele pastores die desalniettemin zoeken naar mogelijkheden om hun solidariteit met de gedetineerden tot uitdrukking te brengen. Mijns inziens kan deze solidariteit slechts schaars en daarbij onder hoge spanning voor de gevangenispastor tot uitdrukking worden gebracht. Personen in een totaal instituut zijn dermate gestigmatiseerd, dat ze nooit zelf aan de interpretatie van normen en waarden zullen deelnemen. Mensen die onderdrukt worden kunnen niet geëmancipeerd worden, werkelijke emancipatie kan alléen een zelfwerkzaamheid zijn! Een werkelijk kritisch pastoraat dat de bevrijding van de gedetineerden wil helpen bevorderen, staat haaks op de doelstellingen van de strafrechtspleging.

3. *Op zoek naar een alternatief*

In het laatste deel van deze bijdrage wil ik proberen om enkele suggesties te doen voor een andere mogelijkheid.
Er moet mijns inziens worden gezocht naar een nieuwe vorm van diakonaat, dat gedragen wordt door werkelijke solidariteit met de laagste sociale klassen.

43. G. Jongkind, „De plaats van de pastor in de organisatie van de penitentiaire inrichting", in J. Spoor o.c., 14.
44. Van Egmond o.c., 95.
45. P. Rassow, „Der Gefängnisseelsorger in der Sicht der Vollzugsbediensten", in J. Spoor o.c., 152vv..

Er moet geen steun meer gegeven worden aan een reclasseringsideologie die ieder *rücksichtlos* terugzet in de klasse waartoe hij/zij behoort, of aan een resocialiseringsideologie die beoogt ieder individu aan te passen aan de eisen van onze burgerlijke kapitalistische rechtsstaat.
Dit kritische diakonaat moet voortdurend rekenschap afleggen van de machtsmechanismen die het maatschappelijke krachtenveld doortrekken. Ik ben van mening dat het gevangenispastoraat in de huidige vorm afgeschaft zou moeten worden. Zorg voor de gedetineerden en werken aan het bevorderen van hun emancipatie zou echter wel een taak van de kerk moeten zijn. Een groep gemeenteleden, liefst van verschillende kerkgenootschappen en wijken, zou in samenwerking met daarvoor (gedeeltelijk) vrijgestelde predikanten de directe verantwoordelijkheid kunnen dragen. Ook J. Firet wil de gemeente meer betrekken bij het gevangenispastoraat,[46] maar denkt aan uitbouw van de huidige structuur.
Conform de tweede zinsnede van art. 64 van de gevangenismaatregel zouden deze mensen toegang moeten krijgen tot de justitiële instellingen om daar eredienst, gespreksgroepen en persoonlijk pastoraat vorm te geven. In de praktijk zal deze werkwijze misschien minder eenvoudig en gestroomlijnd verlopen dan het huidige justitiepastoraat. Bovengenoemde inhoudelijke overwegingen geven mijns inziens echter de doorslag. Dit pleidooi voor het afschaffen van de bemoeienis van justitie met het gevangenispastoraat zou in het licht van op handen zijnde bezuinigingen gemakkelijk verkeerd uitgelegd kunnen worden. De huidige wijze van bezuinigingen kan ook mij niet bekoren, maar het defensief waarin de overheid het gevangenispastoraat heeft gedrongen, mag geen reden zijn om de eigen werkwijze niet onder kritiek te stellen. Genoemde groep zou, met hulp van de plaatselijke diakonieën, ook aandacht moeten besteden aan het thuisfront van de gedetineerden, omdat familieleden in de praktijk worden meegestraft. De groep zou tevens discussie- en informatiebijeenkomsten moeten voorbereiden (bijzondere kerkdiensten, catechese, gemeenteavonden en dergelijke), waar kerkmensen geïnformeerd worden over zaken als: Hoe ziet het leven in de gevangenis eruit? Wat is criminaliteit? Hoe werkt de strafrechtspleging binnen het geheel van onze maatschappij?
Zeer veel gedetineerden zijn afkomstig uit de oude wijken van de grote steden en oorden als de Bijlmermeer. De traditionele wijkkerken zouden zich meer moeten richten op de specifieke problemen binnen hun stukje stad. Momenteel hebben de wijkkerken weinig oog voor groepen die licht criminaliseerbaar en stigmatiseerbaar zijn. Pas als de mensen door het justitie-apparaat zijn uitgeselecteerd geeft de kerk *acte de présence* in de vorm van justitiepastoraat. Een hypokriete benadering van de zaak, lijkt me! Opvallend is ook het grote aantal buitenlanders dat in Nederland gevangen zit. Ook zij vormen een kwetsbare groep. G. Bach spreekt in dit verband van een „enclave van de derde wereldproblematiek". Het buurtgericht kerkzijn staat nog in de kinderschoenen, maar is wellicht gebaat bij het inzicht, dat veel goede justitiepastores inmiddels verworven hebben. Bovendien zou ik graag willen verwijzen naar

46. Firet, „Verantwoordelijkheid . . .".

het inspirerende boekje van K. A. Schippers, hoogleraar aan de theologische hogeschool van de gereformeerde kerken in Kampen, genaamd *Met het oog op de stad*.[47] In dit boekje doet Schippers na veldonderzoek vele waardevolle suggesties voor kerkelijk werkers in de grote steden.

Wanneer zo'n meer naar buiten gerichte kerk daadwerkelijke gesprekspartner is geworden ter zake van specifieke problemen in sommige buurten, dan zou zij een bijdrage kunnen leveren aan een ander type delictoplossing dan de geijkte rechts- strafrechtspleging. Voorwaarde is wel, dat ook van de(ze) stadsproblemen een goede analyse wordt gemaakt. Zo zal bijvoorbeeld de drugsproblematiek grondig geanalyseerd moeten worden. Alleen medelijden met junks is niet genoeg.

De criminoloog H. Bianchi heeft verschillende suggesties gedaan om tot een andere delictoplossing te komen. Klager en verweerder moeten onder begeleiding komen tot een oplossing van de problemen.[48] Uiteraard kan ik in deze bijdrage niet uitgebreid op deze juridische alternatieven ingaan.

Er zal een nieuwe tak van bevrijdingstheologie moeten worden ontwikkeld, de *bajestheologie*. De kerk moet in vrijheid aandacht kunnen besteden aan de door onze maatschappij 'geproduceerde delinquentenklasse'. Ook het kritische deel van de kerk heeft tot nog toe te weinig oog gehad voor deze vorm van onderdrukking.

47. Kamper Cahiers deel 52, Kampen 1984.
48. Bianchi, *Basismodellen* hoofdstuk XI.

OM DE GRATIE VAN DE VRIJHEID
Het vrijheidsbegrip in Levinas' *Totalité et Infini*

Jos Kleemans

1. *Inleiding*

Wie de Thora openslaat, krijgt eerst het verhaal over de schepping te horen en kan pas daarna kennis nemen van de verhalen over de bevrijding. Het lijkt alsof de samensteller van het boek dit zo met opzet geconstrueerd heeft. Aan het bevrijd binnentrekken in het land Kanaän zijn kennelijk grenzen gesteld. De vrijheid verkrijgen en het mogen bezitten van een land wordt vooraf gegaan door schepping. In *Totalité et Infini*[1] geeft de joodse filosoof Emmanuel Levinas een uitwerking van wat hij onder vrijheid verstaat. Zijn pleidooi voor de subjectiviteit en zijn opvattingen omtrent schepping en verantwoordelijkheid vormen de basis voor het begrip vrijheid, dat Levinas in zijn filosofie ter sprake brengt. Eerst volgt in dit artikel een korte uiteenzetting van deze begrippen. Vervolgens zullen enkele suggesties worden gedaan met het oog op de beantwoording van de vraag, hoe Levinas zijn vrijheidsbegrip uiteindelijk fundeert. Tot slot komt aan de orde wat nu de waarde is van de voor het denken van Levinas zo karakteristieke benadering van het begrip vrijheid.

2. *Pleidooi voor subjectiviteit*

In TI houdt Levinas een pleidooi voor de subjectiviteit en daarmee voor de vrijheid van de mens. Daarmee gaat hij tegen een lange filosofische traditie in. In die traditie wordt het subject vaak als iets minderwaardigs beschouwd. Het afzonderlijke, individuele zijnde wordt voorgesteld als een verval. De metafysica stelt zich dan als taak om de weg af te leggen van het onvolmaakte, *individuele* zijnde naar het volmaakte, *algemene* zijn, waar het individuele slechts een vluchtig moment van is. Aan het eind van deze weg, welke een Odyssee, een terugweg is, wacht de hereniging met het zijn, de vervolmaking van het zijnde, de ontlediging van de subjectiviteit.
Ervaringen in de tweede wereldoorlog opgedaan, hebben Levinas ertoe gebracht dieper na te denken over de definiëring van subjectiviteit en vrijheid in de geschiedenis van het westeuropese denken. Hoewel hij soms met grote waardering over hen spreekt, zijn het toch twee denkers, die het uiteindelijk met name bij hem moeten ontgelden: Husserl en Heidegger. Laten wij eens kijken waarom.
In de filosofie van Husserl, gekenmerkt door *intentionaliteit*, wordt over de wereld gesproken als resultaat van zingeving, door het bewustzijn van de mens.

1. E. Levinas, *Totalité et Infini*, Den Haag 1974² (TI).

In het werk van Heidegger staat het *'erzijn'* centraal, dat de *'zorg'* als grondstructuur heeft. Het *'zorgend existeren'* neemt bij hem de plaats van de Husserliaanse zingeving in. Levinas nu, tekent bezwaar aan tegen deze traditionele wijze van denken, waarin het onderscheid tussen 'interieur' en 'exterieur' wegvalt. De reguliere metafysica wordt zijns inziens gekenmerkt door een onjuiste visie op de verhouding van het onvolmaakte zijnde tot het volmaakte zijn. Levinas spreekt hier van participatie. De fenomenologie, zoals door Husserl en Heidegger ontwikkeld, maakt zich schuldig aan reductie. In beide tradities gaat het Andere evengoed in het Zelf(de) op. De Ander wordt er dus van zijn vrijheid en subjectiviteit beroofd. In TI onderneemt Levinas daarom een poging om te laten zien, waarin de subjectiviteit van de mens zijn oorsprong heeft en hoe daarmee zijn vrijheid gered wordt. In het nu volgende volg ik zijn betoog op de voet.

3. *Schepping en verantwoordelijkheid*

De wording van het subject beschrijft Levinas in twee etappes. In een eerste stap schetst Levinas het zijn van het ik als individu. De primaire relatie van het ik tot de wereld is een 'leven van . . .', dat gekenmerkt wordt door geluk en genieten. Het is een zorgeloosheid, een naïef egoïsme, een absoluut voor-mij-zijn. Deze relatie houdt geen loutere afhankelijkheid in, zoals bijvoorbeeld een slaaf van zijn meester afhankelijk is. Het is een bij zichzelf zijn, een genieten van een onafhankelijkheid. Ik-zijn is *gescheiden-zijn*. Het is een breuk in de totaliteit. Levinas spreekt van *'séparation'*. Hij heeft daarmee twee zaken op het oog. Enerzijds wordt de participatiegedachte uit de traditionele metafysica gekritiseerd. Anderzijds is de beschrijving van het menszijn als een genotvol zijn in de wereld een tegenontwerp van Heidegger's filosofie, waarin het zorgend existeren centraal staat. Hoe ziet Levinas nu dat afgescheiden zijn?
Het gescheiden, egoïstische voor-mij-zijn, dat het genieten voltrekt, houdt zich op in een milieu, dat niet vrijmachtig door mij in bezit kan worden genomen: het *elementale*. Hierdoor is het genieten een genieting zonder zekerheid, een au fond onzekere affaire. Het niets, de onzekerheid van dat elementale is een vreemde, anonieme, ja bijkans mythische godheid, die het genieten voortdurend bedreigt. Maar tegen deze bedreiging kan de mens zich wapenen. Hij doet dit door zich terug te trekken in zijn *woonstede*. Door de inkeer in het huis, breekt het gescheiden zijn, dat wil zeggen: het individu, met zijn natuurlijke existentie. Er ontstaat een nieuwe relatie met het elementale. Vanuit de huiselijke geborgenheid worden werk en bezit mogelijk, de wereld wordt vanuit het huis toegankelijk. Het lijkt, alsof met 'huis', 'werk' en 'bezit' het vlak van het gescheiden zijn verlaten wordt. Toch is dit niet zo. De inkeer in het huis concretiseert juist het egoïstische genieten, het verwerkelijkt de scheiding, het zijn bij zichzelf. Ook met werk en bezit bevinden we ons nog geheel op het vlak van wat Levinas ook wel de interioriteit noemt. 'Gescheiden zijn' is wel de voorwaarde voor, maar realiseert de subjectwording nog niet geheel. Ik kom later nog op de interioriteit terug. Dan zal blijken dat dit begrip een enigszins dubbelzinnige lading heeft.

Als op het vlak van de interioriteit nog geen sprake is van het subject, wanneer is dat dan wel het geval? In een tweede stap laat Levinas zien, dat er op het vlak van de interioriteit verwijzingen zijn naar diepere, metafysische relaties. ,,Maar het bezit zelf wijst terug naar diepere, metafysische relaties. Het ding biedt geen weerstand aan toeëigening; de anderen, die bezitten – zij die men niet ook kan bezitten – betwisten het bezit en kunnen het daarmee zelfs heiligen. Het bezit van dingen loopt dan uit op een gesprek." (TI, 136). Het gesprek legt een basis voor gemeenschappelijk bezit. Het maakt een eind aan het onvervreemdbare eigendom van het genieten. Wanneer nu, zo zou men kunnen vragen, in het gesprek een *grens* gesteld wordt aan het eigen genieten, zou dan de Ander niet evenzeer gereduceerd worden tot het Zelf?
De metafysische relatie, waar Levinas in dit verband van spreekt, is niet eenvoudig een relatie, waarin de ene term de andere *be-grijpt*. Deze relatie tekent zich daarentegen af in de direkte *ontmoeting* met de Ander. Deze term is van cruciale betekenis bij Levinas. De mens kan met de ander in een gesprek omspringen als met producten van zijn arbeid. In het gesprek is de Ander immers zélf aanwezig. Dit wil zeggen: de Ander wordt niet onthuld, en begrepen, maar onthult zichzelf, legt zichzelf uit. De Ander drukt zich uit in de naaktheid van zijn gelaat. In het gesprek openbaart de Ander zich. Het gesprek stelt dus een grens aan de thematisering van het objectiverende kennen. ,,Het gesprek is zo ervaring van iets dat absoluut vreemd is, het is 'kennis' of 'zuivere ervaring', een door verwondering veroorzaakte traumatische ervaring." (TI, 46) Deze ervaring van de Ander, die men niet meer kan be-vatten, legt de dimensie van het Oneindige open.
Levinas heeft niet zoiets als mystieke oneindigheid in gedachten. De mysticus sluit zijn ogen om het oneindige te schouwen. Gedreven door een gemis probeert hij zijn verlangen te stillen door liefdevolle overgave en eenwording. Het Oneindige, waar Levinas van spreekt is daarentegen niet het object van contemplatie. Het Oneindige wekt verlangen op. Een verlangen, dat niet wordt gestild door het verlangde, maar voortdurend intenser wordt. Het subject, dat in de eenvoudige relatie van het objectiverende kennen centraal staat, de zogenaamde wilde vrijheid, verandert in een ontmoeting met de Ander in een verantwoord goed doen. „In de metafysica staat een wezen in relatie met datgene, wat het niet zou kunnen absorberen, met datgene, wat het in letterlijke zin van het woord niet zou kunnen be-grijpen. De formele structuur hiervan positief uitgedrukt: de idee van het Oneindige hebben, komt in feite overeen met het gesprek, dat als ethische relatie nader gepreciseerd kan worden". (TI, 52) De metafysische relatie is voor Levinas nadrukkelijk een *ethische* relatie. Want hierin vindt de subjectwording zijn voltooiing. „Het wonder van de schepping bestaat niet alleen in schepping ex nihilo te zijn, maar in het uitlopen op het scheppen van een wezen, dat openstaat voor het ontvangen van een openbaring, dat kan vernemen, dat het geschapen is en dat zichzelf ter discussie kan stellen. Het wonder van de schepping bestaat erin een moreel wezen in leven te roepen." (TI, 61) Het subject, dat ten dele is geschapen in het genieten, wordt volledig bevestigd, wanneer het zich ontdoet van zijn egoïstisch zijn-bij-zichzelf. 'Openbaring', 'ter discussie stelling' en 'schepping' staan

op één lijn. Schepping staat geheel in het licht van de openbaring van de Ander. De Ander stelt een grens aan het genietend subject. Het ter discussie stellen van het ik door de openbaring van de Ander schept het subject pas volledig.[2] Wat bedoelt Levinas met de Ander, die zich openbaart? Denkt hij hierbij soms aan God? Wij moeten hier twee punten uiteenhouden. Levinas maakt een onderscheid tussen de wijze waarop de *dingen* aan de mens verschijnen en de wijze, waarop de *Ander* zich aan de mens voordoet. Dingen ontlenen hun betekenis aan de context, waarin ze functioneren. De Ander drukt zich uit, heeft betekenis op zich. Levinas verduidelijkt dit aan de hand van Descartes' idee van het Oneindige. Dit betekent echter niet, dat hij de Ander en God met elkaar indentificeert. De Ander is niet God, maar hij staat wel dichter bij God dan het ik.[3] Overigens dienen wij terdege te beseffen, dat Levinas nergens over een abstrakte God speculeert. God geeft zich immers alleen te kennen door middel van anderen. En dan niet door middel van iedere willekeurige ander, maar de Ander voor wie men moet werken. Levinas denkt met name aan de Ander als degene, van wie een beroep uitgaat op de mens. Deze Ander is namelijk teken van een *'offense subie'*, van een schending die hij ondergaat op verantwoording van zijn menselijke partner. Uiteindelijk staat God kennen gelijk met dit menselijke verantwoordelijk zijn.
Het wonder van de schepping ligt in dit verantwoordelijk kunnen wezen. „Het ik is een privilege of een verkiezing." (TI, 223) Het ik wordt geschapen. *Subject worden is geen vanzelfsprekende mogelijkheid maar een wonderbaarlijke uitverkiezing.*

4. *Vrijheid tot verantwoordelijkheid*

Bij oppervlakkige beschouwing zou men kunnen zeggen, dat het genoemde begrip 'schepping' net zo bij Heidegger voorkomt. Bij nader inzien blijkt Levinas echter in een fel debat met hem te zijn verwikkeld.
In *Sein und Zeit* begint Heidegger de analyse van het *'erzijn'* met de beschrijving van het *'men'*. Over het algemeen is de mens niet zichzelf, maar gaat hij op in de alledaagsheid. Hij doet wat *'men'* doet. Heidegger noemt dit: oneigenlijk zijn of leven in de *'Verfallenheit'*. Het *erzijn* kan verlost worden uit de *Verfallenfheit*. De *'roep'* bevrijdt hem van het opgaan in het *'men'*. Het *'erzijn'* wordt door de *'roep'* uit het oneigenlijk existeren tot eigenlijk existeren opgeroepen. „Ongemerkt gaat de 'existentiale' beschrijving over in ethiek als oproep tot menszijn."[4] De schepping van het erzijn komt door de roep tot voltooiing. In de filosofie van Heidegger wordt de mens (erzijn) uiteindelijk opgeroepen tot de heroïeke 'Freiheit-zum-Tode'.

2. Opvallend is de parallel met Karl Barth. In de Prolegomena van de *Kirchliche Dogmatik*, München 1932, voert hij impliciet een zelfde pleidooi voor de ethische relatie als Levinas, wanneer hij de modernistische en roomskatholieke kenweg afwijst.
3. De Ander gebiedt vanuit de hoogte. De relatie ik-Ander kan niet vergeleken worden met een wederkerige Ich-Du relatie zoals Buber die beschrijft. E. Levinas, *En découvrant l'existence avec Husserl et Heidegger*, Parijs, 1974[3], 174.
4. J. Sperna Weiland, „De mythe van een jeugd", *Wending*, 11 (1957), 780.

In zijn verzet tegen deze vrijheid à la Heidegger neemt Levinas een analyse van de lichamelijkheid te baat. Het lichamelijke in-de-wereld-zijn verschaft de mens een zekere onafhankelijkheid. Door het lichaam is de mens anders in de wereld geplaatst dan al het overige leven, dat tot de vegetatieve orde behoort. Lichamelijkheid betekent echter niet uitsluitend onafhankelijkheid als de verheffing uit het vegetatieve zijn. Lichamelijkheid betekent ook en vooral: uitstel van de dood, de dood op afstand houden, tijd rekken. In zoverre is de mens inderdaad zo vrij als Heidegger stelt.
Maar de vrijheid, die de mens heeft is slechts betrekkelijk. Het lichaam is immers niet eeuwig gezond. Het kan ziek worden en sterven. Trouwens, wordt vrijheid niet voetstoots om werk verkocht? Kortom, de menselijke wil is heel wat minder heroïsch dan Heidegger's 'Freiheit-zum-Tode' doet geloven.
Kan de wil dan nooit trouw blijven aan zichzelf en het goedkope verraad ongedaan maken? Het antwoord op deze vraag geeft Levinas in zijn analyse van dood en lijden. De dood berooft de wil weliswaar van zijn vrijheid. Zolang de dood echter dreigende nabijheid is, is er ook uitstel. Dat wil zeggen: er is nog tijd. „De vijand of de God over wie ik geen macht heb en die geen *deel* uitmaakt van mijn wereld, blijft nog in relatie met mij en maakt het mij mogelijk te willen, maar in een willen dat niet egoïstisch is, een willen dat zich een plaats verwerft in het wezen van het verlangen, waarvan het zwaartepunt niet samenvalt met het ik van de behoefte, maar met dat van een verlangen dat voor de Ander is." (TI, 212, 213) De dood is, zo blijkt hieruit, geen verraad aan de wil van de mens. Integendeel, de vrijheid van de wil wordt juist door de sterfelijkheid in leven geroepen. In het lijden is die dreiging het meest nabij gekomen, maar ook hier heeft het kwaad nog niet volledig toegeslagen. Het vrije subject begint weliswaar op te houden vrij te zijn, maar is nog niet geheel onvrij. Het centrum van de wil is door het lijden verlegd van het vrije subject naar een punt buiten de wil.
Aan de hand van een analyse van grenssituaties als dood en lijden maakt Levinas duidelijk, dat de heroïeke wil niet trouw aan zichzelf kán blijven. Dood en lijden benemen de egoïstische wil zijn heroïek. Een heel andere wil ontstaat, één die wel trouw aan zichzelf kan blijven. Deze laatste mogelijkheid heeft mens niet van zichzelf; het wordt hem, omdat hij voor de Ander existeert, als vreemde gift geschonken. „Zo beweegt de wil zich tussen zijn verraad en zijn trouw, die tegelijkertijd de oorspronkelijkheid van zijn kunnen beschrijven. Maar de trouw vergeet het verraad niet – en de religieuze wil blijft relatie met een Ander. De trouw wordt verworven door het berouw en het gebed – bevoorrecht spreken waarin de wil zoekt naar trouw aan zichzelf – en de vergeving die deze trouw hem verzekert, komt tot hem van buiten af." (TI, 207, 208)

De wil vindt rechtvaardiging in de ontmoeting met de Ander. De wil ontleent zijn recht op bestaan aan vergeving. Het begrip vrijheid heeft hierdoor een heel speciale betekenis gekregen. De analyse van dood en lijden maakt duidelijk, dat de mens altijd voor de Ander existeert. Dat perkt de vrijheid niet in, maar maakt haar pas mogelijk. *Zo blijkt vrijheid in de filosofie van*

Levinas per definitie vrijheid tot verantwoordelijkheid te zijn.[5]
Wat Levinas abstracte vrijheid zou noemen, *causa sui*, is in feite de vrijheid waartoe het 'erzijn' in *Sein und Zeit* wordt opgeroepen. Niet door vergeving of rechtvaardiging van buiten, maar in het zijn-tot-de-dood verwerkelijkt het subject zichzelf immers volgens Heidegger. De existentiale beschrijving mag dan wel overgaan in een oproep subject te worden, dit gebeuren blijft toch geheel besloten *binnen* de egoïstische vrijheid. Het begrip schepping, zoals men dat in *Totalité et Infini* tegenkomt kan dan ook niet vergeleken worden met de roep uit het oneigenlijk existeren, die Heidegger beschrijft. Het is er veeleer het polemische tegendeel van.

De afwijzing door Levinas van het denken van Husserl en Heidegger, heeft ook implicaties voor politiek handelen. Met name Heidegger wordt op dit punt door hem gecritiseerd. Zo vraagt hij zich af of het 'begrijpen van het zijn', het heroïsch uitstaan tot de dood niet uitloopt op een rechtvaardiging van de *overheersing* van de ander. De structuur van de heideggeriaanse filosofie houdt een beschouwing in van de wereld als een veld, dat dociel gereed ligt om zonder belemmering door het vrije subject geëxploteerd te worden.
Het vrije subject echter wordt in zijn vermeende '*joyeuse possession du monde*' gestoord door de openbaring van de Ander. Niet het vrije subject blijkt het archimedische punt te zijn van waaruit de mens vat krijgt op de wereld. Pas de ontmoeting met de Ander schept het subject en daarmee zijn vrijheid. Deze vrijheid is geen zogenaamde liberale vrijheid, maar vrijheid tot verantwoordelijkheid. De *libertas* die Levinas voor ogen staat, is het aperte tegendeel van de 'natuurlijke' voorrang, die de sterkste claimt. Aan het exploiteren van de wereld gaat schepping vooraf. Schepping rechtvaardigt het bezitten. Bezit heeft hierdoor een geheel andere betekenis gekregen dan de gangbare bijsmaak van *hebberigheid*. „De Ander erkennen betekent honger onder ogen zien. De Ander erkennen – dat is geven." (TI, 48) Nog scherper komt het verschil met Heidegger tot uiting, wanneer Levinas uiteenzet wat hij onder *objectiviteit* verstaat. „Objectiviteit valt samen met de afschaffing van onvervreemdbaar eigendom – hetgeen de verschijning van de Ander veronderstelt." Me dunkt dat deze definitie van objectiviteit opvallend veel gelijkenis vertoont met die van 'het' Marxisme. In marxistische visie is immers diegene het meest objectief, die solidair is met de onderdrukte klasse.

5. In de Prologomena van de *Kirchliche Dogmatik* zegt Barth, dat in het modernisme de mens zelf in feite beslist over wie hij is. Het 'kritisch tegenover', waardoor de mens geoordeeld en in leven geroepen is, heeft daarin geen plaats. De mens is dan geen verantwoordelijk wezen, maar hij is voortdurend in gesprek met zichzelf. Het dogmatisch spreken kan slechts in alle openheid en bescheidenheid geschieden: „Seine Sicherheit (namelijk van de gelovige, J.K.), ist wohl Seine Sicherheit, aber sie hat ihren Sitz außer ihm, im Worte Gottes und so, indem das Wort Gottes ihm gegenwärtig ist, ist sie seine Sicherheit" (K. Barth, *Kirchliche Dogmatik*, I/1, 136). „. . .er (nl.: Anselmus, J.K.) macht aufs neue sichtbar, dass die ganze theologische Untersuchung als im Gebet unternomen und durchgeführt verstanden sein will. Im Gebet, und das heißt dann jedenfalls in der denkbar positivsten Voraussetzung ihres Gegenstandes, seiner Gegenwart, seiner Maßgeblichkeit für den Gang und den Erfolg seiner Untersuchung." K. Barth, *Fides Quaerens Intellectum,* München 1931, 144.

Op grond hiervan zou men kunnen zeggen, dat Levinas zich met zijn filosofie van de vrijheid keert tegen een abstract idealistisch vrijheidsbeeld. Abstract moet dan verstaan worden in de zin van: geabstraheerd van de Ander. Met de Ander bedoelt hij met name een wezen, dat een *'condition prolétaire'* heeft. Levinas heeft hierbij niet een concrete klasse van proletariërs op het oog. Daarin verschilt hij van marxisten. Het gaat hem om de Ander, die een schending heeft ondergaan, om de onderliggende groep in de maatschappij: „de weduwe, de wees en de vreemdeling". Uiteindelijk heeft in de metafysiche relatie ieder ander deze status, die niet zonder reden in joodse termen wordt gesteld. Wij stoten hier namelijk op het grondvlak van Levinas' denken.

5. *Vooronderstelling van de filosofie van Levinas*

Is het waar, zoals in de inleiding werd gesuggereerd, dat Levinas' analyse van de menselijke vrijheid in hoge mate beïnvloed is door joods gelovig denken? Welke status heeft het vrijheidheidsbegrip dan eigenlijk in *Totalité et Infini*? Maakt zo'n vooronderstelling filosoferen niet tot een onkritische, zichzelf rechtvaardigende onderneming? Aan de hand van een uiteenzetting van de omstreden wijze waarop Levinas over de vrouw spreekt probeer ik deze vragen te beantwoorden.
Reeds lang voordat Levinas *Totalité et Infini* schreef, is hij door Simone de Beauvoir al heftig aangevallen om de manier waarop hij over de vrouw sprak. Zij noemt hem in één adem met schrijvers, die in hun spreken over de vrouw de volgende opvatting gemeen hebben: „De mensheid is mannelijk en de man bepaalt de vrouw niet als een zelfstandig wezen, maar in zijn relatie tot hem."[6] Wederkerigheid tussen de sexen wordt door hen niet aanvaard. Mannen zouden souverein zijn. Vrouwen nemen ten opzichte van mannen een ondergeschikte plaats in.
Er is alle reden om deze kwestie ook naar aanleiding van *Totalité et Infini* aan de orde te stellen. „En de Ander, van wie de aanwezigheid op bescheiden wijze een afwezig zijn is en van waaruit het gastvrije ontvangen bij uitstek, waardoor het veld van de intimiteit beschreven wordt, geschiedt, is de Vrouw. De vrouw is de voorwaarde voor de inkeer, voor de interioriteit van het Huis en het wonen." (TI, 128) Zijn deze woorden niet impliciet een pleidooi voor traditionele rolpatronen tussen man en vrouw? Gaat achter deze woorden niet een visie schuil, waarin de vrouw beschouwd wordt als de verantwoordelijke bij uitstek voor huiselijke gezelligheid en voor wat zich in keuken en bij wastobbe afspeelt?
Over de vrouw spreekt Levinas in de eerste plaats in bewoordingen als *'scheiding'* en *'genieten'*. In paragraaf drie is aan de orde gekomen welke plaats Levinas in debat met Heidegger daarbij aan inkeer in het huis, toekent. De inkeer in het huis voltrekt de scheiding pas radicaal en schort de bedreiging van het elementale, de anonieme godheid op. De onafhankelijkheid wordt erdoor verwerkelijkt, omdat het huis 'vertrouwdheid' met een 'intimiteit' is. „De

6. S. de Beauvoir, *De tweede sexe*, Utrecht 1978^6, 12.

vrouw is de voorwaarde voor de inkeer, voor de interioriteit van het huis en voor het wonen." (TI, 128) In deze relatie is de vrouw niet het *'vous'*, dat uit de hoogte gebiedt, maar het *'tu'* waarmee het ik in een vertrouwdheid verkeert. In feite doet Levinas hier niets anders dan de ik-jij relatie waar Buber over spreekt, beschrijven. Deze relatie bevat echter de mogelijkheden voor de transcendente relatie met de Ander. Er is al gezegd, dat de interioriteit verwijst naar een diepere matafysische relatie. De interioriteit is blijkbaar dubbelzinnig. Hoe ziet Levinas deze verhouding nu precies? Ik kom daarom hier op die dubbelzinnigheid terug.
Het huis plaatst de mens op een afstand van het elementale. Het geeft gelegenheid om op adem te komen. Het geeft tijd om de bedreiging af te wenden. De inkeer in het huis maakt tijdelijk de scheiding, de bevrijding uit de dreiging van het elementale mogelijk. Precies hier voert Levinas de vrouw in. Om die bevrijding nader te beschrijven bedient hij zich namelijk van het beeld van de afwezige-aanwezige: de vrouw, die gastvrij ontvangt in een ik-jij relatie.
Voorwaarde voor het gescheiden-zijn is de 'idee van het Oneindige', waarbij, in tegenstelling met Hegel, geen sprake is van een dialektische relatie met het eindige. Door de „grâce féminine de son rayonnement" wordt de intimiteit van het huis (*séparation*) gefundeerd. „Zo eist de idee van het oneindige – die zich openbaart in het gelaat – niet alleen een gescheiden zijn. Het licht van het gelaat is noodzakelijk voor de scheiding. Maar door de basis van de intimiteit van het huis te zijn, brengt de idee van het oneindige de scheiding niet teweeg door een kracht van een of andere tegenstelling of vanwege een dialektische verhouding, maar door de vrouwelijke gratie van haar straling." (TI, 125) Er is in de verhouding tussen beide aspecten van de subjectwording kennelijk sprake van zoiets als een cirkel. Hoe moet dit begrepen worden? Voor een mogelijke verklaring hiervan geef ik zeven hints in de richting van het joodse (scheppings)geloof als grondslag van Levinas' wijsgerig denken.

1. In de metafysische relatie wordt de scheiding van het individuele zijn gehandhaafd. Het is karakteristiek voor 'une sagesse orientale' dat het individuele op zich niet van belang is. Sterker nog het 'eeuwige zijn' heeft voldoende aan zichzelf.
Doordat Levinas de nadruk op het gescheiden zijn legt, in samenhang met de schepping (vgl. paragraaf 3), kan zijn filosofie als antithese van dat oosterse denken worden gelezen. Dit doet het vermoeden ontstaan, dat de cirkel verklaard moet worden, signaal van de invloed die het joodse scheppingsgeloof op Levinas uitoefent.
2. Wanneer Levinas de vrouw ter sprake brengt, dan heeft hij niet direct de vrouw op het oog, die op grond van haar biologische vrouw zijn de rol van gastvrije huisvrouw krijgt opgedrongen. Wellicht moet men bij de 'présence discrète' eerder denken aan JHWH. En dan niet God als de onthulde, maar in zijn verborgen aanwezigheid. Een heel bepaalde gestalte van God is wellicht bedoeld: de afwezige-aanwezige, die het huis beschermt, bij wie men zich geborgen weet, de *Sjaddai.* De orthodoxe jood bevestigt als blijk van dit besef de *Mezoeza*, een kokertje met de naam *Sjaddai,* aan de deurpost.

3. Levinas wijst zelf op de figuur van Elia in verband met de vrouw. De profeet Elia is als beschermer van het gezin een vertegenwoordiger van JHWH. Voor hem staat tijdens de paasmaaltijd een stoel klaar: „. . .de bijbelse figuur, die Israël op zijn weg van de ballingschap begeleidt, de figuur, die aan het eind van de Sjabbat bij de avondschemering, waarin het volk weldra zonder hulp achterblijft aangeroepen wordt, de figuur, die voor de jood alle liefde, die hij in de wereld ondervindt verpersoonlijkt, de hand, die zijn kinderen liefkoost en wiegt – dat zijn niet zozeer vrouwen. Een vrouw, noch een zuster, noch een moeder leiden hem. Maar Elia, die nooit gestorven is, de meest taaie van alle profeten, de voorloper van de Messias."[7]

4. Is de *grâce féminine de son rayonnement* niet ook de *Sjechina* (een vrouwelijk woord!) ter aanduiding van de aanwezigheid, het wonen van JHWH in de wereld? De Thora verhaalt hiervan in het derde hoofdstuk van Exodus. Hij woont niet alleen op de wijze, zoals in voorafgaande twee punten genoemd, op de wijze van een *présence discrète*, die de inkeer vervult, maar (tegelijk) ook als sprekend vanuit de hoogte, als een gebieder, als een *présence indiscrète*. (Mozes mag Hem niet zomaar naderen!)

De ontmoeting met Hem, zijn royale ontvangst, is tegelijk een gebod aan de mens om zelf gastvrij te zijn. „. . .geen enkel gelaat kan dan nog aangesproken worden met lege handen en een gesloten huis." (TI, 147) Wij kunnen ook aan Ruth denken, die door Naomi wordt geboden vooral niet met lege handen aan te komen. Dit gebod keert steeds terug in Tenach. Het verwijst naar de exodus. De God van de *présence discrète* is de God, die het volk niet met lege handen heeft laten gaan. Tevens is hij de God van de *présence indiscrète*, van het gebod om niet met lege handen bij Hem aan te komen. Hiermee is een mogelijke verklaring van de cirkel gegeven.

5. Dat bij het spreken over *'recueillement'* en de *'séparation'* een joods denken op de achtergrond staat, wordt nog eens te meer bevestigd door een uitspraak van Levinas zelf: „Ik zijn, atheïstisch zijn, gescheiden zijn, gelukkig zijn, geschapen zijn – dat zijn synoniemen." (TI, 121) Gescheiden zijn en geschapen zijn hangen nauw met elkaar samen. Daarbij staat de gedachte van een schepper, die bevrijdt uit het mythische, chaotische elementale, uit de *Irrsal und Wirrsal* van de goden zonder gelaat, op de achtergrond. Er is sprake van *recueillement*, van bescherming en geborgenheid, maar dat houdt tevens een ethische relatie in, waar een bepaald gebod van kracht is. Gescheiden zijn en geschapen zijn staan voor de verheffing uit de vegetatieve animale zijnsorde tot de orde van het bewustzijn. Het eigenlijke subject wordt geschapen, wanneer het zich ontdoet van een egoïstisch zijn voor zichzelf en een ethisch wezen in de strikte zin des woords wordt. Deze schepping is één doorlopend gebod; vandaar het ordenen van de wereld door het vieren van de Sjabbat en de Vreugde der Wet.

7. E. Levinas, *Difficile liberté*, Parijs 1976², 60.

6. Overigens zegt Levinas expliciet, dat het hem niet gaat om de empirische aanwezigheid van een „être humain de sexe féminin". (TI, 131) Blijkbaar maakt hij gebruik van een beeld, waarvan hier een mogelijke interpretatie gegeven is.
7. Levinas wijst de interioriteit in de zin van Husserl af. Hij verzet zich tegen de gedachte, dat interioriteit en exterioriteit uiteindelijk samenvallen. Deze wijze van denken treft hij ook aan bij Heidegger en bij Hegel. Volgens hen is het subject niet een zelfstandig wezen; zijn identiteit wordt niet louter bepaald door de rol die het speelt in de geschiedenis. Van een filosofie met deze structuur, van dit *monisme*, van deze vorm van *totaliteitsdenken* is het maar een verdacht kleine stap naar een rassentheorie, die het subject slechts als een product van een soort beschouwt. In zo'n visie kan nooit plaats zijn voor een echte relatie tussen het ik en de Ander, die radicaal van mij blijft verschillen. „De notie van gescheiden persoon, die wij in de beschrijving van het genieten benaderd hebben en die in de onafhankelijkheid van het geluk wordt gesteld, is onderscheiden van de notie van persoon, die is uitgedacht door de filosofie van het leven of van het ras. In de verheffing van het biologisch leven ontstaat de persoon als product van de soort of van het onpersoonlijke leven, dat zijn toevlucht neemt tot het individu om zijn persoonlijke triomf te verzekeren. Het uniek zijn van het ik, zijn status van individu zonder concept zou verdwijnen in dit deelhebben dat het overschrijdt." (TI, 92, 93)
Dit alles wil zeggen, dat het (biologische) vrouw zijn nooit als een belangrijke notie van Levinas filosofie kan worden opgevoerd. Voortdurend de nadruk leggen op vrouw zijn, zou zijns inziens betekenen, dat men een identiteit vaststelt op grond van een concept, dat men al had van 'de' vrouw. De Ander zou dan zodoende van zijn onvervreemdbare uniciteit worden beroofd en opgaan in een totaliteit.

De aan het begin van deze paragraaf gestelde vragen zijn nu voor een groot deel beantwoord. Aan de filosofie van Levinas ligt een gelovige vooronderstelling ten grondslag. Maar is zijn denken hiermee ook tot een zichzelfrechtvaardigende en onkritische onderneming geworden? Levinas wil de subjectiviteit redden van het opgaan in het Zelf, in de totaliteit. Het is juist het oordeel van de geschiedenis, dat de Ander reduceert, dat de subjectiviteit te niet doet. Is deze geschiedenis niet exclusief een *mannelijke* geschiedenis van een 'heroïsch zich verhouden tot het zijn', van het 'zorgend existeren' of van het 'Sein zum Tode'? Het oordeel van de geschiedenis noemt Levinas niet ten onrechte *viriel* oordeel. (TI, 221) Dit leidt tot *'totalitarisme'*. Wordt er in Tenach niet even kritisch gesproken ten aanzien van de mannelijke geschiedenis als Levinas doet? Zijn het niet steeds weer vrouwen, die op kritieke momenten de beslissende rol spelen? Levinas noemt zelf de namen van Sara, Rebekka, Mirjam, Tamar en Ruth.[8] Dat Levinas zich juist op deze wijze van dit beeld van de

8. Ibid, 51, 52, Dat Levinas in tegenstelling tot wat S. de Beauvoir beweert, wederkerigheid tussen de sexen wel aanvaardt, blijkt ook uit zijn lezing: „Et Dieu crea la femme" in: *Du sacré au saint*, Parijs 1977, 122-148.

vrouw bedient, heeft als beeld zelf kennelijk ook kritische betekenis. Het fungeert als het ware als 'tegenteken'.[9] Als het joyeuze teken van de bevrijding uit de viriele geschiedenis.

9. Karl Barth gebruikt in verband met het dogma van de maagdelijke geboorte het woord 'Gegenzeichen'. (K. Barth, *Kirchliche Dogmatik*, I/2, 212).

EEN GESCHIEDENIS BEROOFD VAN VRIJHEID

Hans Peter Gramberg

> „Hoeveel ervaringen brengen wij niet samen in één enkele, wanneer wij het begrip *vrijheid* vormen. De kamer hangt vol stank en rook, de tiran beveelt, moeder smeekt, de schoen wringt. In al deze gevallen zijn maatregelen geboden. Men moet de deur uit, men moet de opstand organiseren, men moet geld versieren, men moet de schoen uittrekken. Men moet zoveel, als men de roepstem van de vrijheid hoort! Men moet zich wellicht aan de stank en de rook onderwerpen, wanneer men de tiran ten val wil brengen, maar men moet zich misschien voor het smeken van zijn moeder in veiligheid brengen, wanneer men van die wringende schoen af wil komen. Wanneer men een zo samengesteld en algemeen begrip als *vrijheid* hanteert, moet men voorzichtig zijn, in zekere zin pietluttig." (B. Brecht in *Me-Ti. Boek der wendingen*.)

Fragmenten

Is alles wat zich zeggen laat over vrijheid in kleur, klank, woord en gebaar niet reeds verkleurd, verklankt, verwoord en opgebaard? Zeer waarschijnlijk. Onderstaande fragmenten zullen dan ook geen nieuwe inzichten bevatten. Maar soms is het nodig aloude inzichten te 'herhalen', opdat kritiek op de burgerlijke kapitalistische maatschappij niet steeds opnieuw uitgevonden moet worden. Ik zal dat doen in de vorm van fragmentarische teksten. Niet in de laatste plaats om de suggestie te vermijden, als zou ik in dit artikel een globale, samenhangende kritiek ontwikkelen.

Staketsel

Staketsels zijn schuttingen die opgebouwd zijn uit staken. Staken die op verschillende manieren door elkaar geweven of met elkaar verbonden een afscheiding, een schutting vormen.
Het begrip vrijheid is te vergelijken met een staketsel, met een schutting, waarin de staken zeer hecht steken, zodat het moeilijk is om te zien hoe de schutting in elkaar steekt, en uit hoeveel en wat voor soorten staken het is opgebouwd. Het begrip vrijheid is te vergelijken met een staketsel, waarin de staken zó hecht steken, dat het elk doorzicht ontneemt (op het vrije uitzicht) en bovendien zo volgeplakt en volgekalkt is met verordeningen, opsporingsbevelen, propaganda, reclameboodschappen, graffiti enzovoort, die ons bekennen niets anders dan in laatste instantie de vrijheid aan te hangen, dat de feitelijke 'vrijheid'-berovende funktie en betekenis van het staketsel verhuld wordt.

Dit alles is slechts een metaforisch zeggen.
En is het nodig uit te leggen dat de staken de historisch gevormde (maatschappelijke) praktijken en (filosofische en politieke) verhandelingen zijn, waarmee het staketsel, deze barrière: de 'vrijheid' en haar praktijken, is opgebouwd? Is het nodig uit te leggen dat dit staketsel de schutting is, waaraan onze (vrijheids-)verlangens, angsten, oproepen, bevelen, verordeningen, vrijheidberovingen, invrijheidstellingen, mythen, warenaanprijzingen enzovoort – en dat alles in de naam van de vrijheid – hangen?
Is het nodig uit te leggen dat wij ons zo goed (hebben leren) herkennen in dit staketsel met alles erop en eraan, dat wij menen dat de vrijheid niets anders is dan onderdeel van ons natuurlijk zijn en bewustzijn, ja dat ons zijn überhaupt ervan afhangt?
Is het nodig uit te leggen dat het de dominante klein-burgerlijke ideologie is, wier grondbeginsel is geschiedenis in natuur te veranderen, die een dergelijke filosofisch gesproken reeds als onmogelijk gekritiseerde ontologische vastlegging botweg blijft voortbrengen, en dat onder de heersende verhoudingen ook kan blijven doen?

Wellicht is het toch nodig het staketsel uit te leggen.
Maar dan niet in een poging *al* de aanhangsels ideologiekritisch te lezen. Ook niet in de vorm van een geduldig historische reconstructie en kritische benoeming van *al* de constituerende elementen (de staken). En zeker niet in een poging het begrip en haar praktijken definitief en absoluut te definiëren. Want dat zou slechts resulteren in een nieuwe, al dan niet bruikbare staak om de draak (de voor de heersende orde altijd vreeswekkende onderdrukten) te steken.
Het is al voldoende om enkele de vrijheid aangehangen ideologieën kritisch te lezen om veel van het geheim: de ideologische werking van de vrijheid, te leren doorzien. Het is vast en zeker voldoende om enkele staken los te wrikken om leren begrijpen hoe de vrijheid, deze geraffineerde sta-in-de-weg, in elkaar steekt.
Maar daartoe moeten we dan wel de vrijheid nemen.

„We moeten ons afkeren van wat grijpbaar is. Ja – we moeten er zelfs van vervreemden, de traagheid van het actuele moeten we doorbreken en voorbij het overbekende het buitengewone vinden". Aldus laat Peter Weiss Hölderlin tot Schiller zeggen in het toneelstuk *Hölderlin*.
We moeten de vrijheid nemen (ons) te vervreemden van de heersende academische normaliteit en conventies, die het wetenschappelijk en filosofisch betoog bepalen, dat overigens – en dat is veelzeggend – in de diverse positivistische varianten beweert over de vrijheid niets te kunnen zeggen, omdat het een kwalitatief waardeoordeel en geen objectieve wetenschappelijke of filosofisch zinvolle uitspraak zou inhouden. In werkelijkheid gaat het positivisme (het geheel van positivistische wetenschappen) er botweg, dat is volstrekt onbereflecteerd, vanuit de vrijheid te *bezitten* als macht zogenaamd rationele middelen te vinden om de natuur inclusief de medemensen, de werkelijkheid zo

totaal mogelijk te manipuleren, te beheersen en uit te buiten.
We moeten de vrijheid nemen (ons) te vervreemden van een wetenschappelijk ritueel dat wel geleerd doet maar onnadenkend is, namelijk haar eigen positie niet overdenkt en zo alle regels van wetenschappelijkheid loos maakt.
We moeten de vrijheid nemen (ons) te vervreemden van de heersende wetenschappelijke en filosofische taal, die niet anders maar alleen ingewikkelder uitgesproken dan de algemene taal van de macht deze tautologie inhoudt: „Vrijheid is vrijheid omdat ik, die macht heb, dat zeg en omdat de vrijheid de vrijheid is die ik nu eenmaal opleg".
En dit indachtig de taken, die Brecht aan intellectuelen toekent in een niet-revolutionaire periode: vernietigen en theoretiseren.

We moeten voorts de vrijheid nemen (ons) van het begrip vrijheid en de praktijken in haar naam te vervreemden. Dat is pogen je identiteit te vernietigen. Je identiteit die, althans zelfbewust, zegt: „Ik ben vrij, maar ik ben gerangschikt" (P. Valery). Dat is pogen je te vervreemden van alle normen, waarden, categorieën – van de vrijheid – die je bestaan en je zijn definiëren, benoemen, rangschikken, eronderhouden. En dat is geen geringe aanslag op jezelf, omdat het een verwijdering betekent van allen die zich in de dominante identificering wel voelen of althans dat pogen te doen.
En dit in het bewustzijn dat fundamenteel voor de burgerlijke machtsuitoefening is, dat de mensen de eisen van de macht verinnerlijken en in naam van *de*, begrepen als zijnde *hun* vrijheid vrijwillig reproduceren.

Maar beslissend, historisch gesproken, zal zijn of de in de naam van de Vrijheid onderdrukten op het nooit voorspelbare moment bereid en in staat zijn de vrijheid door macht tegenover macht, geweld tegenover geweld, *stormenderhand* ook werkelijk *te nemen* en zichzelf van het 'juk der vrijheid' (H. Müller) te bevrijden, in plaats van er zich van te laten bevrijden door de heersende macht in de vorm van een fascistische dictatuur of een autoritair-etatische staat en onder dreiging van totale nucleaire vernietiging.
En dit in het besef dat een dergelijke bevrijding in het Westen om tal van redenen mogelijk niet de in de 19e en begin 20e eeuw door de socialisten en communisten gehoopte en verwachte 'grote proletarische revolutie' zal en kan zijn. Maar daarom hoeven we nog niet zoals nu de intellectuele mode voorschrijft te vergeten dat „eine Revolution gewiß die autoritärste Sache ist, die es gibt" (Fr. Engels).

Burgerlijk

Met het burgerlijk vrijheidsbegrip – en daar heb ik het 'natuurlijk' steeds over; we zijn mijns inziens niet eens meer in staat het *woord* vrijheid in andere zin, laat staan kritisch te gebruiken, zozeer is het tot op de draad burgerlijk benoemd en geconnoteerd, met als effect de ontnoeming als burgerlijk(!): het woord is *naam* geworden – Met het burgerlijk vrijheidsbegrip is het al net zo gegaan als met de burgerlijke cultuur en taal überhaupt. Het is naar beneden

gehaald, klein-burgerlijk gemaakt. Het is veralgemeend en gepopulariseerd. Het is toegevoegd aan, ingebed in de meest doortrapte uitvinding van (zo men wil hervinding en betekenisverandering van een aloud gezegde door) de burgerlijke macht, die zich wel moest baseren op een bondgenootschap met de kleinburgerlijke klassen, te weten het *'gezonde verstand'*, dat ook in de naam van de vrijheid alle sociale klassen verenigd denkt en daarvan door middel van pers, televisie, video, film permanent *getuigenis* aflegt.
Het woord vrijheid is op deze manier losgemaakt van alle historische en programmatische betekenis, en naam geworden. Het is absoluut en onschendbaar verklaard. Het betekent alleen nog maar zichzelf, het is een tautologie *sans phrase* geworden. En het woord heeft daarmee niet alleen z'n meest deprimerende effect – althans op en voor de kritici van de burgerlijke maatschappij, die hun basis voor kritiek uiteindelijk toch ook hebben in het denken van de Verlichting –, maar ook z'n meest repressieve effectiviteit gekregen.

En voor de theologen onder de lezers, of beter gezegd, voor die theologen die denken dat deze fragmenten niet theologisch zijn, terwijl ze toch een afgod proberen te kritiseren: Is er niet iets vergelijkbaars gebeurd met het woord God? God die om elke ideologische benoeming of ontnoeming te verhinderen, in bijvoorbeeld de theologie van Miskotte, ook wel kortweg de Naam heet. De Naam, wiens Woord *in* de bijbel spreekt en daarmee kwalitatief bepaald is. Maar *in* wiens Naam noch *over* wiens Naam gesproken kan worden, zoals de burgerlijke ideologie in de naam van de vrijheid over de vrijheid spreekt, of zoals de gevestigde godsdienst en theologie in naam van God over God zeggen te spreken. God, de Naam die slechts *bij* name aangesproken kan worden, zoals althans wie daar oren toe heeft: de kerkgemeente, door Hem *in zijn Woord* bij name aangesproken wordt en daarmee geroepen wordt anderen bij name (als naasten) aan te spreken. En zo kan deze Naam kritisch funktioneren – ik negeer even alle ideologiekritische problemen van de subject-'aanroeping', zoals die hier theologisch verwoord is-, en wel als kritiek op al de beNamingen van de burgerlijke ideologie. Vergelijk bijvoorbeeld Ton Veerkamp's kritiek – in zijn boek *Die Vernichtung des Baal* – op de baal'isering van God bijvoorbeeld in de heersende ideologie van de Verenigde Staten. God, Vrijheid en V.S. zijn afgoden van gelijke importantie en met vergelijkbare ideologische effecten.
Daarbij gaat het niet aan de betweterige vraag te stellen of God überhaupt wel bestaat. Afgezien dat God in elk geval bestaat in de praktijken van de in (een) God gelovigen, is het feitelijk bestaan van dat, wat in de heersende ideologie, èn niet alleen in die van de Verenigde Staten, met God wordt aangeroepen om wat dan ook, zelfs de dreiging met totale nucleaire vernietiging mee te legitimeren, onloochenbaar. Het feitelijk bestaan van dat, wat meent op onze onvoorwaardelijke trouw en navolging een evenzeer onvoorwaardelijke 'aanspraak' te hebben, niet als aanroeping of toespreking maar àls recht, is onbestrijdbaar. Daar deze God steeds leger aan kwalitatieve inhoud wordt, en derhalve opgevuld kan worden met een veelheid andere (dan bijbelse) ideologische inhouden, is de cultus rond deze God effectiever dan de traditionele godsdienst ooit

geweest is. Hoe anoniemer, naamlozer (!) deze God is, des te genadelozer en onbeperkter zijn heerschappij. De(ze) Baal leeft, en het is de opdracht van de theologie de vraag te stellen of deze Baal nog langer God zal zijn.

Vooroordeel

De naam vrijheid is diep in het 'collectieve bewustzijn' gegrift. Het 'collectieve bewustzijn' dat als 'gezond' en dus 'realistisch verstand' ook over de vrijheid pas begint na te denken na het accepteren van het *nu eenmaal* onveranderlijk gegeven en vaststaan van het onomstotelijke feit van de vrijheid. De naam vrijheid heeft zo in het 'collectieve bewustzijn' de kracht èn laaghartigheid van het vooroordeel (– ik zeg niet vooronderstelling! –) gekregen.
En zoals bekend kan men een vooroordeel, als bewustzijnsvorm van ideologie, wel beamen met ja, het zij zo! Men kan het eventueel (– al is het een taak die iedere kritische intellectueel zich zou moeten stellen –) als zodanig doorzien en begrijpen in de (historisch-materialistische) wetenschappelijke kennis. Maar men kan het onmogelijk in discussie of dialoog, met redelijke en kritische argumenten, bestrijden, omdat het zijn constituerende motieven niet direct zichtbaar maakt, en omdat deze motieven niet zichtbaar zijn voor de subjecten van het vooroordeel. Een vooroordeel kan men alleen bestrijden en zo mogelijk vernietigen door maatschappelijke en politieke strijd tégen de heersende machten en toestanden. Of door het op onderscheiden wijzen (in kunst, journalistiek en dergelijke) te confronteren met de concrete maatschappelijke tegenstellingen, waarvan het zowel product als mede (re-)producent is. Of door het te confronteren met de 'verleiding' van de mogelijkheid van het buitengewone, die het vooroordeel juist, als onbestaand en ondenkbaar buitengesloten houdt.

Als collectief vooroordeel drukt vrijheid zich *bijvoorbeeld* uit in de herhaling van de klassieke inhoud van het vrijheidsbegrip van de liberale bourgeoisie van gisteren, waarvan de kleinburgerij van nu de dominante erfgenaam is, het 'ieder voor zich'.
Deze herhaling van het 'ieder voor zich' wordt momenteel vooral uitgesproken in de *treurige* en tegelijker-tijd *wrede* wachtwoorden: 'wees je zelf' en daarmee 'anders dan anderen'.
Treurig is het wachtwoord 'wees jezelf', omdat het een 'zelf' als identificeerbare autonome éénheid, een authentieke individualiteit suggereert, die evenwel juist als gevolg van de kapitalistische verhoudingen niet kan ontstaan. Waarmee het échec (- de verwijzing naar het 'schaak-zetten-van-de-koning' is bedoeld –) van de burgerlijke maatschappij is aangegeven. In de Verlichting en de burgerlijke revolutie werden de ik-subjectiviteit, waarin wij sindsdien opgesloten zijn geraakt en desondanks bewust moeten zijn, en de vrije individualiteit en de humaniteit van werkelijke vrije subjecten als realiseerbare mogelijkheden gedacht. Maar de (eenmaal) gerealiseerde burgerlijke kapitalistische maatschappij betekende de permanente vernietiging van deze mogelijkheden. Een tegenstrijdigheid, die in de Moderne Roman literair is begrepen; in de

existentiefilosofie (van Heidegger, door Sartre maatschappijkritisch geherinterpreteerd en door Beckett op de spits gedreven) filosofisch is gedacht, door de eigen onderworpenheid te rechtvaardigen als eigenheid van het (zelf-) zijn; en in het marxisme historisch en maatschappelijk is begrepen als uitdrukking van de (door het kapitalisme zelf voortgebrachte) klassentegenstellingen en klassenstrijd. Om slechts aan deze belangrijke culturele en filosofische tradities te refereren.

Treurig is de in het wachtwoord 'wees jezelf' uitgedrukte dwang tot identificatie met een 'zelf', omdat het slechts resulteert in een 'ieder op zichzelf'. Dit is de atomiserende disciplinerende werking van de kapitalistische maatschappij, met als dominante kleinburgerlijke vorm, op dit moment, de narcistische opsluiting in een ego-beleving, die elke historische en maatschappelijke zelfbewustwording verhindert. Een ideologische opsluiting die ieder met een plaats en een 'zelf' tot naamloos subject onder de naamloos normalen voegt onder het bevel: „wees als alle anderen jezelf en anders dan anderen". De luidruchtige paradoxaliteit, de tot zin verheven kletsika van een heersend vertoog.

Treurig is het wachtwoord 'wees jezelf', waarvan de mogelijkheid schijnbaar voor iedereen materiële werkelijkheid is in de vorm van democratische rechten en in een democratische staatsvorm, omdat het verzwijgt ten koste van wie.

Wreed zijn de bedoelde wachtwoorden – of ze nu in de politiek, in de reclame, in de massamedia, in de populaire schriftuur, in neo-conservatieve pleidooien tégen teveel staatsbemoeienis met het individu, in de gangbare psychotherapeutische praktijken van herinvoeging of in welke praktijken ook worden uitgesproken – , omdat ze diegenen die werkelijk 'anders zijn' of als zodanig gestigmatiseerd worden uitsluiten en onderdrukken. Wreed, omdat ze vrouwen uitnodigen zich met een zelf te identificeren, dat ze onder de heersende patriarchale verhoudingen nu juist steeds moeten verloochenen en moeten opofferen ten behoeve van de gezinnelijke reproductie van de maatschappij, en wier 'eigenheid' als 'anders dan anderen' – zijn alleen in complementaire heterosexuele onderschikking aan de man tot uitdrukking mag komen.

'Wreed zijn de bedoelde wachtwoorden van identiteit, omdat hoe meer identiteit door de heersende ideologie (voor-)gesteld wordt, hoe meer onrecht het niet-identieke ondergaat.

Tegelijkertijd echter dwingen deze wachtwoorden op een contradictoire manier diegenen, die geen 'eigenheid', geen 'zelf' worden toegekend, zich toch ook in deze termen van 'jezelf-zijn, resp.-worden', en door benadrukking van het 'anders zijn', zijn het als 'verschil', hun bevrijding te denken en te verwerkelijken.

Kortsluitend. Vrijheid als collectief vooroordeel betekent allereerst en vooral een enorme benadrukking van de subjectieve *houding*: de pose van autonomie. En niet, juist niet het tot uitdrukking brengen en organiseren van de werkelijke historische en maatschappelijke subjectiviteit, die immers onzichtbaar en onkenbaar moet blijven, om de voor de heersende orde gevaarlijke bewustwording van de klassen- en sexentegenstellingen te verhinderen. Het benadrukken van de subjectieve houding betekent de uitnodiging om ongelimiteerd

over jezelf als vrij autonoom individu te praten, zij het louter in de vorm van stemmingen, directe gevoelens in de trant van: Wat vind jij zelf er nu eigenlijk van . . ., eventueel therapeutisch losgewoeld als allereigenste eigenaardigheden, maar nooit historisch en maatschappelijk begrepen. Het betekent de uitnodiging om ongelimiteerd met jezelf bezig te zijn (bijvoorbeeld in de vorm van cultische gefixeerdheid op de fysieke conditie van het vege lijf: jogging, fitnesscentra, 'gezond' eten enzovoort), kortom, om ongelimiteerd te regrederen in een 'eigen ik', dat als zodanig niet bestaat. Vandaar de eindeloosheid van deze beweging en de eindeloosheid van de trends en modes, waarin deze regressie zich uitdrukt.
En wat zo niet in de laatste plaats onzichtbaar gemaakt wordt is, dat de werkelijkheid voor de meest mensen nog steeds is: te moeten werken voor anderen en niet voor zoiets als 'je eigen brood of ontplooiing', er te moeten zijn voor anderen en niet voor 'je eigen vrouwzijn'.

Ikonostase of daad van gehoorzaamheid

Ongetwijfeld reproduceerd de (klein-)burgerlijke ideologie van de vrijheid zich ook in godsdienst, kerk en theologie.
Inzoverre de theologie de burgerlijke vrijheid denkt, schrijft en predikt, maakt zij het staketsel vrijheid tot een (soort) ikonostase, die de indruk wekt te bemiddelen met de transcendentie, met een metafysiche 'stand van zaken'. Dit is niet bepaald een schokkende vaststelling, temeer niet, omdat het zo algemeen 'vast'-gesteld bitter weinig waarheid (verklarende kracht) bevat. De waarheid betreft een aanmerkelijk gecompliceerder historisch gebeuren dan dat de georganiseerde godsdienst de burgerlijke vrijheid naar vorm en inhoud ongebroken in haar eigen (theo-)logica heeft opgenomen en religieus benoemd. Veeleer heeft de dominante vorm van de georganiseerde godsdienst de burgerlijke vrijheid steeds weer geproblematiseerd, door politiek de liberale-democratische staatsconceptie, ideologisch het verlichte humanisme en theoretisch de subject-object verhouding als verhouding van autonomie en heteronomie te kritiseren.
Onder feitelijke acceptatie van haar formele ('gescheiden van de staat') en juridische ('vrijheid van godsdienst') plaatsbepaling, geconfronteerd met haar tendentiële maatschappelijke marginalisering als ideologisch apparaat bij uitstek, en zonder de accumulatie van kapitaal als *het* economisch mechanisme dat ten grondslag ligt aan de maatschappelijke ontwikkeling fundamenteel te kritiseren, problematiseerde de georganiseerde godsdienst de burgerlijke vrijheid en het socialistische antwoord daarop. Zoals bekend . . . deed zij dit niet door de burgerlijke vrijheid als uitdrukking van de burgerlijke kapitalistische verhoudingen, die ondertussen door de burgerlijke ideologie zelf als onomstotelijke natuurwetten werden voorgesteld, aan de kaak te stellen. Niet als uitdrukking van de maatschappelijke tegenstellingen. Niet als uitbuitingsverhouding. Kortom, zij deed dit niet door de burgerlijke vrijheid als onvrijheid te kritiseren, maar door de door de kapitalistische verhoudingen geproduceerde onvrijheid als 'eeuwige natuur', als 'van God gegeven' religieus te sanctioneren

èn te verzoenen, dat wil zeggen direct weer onzichtbaar te maken. In het rooms-katholicisme door een corporatieve staats- en maatschappijconceptie. In het protestantisme door een twee-rijken-leer of door een uitgesproken anti-burgerlijk-revolutionaire theocratische staats- en maatschappijconceptie, waarbij theonomie tegenover autonomie staat, als oppositie van geloof en ongeloof.
En dat kwam de burger uiteindelijk wel zo goed uit. Kon in mei 1798 op het hoogtepunt van de bataafse revolutie, nog de volgende anecdote in een revolutionair tijdschrift gepubliceerd worden: „Een zeker voornaam staatsman in Den Haag, schimpswijze, gevraagd wordende: wie heeft u geschapen?, gaf daar snedigliјk ten antwoord: Weg! Weg! met die ouderwetse Catechiseervragen! Thans scheppen wij ons zelven"; in de negentiende eeuw verloor de burger al snel zijn interesse in zijn eigen atheïsme, dat naar zijn besef al te zeer van God los was om de onmondige massa van de bevolking adequaat ideologisch te disciplineren. En bovendien werd hem, nadat hij zichzelf had geschapen, dat wil zeggen het private eigendom van productiemiddelen politiek, juridisch en ideologisch had gevestigd, zijn eigen atheïsme zwaar te moede, vooral nadat het opkomend socialisme hem al te ruw het geheim van zijn geestelijke vrijheid onthulde en voorhield, namelijk dat het op uitbuiting berust. En er steekt dan ook veel waars in de antwoorden, die Andrej Platonov de handarbeider Poedrow in één van zijn verhalen laat geven op vragen van een scholingscommissie. „– Wat is religie? Een vooroordeel van Karl Marx en eigengestookte brandewijn voor het volk. – Waarvoor had de bourgeoisie behoefte aan godsdienst? – Om zijn ellende te vergeten."

Op een ander niveau dan dat van de economie en politiek vond ondertussen wel degelijk een verburgerlijking van de godsdienst plaats. Deze verburgerlijking hield in de tendentiële vorming van een ideologisch beschavings-apparaat van de private sfeer, met als kern het gezin, de sexualiteit en de verwerking van geboorte, dood en eenzaamheid (als zogenaamde privé-aangelegenheden). De burgerlijke conceptie van 'vrijheid van godsdienst' betekende geen bevrijding van godsdienst, maar opsluiting en depolitisering (wat een politiek vertegenwoordigt!) van het geloof in een privémening, let wel, in concreto in die van het – een patriarchale traditie reproducerend – gezinshoofd. En op dit niveau is, in tegenstelling tot die van de economie en de politiek, de theologische weerstand tegen kleinburgerlijke ideologieën van de vrijheid (van de mens, van het individu) aan-merkelijk ambivalenter en geringer (gebleken).
Het zal duidelijk zijn, dat het niet mogelijk is om alle theologieën, die de burgerlijke vrijheid al dan niet als probleem reflecteren, in één 'vrijheid'-berovende of vernietigende schrijfbeweging te behandelen.
Godsdienst – en ideologiekritisch zou daarbij steeds de 'weerstand' van de godsdienst tégen een ongebroken verwerking van het burgerlijk vrijheidsbegrip theoretisch ontwikkeld moeten worden uit de maatschappelijke verhoudingen en toestanden van het moment. Een 'weerstand' die de (ideologische, materieel in praktijken en institutie verwerkelijkte) mogelijkheid van godsdienst mede schept, omdat deze „weerstand" verzet tégen machtsuitoefening

door mensen over mensen denkbaar en mogelijk maakt, zonder dat hij evenwel de wegneembare objectieve en subjectieve oorzaken van deze machtsuitoefening zichtbaar kon maken. Veeleer worden de gelovigen met de (wel ervaren en ook onderkende) werkelijke onvrijheid verzoend onder verwijzing naar het Rijk Gods, omdat de wel gehoopte verandering als een nieuwe kwalificering van de mensen en de wereld alleen heteronoom, als ingrijpen van God in de geschiedenis, gedacht wordt, en revolutionair ingrijpen van mensen in de geschiedenis als hybris jegens God gedesavoueerd wordt.
Bijbel-Theologisch heeft vrijheid te maken met gehoor geven aan, is vrijheid een daad van gehoorzaamheid jegens God, die zich in Jezus Christus openbaar heeft gemaakt, ofwel wiens Woord *in* de bijbel degenen, die daar oren toe hebben (: de kerkgemeente), aanspreekt.
In de Schrift (der schriften), in de verhalen over Exodus (!), uittocht en bevrijding, over opstanding uit de dood, over Gods geschiedenis met de mensen die niet samenvalt met *de* wereldgeschiedenis, èn in de uitleg van de Schrift zoals de Traditie heeft bemiddeld, gaat het uiteindelijk toch èn steeds weer om een 'vrijheid', die *niet* die van de bestaande heersende orde kan zijn. Dat maakt (de) theologie dubbelzinnig. En al is de theoretische strijd die dat inhoud uiteindelijk niets anders dan de klassen- en sexenstrijd in ideologische vorm, juist daarom zijn er ook theologieën denkbaar, die (wel degelijk) de vrijheidberovende funktie van de Naam Vrijheid in progressieve zin kritiseren en gelovigen kunnen mobiliseren voor projecten van bevrijding.

Vernietigen

Over vernietigen gesproken. Zou er niet alles voor pleiten om op het niveau van het dagelijkse journalisticke, ambtelijke en politieke taal het woord vrijheid grofweg te schrappen? Dat wil zeggen in de kritiek steeds weer de holle pathetische fraselogie, die meestal slechts de onvrijheid, de heersende repressieve orde, de heersende imperialistische uitbuiting van de 3e-wereld haar diensten bewijst, duidelijk te maken. Het objectief-maatschappelijke moment, dat in het burgerlijke denken van niveau tenminste nog bedacht en begrepen werd, zij het idealistisch, is op dit niveau zó volledig verloren gegaan, dat een poging om dat moment kritisch en historisch weer aan het licht te brengen door bij dit taalgebruik aan te sluiten bijkans onmogelijk lijkt. Maar daarmee is meteen het belangrijkste ideologische effekt aangegeven dat dit taalgebruik op dit nivau moet bewerkstelligen.
In het dagelijkse journalistieke, ambtelijke en politieke spraak- en taalgebruik verzwijgt het begrip vrijheid *in toenemende mate* de werkelijke maatschappelijke tegenstellingen en strijd en de feitelijke onderdrukking(en).
Een dergelijke tendens drukt niets anders dan de vermaatschappelijking van de heersende ideologie uit, en wel in de politieke vorm van een depolitisering van de taal, waarin aan een ieder steeds meer autonome vrijheid wordt voorgesteld, die niet zomaar als een door staatsburgerschapsverhoudingen, arbeidsverhoudingen, onderwijsverhoudingen en dergelijke ingeperkte vrijheid benoemd kan worden. Het brengt een taal van de vrijheid voort, die ons in toenemende

mate in steeds algemenere, de klassen – en andere tegenstellingen ontkennende termen aanspreekt als 'vrije burgers in een vrij land'. Maar niet zonder ons daarbij – met pathetische ernst – te wijzen op de 'verantwoordelijkheid' die wij daarmee op ons nemen en waartoe wij goedgunstig in staat worden gesteld. Want alles goed en wel, het blijft een 'vrijheid in gebondenheid', en wee je gebeente als je de 'goede gever' van vrijheid teleurstelt door de gevestigde 'rechtsorde', die de kapitalistische orde legitimeert, te (willen) schenden.

Van vrijheid beroofd

Geldig blijft ondertussen dat, „wanneer men een zo samengesteld en algemeen begrip als vrijheid hanteert, men voorzichtig moet zijn, in zekere zin pietluttig" (Brecht). Ongetwijfeld. Mits men deze voorzichtigheid en pietluttigheid maar niet verward met positivistische exactheid, omdat dergelijke betweterigheid, als het om 'zaken' gaat die fundamenteel dubbelzinnig zijn, inzicht juist verhindert. Hoeveel ervaringen worden niet samengebracht in het begrip vrijheid: een knellende schoen, smook en rook in de steden, de repressieve tolerantie, de politionele repressie van een overheid, enzovoort? In hoeveel te onderscheiden praktijken van taal en ideologie wordt het begrip niet gebruikt met wisselende betekenis?
Op hoeveel niveaus van weten (actief, passief, zelfs onbewust) niet gereflecteerd? Maar wellicht is de enige kritische vorm van voorzichtig en pietluttig hanteren van het begrip vrijheid, die het weer een historische èn programmatische betekenis geeft, het *niet* meer hanteren van het begrip als zelfstandig *naam*woord, in welke context ook. Te beginnen in de filosofie, de politieke theorie en de ideologiekritiek. En waarom eigenlijk ook niet in de theologie? Wellicht is de enige vorm om het begrip te hanteren de samengestelde programmatische: bevrijding van respectievelijk bevrijding uit, bevrijdingsstrijd, vrijheid-neming, vrijheid-nemen enzovoort. De burgerlijke benaming, die bestaat uit de ontnoeming: het verzwijgen van het klassekarakter door het begrip algemeen en onomstotelijk geldig te verklaren, heeft de vrijheid tot een programloos, dat is een perspectiefloos woord gemaakt, terwijl pas bij het verdwijnen van alle vormen van onderdrukking en uitbuiting het woord vrijheid werkelijk programloos en inhoudloos zal worden en als zodanig uit de taal zal verdwijnen.
Het woord vrijheid is mijns inziens inderaad zo totaal Naam geworden, dat de idee van de vrijheid er door is vernietigd. De naam vrijheid heeft door middel van de haar aangehangen vertogen, uitéénzettingen, verordeningen, politieke leuzen en fraselogieën enzovoort de vrijheid als een werkelijke historische en maatschapplijke mogelijkheid (en niet als eeuwige waarde) onzichtbaar gemaakt. Deze ideologische *tour de force* was mogelijk, doordat de meest schrijnende vormen van uitbuiting en onderdrukking in de metropolen van het kapitalisme ideologisch onzichtbaar gemaakt zijn. En onzichtbaar gemaakt kónden worden door de toename van de maatschappelijke rijkdom.
Een toename, die niet in de laatste plaats berust op neo-koloniale uitbuiting en onderdrukking van de bevolkingen van de derde-wereld en de militaire opslui-

ting en kredietafhankelijkmaking van de socialistische landen. Werkloosheid, arbeids-conflicten en andere sociale conflicten kunnen tot nu toe nog door het kapitalisme worden opgelost, zonder dat de heersende ideologie van de vrijheid werkelijk in gevaar komt. Inzoverre niet nodig als noodzakelijk reservepotentieel aan arbeidskrachten wordt werkloosheid opgelost door jongerenprojecten, 'vrije' kleinschalige initiatieven en dergelijke te stimuleren (zij het halfslachtig en voornamelijk verbaal). Of door 'onnutte' werklozen en arbeidsongeschikten gewoon af te schrijven. Mocht dat tot zichtbare armoede leiden dan vormt dat vooralsnog hoogstens een ietwat storend esthetisch probleem. Juist om de idee van de vrijheid te redden, moeten wij ons niet slechts bevrijden van de naam vrijheid, maar ons ook ontdoen van het woord en het begrip als zelfstandig naamwoord, hoe filosofisch en maatschappelijk dat ook gekwalificeerd mag wezen.

De geschiedenis van West-Europa en Noord-Amerika moeten we voortaan wellicht begrijpen en schrijven *als beroofd van vrijheid*.
Waarmee niet gezegd wil zijn dat daarmee deze geschiedenis ook is afgesloten. Maatschappelijk en politiek stoot de burgerlijke maatschappij, ondanks het universalistische streven van haar ideologieën en vocabulair, toch steeds weer op haar eigen tegenspraken, op harde kernen van weerstand. Dat zijn per definitie de arbeidersbeweging, de vrouwenbeweging en de bevrijdingsbewegingen in de derde wereld. Met hen blijft de geschiedenis open en behoudt perspectief op werkelijke bevrijding.

Theoretiseren

Hoewel ik voorstel ons te bevrijden van de *naam* vrijheid en in de kritiek voortaan alleen vrijheid in programmatische vorm te hanteren, wil ik daarmee niet beweren dat wij de praktijken van de heersende vrijheid opheffen door een theorie, die vrijheid als maatschappelijke en filosofische categorie miskent. Een dergelijke theoretische daad is onzin, of op z'n best een provocatie.
Een kritische beschouwing moet op z'n minst de recente geschiedenis van de idee van de vrijheid ook filosofisch begrijpen, wil het plausibel maken dat de heersende vrijheid de idee van de vrijheid heeft vernietigd. Ik kan dat binnen dit kader slechts doen door enkele mogelijke aspecten van zo'n programma aan te geven.

Het marxisme heeft de vrijheid vooral in termen van rationaliteit en natuurbeheersing gedacht. Daarmee was het bewust een voortzetting van het verlichte denken, ook al was het haar kritiek. „Hegel", zo schreef Engels, „was de eerste die de verhouding tussen vrijheid en noodzakelijkheid juist aangaf. Voor hem is de vrijheid het inzicht in de noodzakelijkheid. (. . .)
Dit geldt met betrekking zowel tot de wetten van de uitwendige natuur, als tot die welke het lichamelijke en geestelijke bestaan van de mens zelf regelen – twee klassen van wetten, die wij hoogstens in de voorstelling, maar niet in de werkelijkheid van elkaar kunnen scheiden. Vrijheid van de wil betekent der-

halve niets anders dan het vermogen om met kennis van zaken te kunnen beslissen.
Hoe *vrijer* dus het oordeel van een mens met betrekking tot een bepaald vraagstuk is, met des te groter *noodzakelijkheid* zal de inhoud van dit oordeel bepaald zijn; (. . .).
Vrijheid bestaat dus in de noodzakelijk op kennis van de natuur berustende heerschappij over onszelf en over de uitwendige natuur; zij is daardoor noodzakelijkerwijs een product van de historische ontwikkeling."
Daarmee bracht Engels het inzicht van de Verlichting, zij het historisch-materialistisch begrepen, onder woorden. Vrijheid is gebaseerd op de beheersing van de innerlijke en uiterlijke natuur. Een beheersing, die de Verlichting filosofisch dacht als redelijkheid. En met Hegel, die het dualistisch en materialistisch denken over de rede dialectisch kortsloot en daarom beschouwd kan worden als de samenvatter van het verlichte denken tot dan toe, wordt deze redelijkheid absoluut gedacht.
De rede wordt bij Hegel de absolute subjectiviteit die als wereldgeest de totaliteit identificeert. En omdat voor Hegel het wezen van deze geest de idee van de vrijheid is, wordt de vrijheid daarmee als zodanig en absoluut gerealiseerd. Marx heeft deze hegeliaanse opvatting van een zich in de geschiedenis voltrekkende redelijkheid fundamenteel gekritiseerd. Zijns inziens kon dit slechts culmineren in een verheerlijking van de bestaande machtsverhoudingen en in een minachting van het concrete lot van de mensen.
De identiteit, waarmee Hegel de totaliteit wilde begrijpen, doorzag Marx als de abstractie van de maatschappelijke verhoudingen, die in laatste instantie bepaald zijn door klassentegenstellingen, die op de markt, in het ruilproces tussen kapitaal en arbeid, geïdentificeerd worden.
Vrijheid en noodzakelijkheid begreep Marx als altijd materieel bemiddelde momenten van de verhoudingen en voorwaarden, waarin en waaronder de mensen hun werkelijkheid produceren en reproduceren. De mensen zijn, of concreter, een bepaalde maatschappij is *nooit* absoluut vrij. Vrijheid is geen metafysisch attribuut van het menselijk wezen, evenmin à la Kant een gevolg van een individuele wilsakt, evenmin een achter de ruggen om en door de mensen heen zich noodzakelijk doorzettend principe à la Hegel, (die er overigens de schepping inderdaad als zijnde in principe goed mee wilde denken), enzovoort. Vrijheid is bij Marx altijd een historisch-maatschappelijk moment, niet meer en niet iminder. Vrijheid is altijd, zo stemde hij met de lucide denkers van de Verlichting in, een machtsverhouding tot de historisch gevormde, direct of indirect materiële voorwaarden van bestaan, die ingrijpend veranderen ervan mogelijk maakt.
Vrijheid is derhalve altijd een historisch begrip, waarvan de mogelijkheid door de maatschappelijke verhoudingen en toestanden met noodzakelijkheid wordt geproduceerd als een *proces* van bevrijding, dat wordt aangedreven door de klassenstrijd, de motor van de geschiedenis.

Toch blijft het problematisch, dat het marxisme, terwijl het de materialiteit van de productieve beheersing van de uiterlijke en innerlijke natuur door middel van historisch gevormde klassenverhoudingen heeft begrepen en gekritiseerd, het denken over vrijheid vooral heeft gekoppeld aan het gekritiseerde rationele denken. Daarmee heeft het marxisme de Verlichting, zoals Gert Mattenklott in een artikel aantoont, mogelijk toch maar half begrepen of heeft het op z'n minst de romantische impulsen van de Verlichting, zoals die bijvoorbeeld in het sensualisme tot uitdrukking kwamen, veronachtzaamd. Deed Marx de romantiek nog af als 'ijdelheid van het subject', die, als het een begaafd man betrof, tot 'auffallenden, gerauschvollen, manchmal skandalösen, manchmal glänzenden Paradoxen' leidde, Lukács verkortte de romantiek tot het irrationalistisch verraad van de burgerlijke klassen aan haar eigen grondslagen. En nog steeds hebben de socialistische en communistische organisaties geen productieve verhouding met de romantiek, laat staan met de linkse romantiek. Zij kunnen geen links tégenover verdragen zonder het zich toe te (willen) eigenen, of het te bestrijden, te organiseren of te liquideren. Of ze heffen zichzelf op als socialistische of communistische partij, zoals wij heden ten dage bij de CPN kunnen zien, waardoor het probleem van een links tégenover zich vanzelf, (in een 'heel links'), maar wel heel onproductief oplost. Maar voor de (vroege) romantiek was reeds duidelijk „dat de Verlichting allereerst slechts het bewustzijn, niet ook gelijk het zijn verandert. Zij verandert niet de werkelijkheid, die zij opgeklaard (verlicht) heeft; zij treedt niet in haar plaats, maar blijft – als kennis – haar tegenover, vooreerst niet meer. De verbinding van Verlichting en natuurbeheersing geldt niet mechanisch, zij is fictief. Wij weten dat heden na bijna een eeuw psychoanalyse wel zo zekerder. Freuds optimisme was groot geweest (. . .), die onderwijl teleurgesteld is. Het onder woorden brengen van het onbewuste en diens beheersing zijn beslist twee zaken" (Mattenklott). Hoewel het voor Freud geen betoog behoefde, dat een cultuur, die een zo groot aantal van haar leden onbevredigd laat en tot opstand drijft, geen kans heeft om te blijven bestaan en dit ook niet verdient, was zijns inziens vrijheid uiteindelijk niet te verenigen met cultuur, en zonder cultuur kon Freud zich geen werkelijkheid voorstellen. De culturele ontwikkeling is volgens hem gebaseerd op onderdrukking, beperking, verdringing van zinnelijke driftwensen en is niet denkbaar zonder repressieve driftwijziging, waartoe hij dacht de beheersingstheorie in aanzet te hebben geleverd. De recente geschiedenis heeft ons evenwel bewust gemaakt van het voortdurende latente chaotische onder *alle* beheersing, maar dit weten, dit begrijpen zonder het ook reeds te kunnen beheersen, is nog steeds een groot resultaat van een verlicht denken; het kan ons dan ook onmogelijk verleiden tot deelname aan modieuze verachting of verwerping van de Verlichting. En in het verlengde daarvan van het marxisme.

Maar hoezeer het marxisme ook gekritiseerd moet worden, dat het de vrijheid alleen in termen van rationaliteit en natuurbeheersing heeft gedacht, het heeft wel een humaan concept van bevrijding ontwikkeld, namelijk die van klassenstrijd als motor van de geschiedenis. (En dit blijft mijns inziens geldig bij onderkenning van het belang en de relatieve eigen betekenis van andere maatschappelijke strijd, met name de sexenstrijd. En hoewel het niet aangaat

theoretisch en politiek strategisch de sexenstrijd reductionistisch tot de klassenstrijd te herleiden, moet wel steeds de beweging van de klassenstrijd in de sexenstrijd mede begrepen en bepaald worden.)
Het concept van (klassen-)strijd maakt niet in de laatste plaats kritiek op de (mogelijke) terreur van een Subject (Vrijheid, God, de Man, de Partij, de Leider tot en met het Opper Ik), die de geschiedenis (van de wereld of het individu) zou bepalen, denkbaar en mogelijk.
Het concept van (klassen-) strijd als motor van de geschiedenis passeert het dilemma van autonomie en heteronomie. Het verlost ons van het afschuwelijke (moralistische) getob dat, als wij individuele mensen de geschiedenis maken, wij dan ook persoonlijk verantwoordelijk zijn voor de afloop van de geschiedenis, voor de actuele ellende, voor het fascisme, enzovoort. En daarbij weinig anders kunnen ervaren dan dat wij persoonlijk kennelijk steeds maar falen het kwaad te bestrijden.
Het humane concept van strijd als motor van de geschiedenis verlost ons van dit soort ethiek en dwingt ons te begrijpen, dat het erom gaat partij te zijn, historisch en maatschappelijk bewust te worden. Dat het erom gaat partij te kiezen in de strijd. Dáárbinnen en nergens anders kunnen slechts verantwoordelijkheden geformuleerd worden en criteria gevonden worden voor juist of onjuist handelen, ook met betrekking tot onze bevrijding van de burgerlijke vrijheid.

Ondubbelzinnig geloof

Daar het geloof in de vrijheid, in de naam vrijheid, een zó collectieve daad met dwingend karakter is geworden, heeft de vrijheid elke dubbelzinnigheid verloren en daarmee ook haar oppositionele inhoud: de onvrijheid, *althans* als ook in het Westen maatschappelijk existente en begrippelijke vorm.
Ik weet ook wel dat praktisch iedereen in het Westen meent dat in het Oosten de Onvrijheid (zonder meer) heerst. Het ideologisch mechanisme, dat de vrijwel algemene instemming bewerkstelligt met de benoeming van vrijheid als een anti-socialistische 'categorie', houdt evenwel een beslissende beperking van het begrip vrijheid in. Namelijk de beperking van het begrip tot *Bewegings*vrijheid (in ruime zin) van geloven, spreken, vrijen, schrijven, denken, verenigen, reizen, buiten de uiteindelijk beslissende productie- en reproductieverhoudingen om (, omdat anders de onvrijheid – omgekeerd – in de kapitalistische werkelijkheid zelf wel eens zichtbaar zou kunnen worden).
Opmerkelijk (niet in de zin van verrassend) is dat ook een groot deel van de linkse oppositie deze anti-socialistische benoeming van vrijheid overneemt in haar beoordeling van de toestanden en ontwikkelingen in de socialistische landen. Eventueel gerelativeerd met de al dan niet cynische onderkenning dat repressieve tolerantie altijd nog beter is dan rechtstreekse repressie, waar mits kritisch en historisch begrepen zéker wat van waar is. Maar doorgaans drukt het een volstrekt onkritisch en onhistorisch bewustzijn uit met betrekking tot de werkelijkheid in de socialistische landen. We behoeven ons geen illusies te maken over de (repressieve) reglementering van het bestaan en het bewustzijn

in de socialistische landen. Maar de vrijheid, die in veel links-oppositionele kritiek op de socialistische landen wordt ingezet, neemt niet zelden de trekken aan van de heersende ideologie en heet de vrijheid (te zijn), die in de socialistische landen reeds om zeep is gebracht en hier tégen de bedreiging vanuit die landen beschermd moet worden. Wat mijns inziens een geestelijke habitus van aanpassing tot uitdrukking brengt, die weerloos maakt tégen de regressieve tendensen van de heersende ideologie zelf. Maar dit slechts terzijde opgemerkt, hoezeer het ook één van de dominantste vooroordelen omtrent de vrijheid betreft.

Binnen de westerse verhoudingen zelf heeft de vrijheid evenwel elke dubbelzinnigheid verloren en daarmee haar oppositionele inhoud (de onvrijheid). Zelfs waar sprake is van uitdrukkelijke vrijheidsberoving zoals bij de detentie, wordt deze straf overwoekerd met een de menselijke waardigheid en vrije individualiteit van de gevangene bevestigende ideologie en betekent deze vorm van onvrijheid geen enkele inhoudelijke oppositie van de heersende vrijheid.

En daar doen de huidige bezuinigingen op het gevangeniswezen (nog) niets aan af. Al dreigen zij een dergelijke ideologie, door er elke materiële grond aan te ontnemen, tot een cynische farce te maken. De gevangenissen en gevangenisstraf zijn 'gewoon' andere vormen van vrijheid, namelijk de zogenaamde garantie ervan (. . . de (klein-)burger hoeft niets te vrezen).

Het verlies van dubbelzinnigheid heeft nogal wat gevolgen, niet in de laatste plaats voor de kritiek.

De momenten waaruit het begrip vrijheid bestaat, zijn van oudsher deels filosofisch deels maatschappelijk. Zonder maatschappelijke werkelijkheid zou haar voorstelling geheel inhoudsloos zijn. Dat is duidelijk. Het begrip is inzoverre filosofisch dat het, terwijl het de maatschappelijke werkelijkheid, de maatschappelijke ontwikkelingen uitdrukt, deze tegelijk tegenspreekt.

Op het moment waarop het begrip evenwel geen oppositionele maatschappelijke inhoud meer articuleert en een tautologische onomstotelijke naam is geworden, blokkeert het in tendens de filosofische articulatie en de kritiek. En het blokkeert dan niet alleen de kritiek, het blokkeert ook de onderscheidende disciplinering: onvrije mensen, onvrijheid bestaan voor de heersende ideologie 'gewoon' niet meer. Als iedereen onvoorwaardelijk, zij het daarmee zeer verantwoordelijk (en dus in principe reeds schuldig), vrij is in de vrijheid, dan is het moeilijk voor diegenen, die in werkelijkheid onvrij zijn zich als zodanig tégen de vrijheid te keren, dat wil zeggen hun maatschappelijke werkelijkheid uit te drukken en op grond daarvan in verzet te komen, omdat zij dan direct in een tegenspraak met zichzelf gedreven worden. „Jullie hebben toch de vrijheid te demonstreren, te protesteren ook tégen jullie vermeende onvrijheid", heet het dan. En daar doen harde politionele repressieve maatregelen, maatschappelijk gesproken, niets aan af. Het collectieve bewustzijn wordt er niet door beroerd of beroerd van. Zij, die de vrijheid bedreigen, doen dat op basis van diezelfde vrijheid en dat rechtvaardigt vervolgens de repressie, die immers niets anders inhoudt dan vrijheid van verzet garanderen. Onvrijheid wordt zo steeds weer en op verschillende niveau's als niet-bestaand voorgesteld. Derhalve is het begrip vrijheid bijkans onbruikbaar geworden om maatschappelijke tegenstellingen in uit te drukken. Zowel geredeneerd vanuit de heersende orde, die deze tegenstellingen wil bevestigen door ze in de vrijheid te ontkennen als vanuit de kritiek.

Vrijheid, Gelijkheid en ...

In plaats van op het niveau en in termen van de vrijheid, komen momenteel de maatschappelijke tegenstellingen en tegenspraken vooral tot uitdrukking op het niveau en in termen van gelijkheid. De gelijkheid, die zich vooral (be)vestigt als *normaliteit*. Alsof zo het program van de burgerlijke revolutie alsnog, zij het in volgorde en in verstarrende zin, verwerkelijkt wordt. Maar dit is alleen maar schijnbaar zo, dat wil zeggen dit wordt zo in de heersende ideologie voorgesteld, en kan ook in een niet-revolutionaire en niet door heftige klassenbotsingen gekenmerkte periode zo worden voorgesteld. Maar daarmee wil ik niet stellen, dat de klassenstrijd, bij onderkenning van het gelijkwaardige belang van de sexenstrijd, niet nog steeds de motor van de geschiedenis is. Deze strijd – het meest beslissend als strijd tussen de onvrije loonarbeid en het vrije kapitaal – drukt zich momenteel niet meer uit en kan zich mogelijk ook niet meer uitdrukken als strijd om de vrijheid, maar vooral als strijd om de gelijkheid. Mogelijk als gevolg onder andere van de kwalitatieve en kwantitatieve uitbreiding van de reproductieve arbeid: ambtenarij, dienstverlening, onderwijs, gezondheidszorg, politie enzovoort en daarmee de enorme toename van de ideologische en politieke betekenis van de ('nieuwe') kleinburgerij. Geldig blijft ondertussen, dat de maatschappelijke strijd, hoe en om wat ook (uit)gevochten, geen andere kan zijn dan de organisatie en uiteindelijke verwerkelijking van bevrijding.

De ziekte-metafoor

De normaliteit wordt door het 'gezonde verstand' nogal eens door middel van de metafoor van de ziekte geïdentificeerd. Immers het gezonde verstand – dat strikt genomen niet meer is dan een citaat van een klassiek cliché, maar onder burgerlijke verhoudingen het natuurlijke verstand van de mensen in het algemeen is geworden – kan onmogelijk alles wat zich niet laat identificeren met wat het zelf denkt en voorstelt anders dan als ongezond, ziek of abnormaal denken en afwijzen, of het zou in tegenspraak met haar eigen zelfbenoeming komen. Het gezonde verstand bedient zich van een ware mythologische taal van de ziekte om daar haar of zijn verstaan van de maatschappelijke werkelijkheid in uit te drukken. Of correcter gezegd, het gezonde verstand voegt een door de eeuwen heen gebruikte mythische taal van de ziekte in haar eigen ideologie in. Een taal die de werkelijke ellendigen en de al dan niet vermeende zieken stigmatiseert en buiten de heersende orde voegt. Dat als gevolg van het mythologische en metaforisch gebruik van de ziekte de reëele ziekten zeer oneigenlijk belast worden met vaak uiterst tegenstrijdige voorstellingen en

angsten, heeft Susan Sontag in de beste traditie van het verlichte denken voor met name TBC en kanker in haar essay *Illness as metaphor* aangetoond. Om slechts één voorbeeld te geven.
Alsof het een werkelijke wetenschappelijke diagnose betreft worden we in deze tijd van crisis ervan overtuigd dat Nederland een zieke patient is, in economisch, politiek en ideologisch opzicht. We hebben 'als Nederland' vooral van alles teveel tot ons genomen en lijden derhalve aan nog al wat welvaartsgebreken. Indigestie, verslapping van lichaam en zeden, hersenzwakte dat wil zeggen naïeviteit (vooral ter zake van vrede en veiligheid) enzovoort.
En geholpen door een zich breedmakend neo-conservatisme, dat de verzorgingsstaat als ziekteverwekkend identificeert en het 'eigen initiatief' als remedie aanprijst, worden we uitgenodigd om datgene wat we blijkbaar als wederrechtelijke begunstiging (en niet door strijd) hebben verworven 'in te leveren', opdat 'we' zullen genezen tot een gezonde economie, tot een gezonde samenleving van in vrijheid niet door staatsbureaucratie klemgezette zichzelf zijnde vrije mensen.

Maar het is niet alleen de klein-burgerlijke ideologie, die de werkelijkheid als gezond/ongezond, normaal/abnormaal identificeert, zoals in vroeger tijden de godsdienst de werkelijkheid als rein/onrein, verzoend/onverzoend, gelovig/zondig identificeerde. Ook anti-burgerlijke, anti-kapitalistische kritiek maakt gebruik van deze uiterst ambivalente – want snel als 'natuurlijk' begrepen – benoemingen, duidingen, categorieën, die geen enkele verklarende kracht hebben, alleen retorische inzoverre ze appeleren aan algemeen geaccepteerde vooroordelen betreffende ziekte*beelden* of speculeren op reële angsten voor bepaalde ziekten. Het fascisme bijvoorbeeld als de pest beschrijven behoeft niet zonder betekenis en zonder beoogd schokkend, te denken gevend effect te zijn, maar het is geen probleemstellende beschrijving; het zegt net zomin iets over de werkelijkheid van het fascisme als over de pest. En even eenvoudig wordt het communisme beschreven als kankergezwel, dat de menselijkheid bedreigt.
In de kritiek zal men dan ook altijd zeer behoedzaam de metafoor van de ziekte moeten gebruiken, wil men niet ongemerkt de kritiek in reeds bestaande kleinburgerlijke vooroordelen inschrijven. Het grondmechanisme van dominante klein-burgerlijke ideologie is immers geschiedenis in natuur te veranderen. En de ziekte-metafoor loopt het risico dit mechanisme – zelfs als het kritisch of ironisch gebruikt wordt – te schrijven en op te roepen. In de ziekte-metafoor heeft het gezonde verstand bijna per definitie elk oordeelsvermogen verloren.
Overigens functioneren metaforen alleen kritisch als het erom gaat 'abstracties' te breken, maar zijn discriminerend en onderdrukkend zodra het mensen treft of menselijke aandoeningen betreft.

Dat de ziekte-metafoor zo'n dwingende ideologische werking heeft, hangt ongetwijfeld samen met de onder kapitalistische verhoudingen verminkte verhouding tot de uiterlijke natuur, en het menselijke lichaam (en z'n geslach-

telijkheid), die allereerst verschijnen als objecten van exploitatie. In het christendom was het vleselijke lichaam als bron van alle kwaad reeds naar beneden gehaald, (met name het vrouwelijke lichaam werd geïdentificeerd met het kwaad, terwijl de geest als mannelijk werd opgewaardeerd). In de kapitalistische uitbuitingsverhoudingen en de arbeidsdelige scheiding tussen hoofd- en handarbeid is de pure lichamelijkheid – in de mate waarin de Heren de arbeid van anderen minder konden ontberen – nogmaals vernederd tot ding en getaboeïseerd. Een objekt van zedelijke en medische zorg, maar waaraan elke rationaliteit is ontnomen. (De opkomst van het gezag van de arts hangt niet voor niets samen met de opkomst van de waren-productie.)
De zo geproduceerde scheiding tussen lichaam en geest verdringt de ziekte en het zieke lichaam naar de nachtzijde van het leven. Een maatschappelijke ontwikkeling die ook verklaart waarom – momenteel – de op vele en onderscheiden manieren uitgebuitte, verkochte, klemgezette, gedisciplineerde lichamen niet in opstand komen tégen al de verhoudingen en ideologieën die ze verdrukken, maar nogmaals het lichaam als ding als irrationele eigenheid bevestigend ageren tégen de rede, het intellectuele verstand, en proberen via een anti-intellectualistisch hedonisme (tot uitdrukking komend in maniakale zorg om gezond eten, gezond leven, cultische zorg om de conditie e.d.) en verlangen naar het (goede leven van het) 'platte land' de scheiding tussen lichaam en geest in regressieve richting te slechten. Dat wil zeggen de 'geest' uit te drijven en de hand aan zichzelf (en de stadscultuur) te slaan. Dat wil zeggen ze laten zich nogmaals pakken door de heersende ideologie ten gunste van de heersende kapitalistische verhoudingen.

Rammelaar klepper maar

Overigens brengt de ideologie van de normaliteit zelf vaak de termen en middelen voort om haar te kritiseren. Het is wel degelijk mogelijk bijvoorbeeld de metafoor van de ziekte, waarmee de normaliteit zichzelf (als) gezond benoemt, tégen haarzelf (en haar gebruikers) te keren, mits men niet de loutere omkering beproeft, maar de inhoudelijke ambivalentie betrapt en de daarmee verbonden (mogelijke) inhoudelijke betekenisverschuivingen theoretisch ontwikkelt en vervolgens politiek praktisch inzet.
Om dit toe te lichten grijp ik terug op een historisch voorbeeld. Ik meen dat te kunnen doen, daar het gebruik van de ziekte-metafoor geen pas bij de opkomst van het kapitalisme optredend verschijnsel is, maar in voorgaande maatschappijformaties reeds de heersende orde ideologisch mede (be)vestigde. En het ideologisch effect is niet fundamenteel veranderd. Hoezeer de Verlichting de onttovering van de werkelijkheid ook heeft beoogd, zij sloeg dialectisch in menig opzicht in 'nieuwe' mythologie om en zo konden aloude magische en mythische metaforen stand houden (vgl. Horkheimer/Adorno).

Van oudsher is de rammelaar of de klepper het instrument om boze geesten of om menselijke dan wel dierlijke booswichten te verjagen (Benjamin).
Het is dan ook niet zonder ironie dat de tot 'melaatsen' gestigmatiseerden (de

al dan ook niet vermeende leprozen) eertijds verplicht werden hun aanwezigheid met o.a. dit instrument kenbaar te maken, zo goed als het niet zonder ironie is dat men kleine kinderen een rammelaar gaf en, zij het zonder historisch besef, nog steeds geeft. Is in het geval van het zeer kleine kind de onschuld van het kind onmiddellijk gegeven en zullen de ouders niet aan zichzelf gedacht hebben als zij het kind door het een rammelaar in de hand te geven wilden beschermen tégen de boze geesten, in het geval van de 'melaatsen' wisselde de onschuld en het kwaad van subject met het teken van de rammelaar of klepper. Dat wil zeggen dat de reinen (de gezonden), die in de 'melaatsen' de onreinheid, de schuld, het kwaad meenden te identificeren, door het teken van de rammelaar of klepper tegenover de 'melaatse' in de positie terecht kwamen van het te verdrijven kwaad, dat zij ook werkelijk representeerden en de 'melaatse' letterlijk aandeden: het ellendige lot van de uitstoting uit de 'normale' orde van het leven. Een kwaad dat uitdrukking was van hoe de feodale (godsdienstig gereflecteerde) normaliteit zich (be)vestigde en de bedreigingen van haar orde begreep, die in die tijden inderdaad vooral die van de uiterlijke natuur waren (misoogsten, epidemische ziekten, hongersnoden). Een kwaad (de uitstoting), dat de gezonden, de zogenaamde reinen, zich van geen schuld bewust, aan zichzelf verzoenden door (vormen van) charitas: het geven van aalmoezen, het stichten van leprozerieën en in een theologische duiding van de 'melaatsen' als de waarachtige 'lieve kinderen Gods'.
De hier theoretisch ontwikkelde betekenisverschuiving bleef in het geval van de 'melaatsen' latent, omdat de op basis van een bepaalde, zij het zowel exegetisch als medisch volstrekt foutieve bijbellezing en uitleg, tot 'melaatsen' gestigmatiseerden vaak leden aan werkelijke, maar medisch onbegrepen, ziekten (meervoud). De tegenspraak, die de 'melaatsen' weliswaar representeerden, bleef derhalve vooral bestaan in de vorm van hun ellendig lot.

Gekken en dwazen

Gekken en dwazen schrijven hun namen op muren en glazen. Zo spreekt het Woord afkeurend van de Naamloos Normalen, of beter zo spreekt nog immer het heersend vertoog van de met gezond verstand bedeelden, dat een heel bepaalde normaliteit probeert te (be)vestigen, ten gunste van gevestigde machts- en uitbuitingsverhoudingen. Een normaliteit, waarin vervreemding (als objectieve beweging), dat is het verlies van mogelijkheden om maatschappelijke en subjectieve identiteit te vinden, in schuil gaat. Een normaliteit, die de maatschappelijke en subjectieve verscheurdheid van de individu ignoreert. En aan de zogenaamde normaliteit lijdend proberen gekken en dwazen tenminste nog hun eigen identiteit overeind te houden; schrijven ze hun namen tégen de hele gigantische poging in om hen van hun namen te beroven onder het bevel: 'wees als alle anderen jezelf en anders dan anderen', steeds maar weer op muren en glazen, bij gebrek aan beter. Maar te vrezen valt dat dit wanhopige gevecht om identiteit momenteel meer en meer gesmoord wordt in de psychofarmaceutische disciplinering van de gekken en dwazen. In de inrichtingen „heeft de farmacologie de zalen vol onrustige mensen reeds veran-

derd in grote lauwe aquariums" (Foucault), de gekken en dwazen veranderd in ten hoogste nog exotisch ogende maar voor het overige stom happende zinloos rondzwemmende vissen.
En wat momenteel in de inrichtingen in uitgekristalliseerde vorm gebeurt staat voor een algemene tendens, een algemene strijd van de heersende normaliteit en heersende orde om de feitelijke 'verzieking' als uitdrukking van het lijden aan de vervreemding, de verscheurdheid, de klassen- en sexenstrijd onder controle te houden. Om de uitbraakpogingen te verijdelen. Om het verzet te beteugelen. Om de pogingen van de tot abnormalen gestigmatiseerden (gekken, flikkers, potten – de voorbeelden zijn niet willekeurig –) zichzelf niet tot zogenaamde normalen te emanciperen maar zich als mogelijke authentieke identiteiten te verwerkelijken onder bedwang te houden. En dat alles niet in de laatste plaats door medicalisering van de samenleving in samenhang met een het traditionele heterosexuele gezin herstellende verzedelijking.
Vandaar ook dat in de laatste eeuw het belang van de psycho-en somapathologie zo enorm is toegenomen. Vooral ook sinds de waanzin door Freud onder begrip is gebracht, die vóór hem zonder logos kletste. Vandaar ook, dat vanuit ideologiekritisch standpunt het steeds belangrijker is geworden de psycho- en somapathologie kritisch te lezen, juist ook waar het opgenomen is in het alledaagse vertoog van het gezonde verstand. De psycho- en somapathologie kan ons veel duidelijk maken over de (toe-)stand van de maatschappij.

Het altijd gelijke

De klein-burgerlijke ideologie heeft – het is al gezegd – de universele machtsaanspraak van de verlichte burgerij getrivialiseerd.
Zo impliceert de klein-burgerlijke ideologie van de normaliteit de weigering van het anders-zijn, waar het verlicht burgerlijke denken nog in staat is, namelijk liberaal, het anderszijn te plaatsen, een plaats toe te wijzen. De klein-burgerlijke ideologie van de normaliteit impliceert het ontkennen van de verschillen, waar het verlicht burgerlijke denken verschillen nog op 'waarde' weet te schatten; impliceert het geluk van het identiek zijn, waar het verlicht burgerlijke denken dergelijk geluk nog als beheersing doorziet en het de orde noemt; impliceert de verheerlijking van de gelijkvormigheid en de harmonie, waar het verlicht burgerlijk denken evenwel hoogstens de burger zelf als dissonant begrijpt inzoverre deze de massa, die door hem de massacultuur opgedrongen krijgt, veracht.

Toch is de normaliserende druk van deze ideologie zelf tegenstrijdig, en slaagt er niet in maatschappelijk de geslotenheid van het altijd gelijke, in absolute zin, voort te brengen.
Deze ideologie raakt verstikt in haar eigen geloof, dat de maatschappij samengesteld is uit autonome individuen, die alleen eindeloos als anders dan anderen geïdentificeerd kunnen worden. In werkelijkheid is de maatschappij niet samengesteld uit individuen, maar uit klassen en sexen (om slechts de hoofdtegenstellingen te noemen), die in klassenstrijd en sexenstrijd zijn verwikkeld. In

werkelijkheid worden de individuen daarin – beslissend – als subject geïdentificeerd. Individuen zijn altijd al als ideologisch gekwalificeerde subjecten geïdentificeerd, omdat alle geschiedenis tot nu toe geschiedenis van klassen-, sexen- en andere maatschappelijke strijd is geweest. Terwijl (dus) in werkelijkheid de 'concrete individuen' onder kapitalistische verhoudingen van individuele kwaliteit beroofd worden, kan de heersende ideologie de 'autonome authenticiteit', als onmiddellijke individuele kwaliteit, alleen maar redden door het voortbrengen, het voorstellen van een eindeloze reeks van poses. Mythen van persoonlijkheden, van helden en heldinnen, waaraan steevast een steekje (maar bij nadere beschouwing altijd in de vorm van een cliché) los moet zitten om geloofwaardige beelden te vertegenwoordigen. Beelden die het geloof steeds weer opnieuw moeten bevestigen dat de maatschappij uit autonome individuen zou bestaan.

Maar als collectieve anonieme ideologie van de naamloos normalen – en dat is niet denigrerend maar feitelijk bedoeld; de onmondigheid van de massa der mensen drukt haar werkelijke maatschappelijke afhankelijkheid van het productieapparaat en de reproductieve ideologische apparaten uit – brengt het onbewust van enige tegenstrijdigheid – steeds weer – de geslotenheid van het altijd gelijke en normale voort, waarin behoeften en verlangens naar bevrijding, anders-worden, verandering, niet meer algemeen kunnen worden voorgesteld en (dus) verondersteld.
Een geslotenheid, die natuurlijk, onmiddellijk en universeel heet (te zijn), en een veelheid 'genormaliseerde vormen' wordt bevestigd en herhaald, waarvan het merendeel onopvallend is: het (lichte) amusement, het weer(-praatje), de inrichting van het huis, de keuken, de visvereniging, het huwelijk, het familie- of kerkbezoek, de kleding enzovoort. Een geslotenheid, die het abnormale ofwel absorbeert, maar vaker onbegrepen uitsluit, door 'onschuldige' afwijzing, maar ook door sexistische, racistische en zelfs fascistoïde vormen van uitsluiting.

Deze klein-burgerlijke ideologie van de normaliteit staat evenwel steeds onder druk van de maatschappelijke ontwikkelingen en tegenstellingen.
Ik noem slechts enkele voorbeelden.
De behoefte van het kapitaal in de 50-er en 60-er jaren aan 'vreemde' arbeidskracht, de beëindiging van de koloniale bezettingen en daarmee de komst van allochtonen – ik schrijf over de nederlandse situatie – plaatsen de 'witte' kleinburgerlijke normaliteit onder druk.

De toenemende productiekracht van het kapitalisme en de daarmee gepaard gaande groei van de maatschappelijke rijkdom was ook de voorwaarde voor de emancipatie en bevrijding van vrouwen. En eenmaal ontketend plaatsten en plaatsen vrouwen zich van sexe *an-sich* tot sexe *für-sich* organiserend de patriarchale normaliteit(en) onder grote druk.
Ook het geheel van buitenparlementaire en andere oppositionele bewegingen – krakers, vredesactivisten, milieuactivisten e.d. –, dat zich niet reductionis-

tisch laat begrijpen in termen van klassenstrijd, brengt een veelheid tegenspraken en de normaliteit openbrekende 'abnormaliteiten' voort.

Naarmate schijnbaar de formele vrijheden toenemen – evenwel altijd gekoppeld aan een verantwoordelijkheid voor een autonomie, die feitelijk geen mens onder kapitalistische verhoudingen bezit of opbrengen kan – en het (onveranderlijk voortdurende) sociale leed zich daardoor niet in politieke, justitiële en dergelijke conflicten kan uitdrukken, wordt dit leed verdrongen en verschoven naar een oud zeer: de sexualiteit. En in tegenspraak tot het openbaar vertoog over de (veranderende) sexuele moraal „zijn de sexuele taboes sterker en dwingender dan alle andere, zelfs de politieke, al zouden ze nog zo nadrukkelijk zijn ingehamerd" (Adorno). Daar deze taboes evenwel steeds minder rationeel en als maatschappelijk noodzakelijk gemotiveerd zijn, is de normaliserende druk van de heersende ideologie m.b.t. de sexualiteit steeds ambivalent en niet zelden obscuur, waardoor de heersende normaliteit een permanente strijd moet voeren om zich te handhaven, met alle politieke implicaties vandien, als gevolg waarvan regeringen ten onder kunnen gaan of zich juist constitueren. Ik denk bijvoorbeeld aan de strijd rond de abortuswetgeving.

Snobisme: (opzien baren door anders dan anderen te doen)

Er bestaat ook een opstandigheid, die de klein-burgerlijke geslotenheid van het altijd gelijke probeert te negeren, door zichzelf te begrijpen en te bestempelen als avant-garde, burgerschrik, anti-klootjesvolk-beweging, alternatief enzovoort. Een opstandigheid die even desolaat en opzichzelf verschijnt als de manier waarop de normaliteit de werkelijkheid voorstelt zonder ander centrum dan de individuele mens (als Robinson of Roberta). Het is een opstandigheid, die niet zelden een gezocht, geforceerd, modieus abnormalisme voortbrengt, dat als keerzijde slechts de verachting van de massa van 'gewone' mensen kent. Een verachting die slechts de heersende ideologie, die individualiteit en authenticiteit glorificeert, als extreem uitdrukt. Dit abnormalisme is het regressieve mangat (schuttersputje) van de individualiteit van hen, die de massa vrezen. Wat niet verdragen wordt aan de normaliteit is haar taal, zijn haar vormen, niet haar maatschappelijke status, niet de burgerlijke kapitalistische maatschappelijke structuur, die zij uitdrukt.
Het is waar dat de normaliteit in de hedendaagse filosofie, met name in navolging van Marx, Freud en Nietzsche, geen goede naam heeft, maar alle gezochte abnormaliteit, die niet berust op kennis van zaken met betrekking tot de normaliteit, waartégen het zegt zich af te zetten, is uiteindelijk slechts een pose, die de normaliteit niet kritiseert maar juist bevestigt.
Maar armzaliger dan een dergelijke opstandigheid tégen de normaliteit is wellicht toch de bewuste aanbidding ervan, die evenwel niet de massa van 'gewone' mensen verweten moet worden, maar hen die de massa ertoe dwingen voor de normaliteit te knielen.

Apotheose

Zelfs een artikel in de vorm van fragmentarische teksten moet afgerond worden, al zou het afbreken ervan meer in overeenstemming zijn met de inhoud. Ook dit artikel moet een afronding hebben, een soort apotheose van een mogelijk uit de hand, in ieder geval uit mijn schrijvende hand, gelopen voorstelling (van zaken omtrent de vrijheid) krijgen. En waarom niet dat doen door te herinneren aan een revolutionaire uitspraak van Lenin (of Trotzky; Roland Barthes, bij wie ik het citaat vond, merkt erbij op: „ik weet niet wie van beiden, maar het was tijdens de oktoberrevolutie, het verschil deed er nog niet toe"): „En als de zon burgerlijk is, zullen we de zon tot stilstand brengen". Dat is een revolutionaire machtsaanspraak, waarvan – althans letterlijk genomen – Miskotte mogelijk gezegd zou hebben dat het een heidense uitspraak is of nauwelijks een 'bijbelse', daar alleen Jozua een dergelijke kosmische machtsingreep uitvoerde, toen hij met behulp van de Heer de zon boven het dal van Ajalon beval stil te staan (Joz. 10, 12).
En het is niet uit te sluiten, dat door een aantal Bolsjewieken Lenin's uitspraak letterlijk is opgevat. Deze Bolsjewieken „wilden alles organiseren," zo kritiseert V. Sjklovski hen ironisch in zijn boek *Sentimentele reis*, zij wilden er voor zorgen dat de zon volgens een vast schema opkwam en onderging en dat het weer op de kanselarij werd gemaakt".
Maar de door Lenin (of Trotzky) voorgestelde aanslag op de zon, bedoelde mogelijk toch allereerst de aanslag op de burgerlijke zon: de Verlichting. Een aanslag zoals de revolutionaire Futuristen (Kroetsjonych, Chlebnikov en anderen), die in 1913 reeds – in de vorm van een opera – voorstelden: „We hebben de zon uitgerukt met wortels en al; ze roken naar rekenkunde, vettig (. . .)".
En als nu eens de burgerlijke vrijheid tijdens de burgerlijke revolutie vooral als zon (de dageraad met hanegekraai en al) werd gesymboliseerd, hoeveel te meer zouden wij nu ons Lenin's (of Trotzky's) oproep ter harte moeten nemen, nu die burgerlijke vrijheid een dode zon blijkt, die alleen naar de vorm nog herinnert aan die van de Verlichting?
„En als de zon van de burgerlijke vrijheid dood is, zullen we deze zon tot stilstand moeten brengen" om vrij te kunnen worden.

Verantwoording

Het artikel bevat – het is reeds aan het begin ervan gezegd – geen nieuwe inzichten. Hoe zou het ook kunnen? Ik heb de inzichten aan anderen ontleend, door lezing van geschriften van, (respectievelijk discussies met): Adorno, Althusser, Barthes, Benjamin, Brecht, Dahmer, Dick, Engels, Enzensberger, Foucault, Habermans, Horkheimer, Johanna, Lash, Marcuse, Marx, Mattenklott, Miskotte, Müller, Offermans, Sonntag, Stuurman, Veerkamp, Vogelaar, Willemien en anderen.

VRIJHEID IN NERGENSHUIZEN
Een kritiek van het wonen in klein bestek

Hans de Vries

„Natuurlijk, Klatt, op mijn werk heb ik niets te vertellen. Maar wat zou dat? Ik doe mijn werk als alle anderen. Zou ik me daar dan druk over maken? Als ik thuis ben, ben ik thuis. Dat kan niemand me afnemen, Klatt, dat is mijn vrijheid. Dat is vrijheid."[1] Aan het woord is een rechtschapen arbeider, en in zijn poging om zijn collega Klatt, die schoon genoeg heeft van zijn werk, te bemoedigen in gareel te brengen, drukt hij de ervaring uit van zeer velen. Hij maakt tevens de grenzen duidelijk van het vrijheidsbegrip dat met deze ervaring is gegeven. De locatie van de vrijheid is het huis. De vrijheid is de vrijheid van het wonen. De tijd die ermee gemoeid is, is de vrije tijd.

Dat is vrijheid. Verlost van de belasting van het sociale en economische verkeer, ervaart de bewoner in de woning zijn *ὀικειωσις*, zijn eigenheid. De woning bergt de mens lijfelijk, is beschutting tegen weer en wind en is als zodanig een primaire materiële levensvoorwaarde. Maar zij heeft meer te bieden. Pas door de woning wordt de aarde bewoonbaar, de woning is de naar menselijke maat gesneden levensruimte. Verblijvend in deze overzichtelijke ruimte is de mens bij zichzelf. Met het vertrouwde binnen handbereik en een weldadige rust onder ogen weet hij zich opgenomen in de veiligheid van het interieur, gevrijwaard tegen vreemde, storende interventies van buiten.

Comfortabel, behaaglijk, intiem, dat zijn de epitheta waarmee het domein van het privéleven wordt gesierd. Vredig, kan er nog aan worden toegevoegd, en dan moet haast de verwijzing volgen naar een van de etymologische kunstgrepen van Heidegger, die wonen bepaalt als: tevreden zijn, tot vrede gebracht zijn, verblijven in het vrije, behoed voor schade en bedreiging.[2] Dat Heidegger dit wonen aan het einde der tijden denkt, heeft menig denker over het wonen er niet van weerhouden om zijn bepaling dankbaar over te nemen en te laten gelden voor het hedendaagse wonen: Niet gebonden aan het vreemde en oneigene woont de mens in vrijheid. Het bewustzijn van zijn vrijheid krijgt hij in de binnenwereld van het huis, waarin zijn eigenheid onbelemmerd aan het licht komt. „In het eigen huis heerst enkel de wet die de mens zelf stelt, een oikonomia die de vrijheid als norm heeft en als eigenlijke inhoud."[3]

Wat is dat voor vrijheid, die is begrensd door de wanden van de woning. Haar aantrekkingskracht is groot. Contrastering met storm en sneeuwbuien roept beelden op van genoeglijke familietaferelen, koesterend haardvuur, de warmte van het bed. Maar haar uiterlijke bepaaldheid is bijna verpletterend. In ver-

1. Lokomotive Kreuzberg, Kollege Klatt, Dortmund 1972.
2. Martin Heidegger, *Vorträge und Aufsätze,* Pfullingen 1959, 149.
3. L. Vander Kerken, *Filosofie van het Wonen*, Bilthoven 1965, 39.

houding tot de buitenwereld moet de vrijheid van de woning als uitermate particuliere vrijheid worden begrepen, en de gehechtheid aan deze vrijheid kan enkel worden verklaard vanuit de heersende economische en maatschappelijke onderdrukking waaraan mensen niet blijvend kunnen zijn blootgesteld. De woning dient hen als wijkplaats. Na gedane arbeid vluchten zij in een sfeer waar zij zelf de dienst kunnen uitmaken, in het reservaat van de vrijheid die begint bij de voordeur, en moeten er even niet aan denken dat zij zich de volgende dag toch weer in de onherbergzaamheid moeten wagen. Want de voorwaarden voor de vrede van het huis zijn gedicteerd door de oorlogswetten van buiten, en naarmate de sociaal-economische buitenwereld vijandiger en grimmiger wordt, wordt de beschutting van de woning sterker en wordt de vrijheid binnenshuis steeds groter, om tenslotte exclusief te worden: de enige vrijheid.
Een vrijheid die zo maatschappelijk geconditioneerd is, komt niet uit de lucht vallen, maar heeft historische antecedenten. Haar bakermat is de economische ontwikkeling in de vorige eeuw, waarin het industriële kapitaal een objectieve gedaante krijgt en tegenover zich de menselijke arbeid tot loonarbeid maakt. In het productieproces, het voortbrengen van het materiële leven, wordt de productieve activiteit van de mens van de hand gedaan. Zij zou vrije activiteit kunnen zijn, zichzelf vervullende arbeid in eigen beheer, maar zij komt in dienst van een ander te staan en de opbrengst is uitsluitend bedoeld om in de instandhouding van de arbeidskracht te voorzien. Niet de vraag „wat kunnen wij produceren" maar de vraag „hoe kom ik aan mijn dagelijks brood" drijft de mensen naar hun werk. Met andere woorden, als loonarbeid is arbeid niet zelf een behoefte, maar louter een middel om behoeften buiten de arbeid te bevredigen. Leven en werken zijn uiteengevallen en staan in een instrumentele betrekking tot elkaar. De arbeider begrijpt het 'leven', de 'vrije tijd', als doel, de kapitalist begrijpt het als middel.
Ruimtelijk gezien zijn in deze historische ontwikkeling wonen en werken uiteengevallen. De boerenhoeve en de woning annex werkplaats van de ambachtsman of van de middenstander zijn residuen van de eenheid van wonen en werken. De industrialisering van de productie heeft een scheiding tussen beide bewerkstelligd en een steeds meer tijd rovend woon-werkverkeer noodzakelijk gemaakt. Deze scheiding, en de ervaring van het werk als noodzakelijk kwaad hebben in de woning ruimte geschapen, waarin de vrijheid haar intrek kon nemen. De woning is de plaats waar de mens tot zichzelf komt en zijn vrijheid zo aangenaam mogelijk inricht, ieder zijn eigen vrijheid in zijn eigen woning. Want de maatschappij drijft op een verzameling particuliere perspectieven, en woningen zijn behuizingen van extreme subjectiviteit.
Is de tegenstelling van industrieel kapitaal en loonarbeid de objectieve voorwaarde voor het ontstaan van de vrijheid in de woning, voor het genieten ervan moet aan een aantal subjectieve condities zijn voldaan. Om de vrijheid van het wonen te kunnen ervaren moet de bewoner het huiselijk leven in de woning zien als ontheven aan en onafhankelijk van de openbare wereld van de dagelijkse arbeid. D.w.z. hij moet blind zijn voor de objectieve samenhang van het economische systeem en het privéleven. De woning is in staat om zelf deze imaginatie voort te brengen. Het interieur verklaart door zijn gewoonheid en

gerieflijkheid de verhouding met zijn werkelijke bestaansvoorwaarden tot non-existent en ontneemt het zicht op de machten waaraan de woning horig is. In de stoffering wordt niet zichtbaar, dat de productie en de instandhouding van woningen onlosmakelijk deel uitmaken van het kapitalistische productieproces, dat de woning koopwaar is, geproduceerd voor de markt, en dat overwegingen van rentabiliteit bij de bouw aanzienlijk meer gewicht in de schaal leggen dan de behoefte van de toekomstige bewoners. Toch is de woning tot in het bouwmateriaal doortrokken van kapitaalsbelangen. Hoe zouden anders 'Einstürzende Neubauten' verklaard moeten worden, en de monotone treurigheid van suburbane woonwijken, waarmee in sommige gevallen stortplaatsen van giftig afval zijn afgedekt. Ook binnen de premiekoopregeling worden de grenzen van het mogelijke vooral getrokken op de markt. De bewoners mogen de kleur van het sanitair kiezen en moeten genoegen nemen met het behangselpapier dat het bestek voorschrijft. Zij worden hun eigen huisjesmelkers. De woonbehoeften zijn geminimaliseerd en gestandaardiseerd. De meeste woningsplattegronden dresseren de bewoner. Wonen is verblijven in de zithoek. Het is gereduceerd tot een van de functies van het huiselijk leven, naast koken, eten, knutselen en slapen. Wat wij ons dan bij wonen moeten voorstellen, wordt dagelijks uitgedrukt in kijkcijfers. De positie van de woning op de markt wordt intussen uitgedrukt in guldens.
Maar er is meer waarvoor de bewoner de ogen moet sluiten om de vrijheid van het wonen te kunnen beleven. Is de woning voor het enkele subject het punt waarheen het zijn vlucht naar de vrijheid kan richten, gezien in het licht van de huidige productiewijze heeft het wonen slechts waarde als reproductie van de arbeidskracht en staat het derhalve onder de voogdij van afpersende machten. Vrijheid is zo bezien niets dan de voor het herstel van de arbeidskracht noodzakelijke onderbreking van het arbeidsproces. Een mens moet tenslotte eten, drinken, zich vermeien in de heersende ideologie, slapen en zich voortplanten. Arbeidskracht is koopwaar, en het is al een hele inspanning om een gelegenheid te vinden om die te slijten vandaag de dag. Menselijke betrekkingen zijn verregaand geïnstrumentaliseerd. In het management worden geen pogingen meer ondernomen om dat te verhullen. Wantrouwen is tot kardinale deugd verheven, het harnas is de gepaste kledij. En wat zou er anders als maatstaf kunnen dienen voor de verhoudingen binnenshuis dan de verhoudingen waaronder buitenshuis de arbeid wordt verricht. Macht en manipulatie geven de toon aan en zijn zo dominant dat zij noodzakelijk in de privésfeer doorwerken en het verkeer tussen huisgenoten voortekenen. Ook deze voorwaardelijkheid maakt de horizon van de vrijheid van de woning bedenkelijk. De woning is een belaagde vrijplaats. Hoe autonoom is daar het zelfbewustzijn van de bewoners, hoe vrij zijn hun verhoudingen, hoe vrij is hun lustbeleving? Leidt de exclusie die zich voordoet als vervulling niet tot volledige lusteloosheid?
Een derde voorwaarde voor de ervaring van vrijheid in de woning is dat de huishoudelijke arbeid onzichtbaar blijft, terwijl de huismoeders opgesloten in hun gezinswoningen met haar arbeid het woonbehagen voortbrengen voor de buitenshuis werkende mannen. De scheiding tussen werken en wonen, die de

woning als veilige haven in het aanzijn heeft gebracht, bestaat voor huismoeders in de meeste gevallen niet. Voor haar valt wonen samen met het verrichten van onbetaalde arbeid en is de woning geen rustpunt in een slopende wereld, maar de behuizing van haar sociale isolement. De vrijheid in de woning is dus sexegebonden, en kan slechts bestaan indien de huishoudelijke arbeid als natuurlijke uiting van het vrouwelijke wezen verschijnt, of liever nog als eigenschap van de woning zelf.
Uiteraard is ook de huishoudelijke arbeid een historische categorie. Het dagelijks leven in de zich industrialiserende landen in de 19e eeuw laat zien dat deze arbeid als onbetaalde arbeid nog niet bestond. Voor het arbeidersgezin was huishouden niet veel meer dan 'de organisatie van de dagelijkse ellende'. De arbeidersvrouw was loonarbeidster, hetzij als thuiswerkster, hetzij in de fabriek. In het burgerlijke gezin zwaaide de 'huisvrouw' de scepter over het huispersoneel. Zij verrichtte zelf geen huishoudelijke arbeid in onze betekenis van het woord. De onbetaalde, geprivatiseerde huishoudelijke arbeid ten dienste van de reproductie van de arbeidskracht wordt pas in de 20e eeuw algemeen,[4] als het twee-generatiegezin is ondergebracht in de gezinswoning waarin het leven in functies is ingedeeld en keuken en kinderkamer de belangrijkste werkplaats van de huisvrouw zijn geworden. Daarmee is ook haar economische afhankelijkheid van het inkomen van de man een feit. Door deze organisatie van het huishouden is eveneens de ongelijkheid tussen de sexen algemeen geworden. Hun verhouding in de woning staat in het teken van macht en onderdrukking.
Dat is vrijheid. Een twijfelachtig mannenprivilege dat zijn bestaan te danken heeft aan het feit, dat de woning zich in ideologische nevelen hult. Tegenwoorig wonen wij aan de tuinkant en kijken uit op een paar vierkante meter gedomesticeerde natuur. De woning heeft zich van de straat afgekeerd, want ook de straat is vijandig geworden, besmet met de leegte van de openbaarheid. Heesters en vitrage beschermen de privacy, die angstvallig staande gehouden wordt tegenover zijn negatieve bepaaldheid. Met een scheef oog gluren wij naar het enige venster dat uitziet op de wereld, het gerasterde beeldscherm. De horizon van de woning staat geen ruimer perspectief toe, en de agenten van de economische orde zijn vasthoudend. Zij weten het subject te vinden tot in de verste maatschappelijke schuilhoeken, tot in de enkele woning, om het daar met hun hallucinogenen te injecteren. Bedwelming wordt vrijheid, het dwangbuis wordt woning.
Nauwelijks is het 'wonen' als categorie ontstaan,[5] of het is reeds onmogelijk geworden. Hiertoe besluit Adorno als hij het over het 'asiel voor daklozen' heeft.[6] Voor hem zou deze omhaal van woorden overbodig zijn. Het is immers zonneklaar, de objectiviteit is totalitair en vertoont geen scheuren of breuken

4. Gisela Stahl, „Van huishoudkunde tot huishouding of hoe een huis een woning wordt", in *Vrouwendomicilie en Mannendominatie, reader over vrouwen, wonen en gebouwde omgeving,* samenstelsters Sun van Meijel e.a., Amsterdam 1982, 58vv..
5. Ibid. 60.
6. Theodor W. Adorno, *Minima Moralia*, Frankfurt am Main 1984, 40vv..

die de subjectieve vrijheid tot woonplaats zouden kunnen dienen. Het wonen is verzwolgen in de objectiviteit. De mensen zijn objecten die hun leven niet zelf kunnen bepalen. Vrijheid is louter negativiteit, en de 'dodelijke verstijving van de maatschappij' strekt zich ook uit over de 'cel der intimiteit' die zich daartegen gevrijwaard waant. Hoe hartstochtelijker het denken zich echter afsluit voor zijn uiterlijke bepaaldheid, des te onbewuster, en daardoor noodlottiger, valt het de wereld ten prooi. De 'vrije tijd' is doortrokken van het ritme van de productie, en dan nog maatschappelijk gereglementeerd. In zijn werk mag men geen vervulling vinden, omdat dat niet kan samengaan met de ondergeschiktheid van het werk aan de totaliteit van de kapitalistische doeleinden. De vrije tijd mag niet verlicht worden door een 'vonk van bezinning', omdat die weleens op de wereld van de arbeid zou kunnen overspringen en deze in vuur en vlam zetten. Dat betekent dat de kans, dat de mens zich van zijn onvrijheid bewust wordt, zo klein mogelijk moet blijven. Daartoe wordt het bewustzijn zodanig genormeerd, dat het genoegen neemt met maatschappelijk goedgekeurde oordelen, met maatschappelijk voorgeschreven lust en met een schijn van autonomie. Zo wordt de drager van het bewustzijn in levende lijve ingebalsemd in de woning, om daar het privéleven te leiden zolang de maatschappelijke orde en de eigen behoeften niets anders toestaan, maar wel afwachtend, en zonder enige maatschappelijke pretentie. Het leven als wachttijd, doorgebracht in bedompte vrijheid, met de geruststelling dat er ergere dingen te vrezen zijn dan de dood.
Adorno heeft afgerekend met de burgerlijke theorie van het autonome individu in een tijd, dat de burgerlijke maatschappij werd geteisterd door dat gedrochtelijke voortbrengsel van haar economomische orde, het fascisme. De onderdrukkende macht van de objectiviteit lijkt absoluut, de toekomst lijkt voorgoed gesloten. Dat is niet zonder belang. Immers, als er niets subjectiefs tegenover de objectiviteit kan staan, geen wil, geen bewustzijn, geen vrijheid, dan doen wij er goed aan om, gelet op de voorhanden productiekrachten, het rijk der vrijheid in de eigen woning te proclameren en ons in het vervolg zo min mogelijk naar buiten te begeven, wetende dat de geschiedenis, ook al is het de geschiedenis van klassenstrijd, haar loop heeft. De proclamatie van de vrijheid is bevangen in een subjectloos systeem, maar wat zou dat. Het is draaglijk. De loochening van die bevangenheid wordt immers door het systeem opgelegd, „er zijn geen subjecten dan door en voor hun onderwerping" (Althusser) en ook als aanvaarding van de onderwerping is vrijheid nog smaakvol in te richten. Toch heeft de gedachte aan de totale bevangenheid van het subject in het economische systeem en de daarop gebaseerde ideologie iets onbevredigends, ook voor Adorno. Zijn inspanning is er tenslotte op gericht om nog iets van het subject te redden, om een authentieke sprank vrijheid te vinden op basis waarvan het subject iets heeft in te brengen in de geschiedenis.
Pogingen om deze speelruimte, zo die er zou zijn, te bepalen, leiden doorgaans tot moeizame paradoxen of aporieën. Zo niet bij Bloch, die een vorstelijke plaats voor het subject opeist. In zijn denken is de wereld veranderbaar, de toekomst open, de vrijheid mogelijk en menselijke inmenging in de geschiedenis noodzakelijk. Hij geeft daarvoor een goede reden. Als het niet zo was zou

de geschiedenis, en dus ook elk menselijk handelen, zinloos zijn. Met andere woorden, het leidt tot niets om de subjectiviteit tot het systeem te herleiden. Daarom dwingt Bloch de geschiedenis een zin af, door het subject op het spoor van verwerkelijking te zetten. Het is een heel bepaald spoor, dat begint bij de materiële werkelijkheid, die als geworden-wordende werkelijkheid in beginsel onaf is. Het leidt naar de afloop van de geschiedenis. Nieuwe mogelijkheden liggen in de werkelijkheid verborgen. Voor hun verwerkelijking is niet alleen een subjectieve wil tot handelen vereist, maar ook grondige kennis die op deze werkelijkheid is betrokken, een scherp oog voor de daarin aanwezige tendenties en de wetenschap dat de toekomst niet is wat mensen te wachten staat, maar wat zij aan mogelijkheid in de wereld zullen realiseren. De menselijke activiteit is niet blind, de blik is gericht op de wetmatigheden in de objectiviteit. De objectieve ontwikkeling is echter niet per se fataal. Zij voltrekt zich uitsluitend door bemiddeling van de subjectieve wil tot handelen. Die wil komt voort uit onvrede met het gebrekkige bestaande en is gericht op een betere toekomst.
Dit is als richtlijn voor het handelen nog niet voldoende. Het gevaar moet worden afgewend dat mensen blijven stilstaan bij voorlopige verworvenheden die zij ten onrechte voor het einddoel aanzien. Tenslotte kan de zin van de geschiedenis enkel worden ontleend aan het mogelijke ultimum in de werkelijkheid, aan dat wat als mogelijke afloop van de geschiedenis latent in het heden ligt besloten. Zonder betrokkenheid op dit einddoel is elke ontwikkeling toevallig en gaat alle menselijke activiteit verloren. Een eschaton is vereist als maatstaf waaraan objectieve vooruitgang kan worden gemeten. Over dat echaton – Bloch spreekt van 'Heimat' – kan alleen in theoretische en euforische termen iets worden gezegd. In grote kunstwerken, kathedralen, epen, symfonieën, kan men soms een voorschijn van deze gouden toekomst ontwaren. En ook de bewoonde ruimte, het huis, werpt een symbolisch licht op de mogelijkheid die in de schoot van deze ruimte verborgen ligt en die nog niet manifest is geworden.[7] Latent bevat het huis de kiem van een wereld die adequaat is aan de mens, een wereld die huis is en waarin de tegenstelling tussen binnen en buiten niet bestaat. In het huis sluimert de hoop op deze „identiteit van de tot zichzelf gekomen mens met zijn voor hem geslaagde wereld."[8]
Het klinkt aannemelijk. Het wordt pas problematisch als mensen concreet aan de slag gaan om de werkelijkheid, in dit geval de werkelijkheid van de woning, op haar gehalte aan potentialiteit te onderzoeken. Dan komt opnieuw de weerbarstigheid van de objectiviteit aan het licht. Bewoners, opgeborgen in hun woningen, zijn zowel in hun ongeorganiseerde vorm als in hun vorm van bewonersvereniging onschadelijk. Zij zijn versplinterde subjectiviteit en vormen zeker geen macht die de heersende orde zal ondermijnen. Aanzetten tot bouwvormen of woonvormen die bedoeld zijn om zich uit de greep van de alledaagsheid en de uiterlijke bepaaldheid los te maken, lijden schipbreuk of

7. Ernst Bloch, *Das Prinzip Hoffnung,* Frankfurt am Main 1959, 379.
8. Ibid, 364.

werken averechts. Honderd jaar geleden stelde Engels het inzicht te boek, dat van bevrijding van de huishoudelijke arbeid, dat is de vermaatschappelijking van deze arbeid, geen sprake kan zijn dan na socialisatie van de productiemiddelen.[9] Het inzicht is nog steeds actueel. Het is gestaafd door het mislukken van centrale-keukenprojecten (Einküchenhäuser) in een aantal Europese hoofdsteden omstreeks de eerste wereldoorlog.[10] Veel andere aanzetten zijn er niet geweest. Van de communes uit de zestiger jaren zijn nagenoeg alle sporen uitgewist, de tegenwoordige woongroepen overstijgen niet of nauwelijks de negatie van het verburgerlijkte gezin en worden geplaagd door problemen van huishoudelijke aard. Billijke verdeling van de huishoudelijke arbeid tussen mannen en vrouwen tenslotte is een concrete eis van een groot deel van de vrouwenbeweging, die moeizaam en sporadisch wordt gerealiseerd en die noch de enkele woning noch de bestaande orde aantast.
In de bouwvormen heeft het niet aan momenten van sociale utopie ontbroken. De tuinstadbeweging aan het begin van onze eeuw leidde tot ruime woningen op de grens van landelijk groen en stedelijk grauw. Het werd het begin van een ingrijpend proces van suburbanisatie, bekrachtiging van de ruimtelijke scheiding van werken en wonen en van het isolement van de huisvrouw. Richtte deze beweging zich tot de 'middenklassen', de volkswoningbouw nam een grote vlucht in de twintiger en dertiger jaren, en zowel expressionistische als functionalistische richtingen in de architectuur leverden hiervoor bevlogen ontwerpen. Het resultaat was betaalbare woningen, aanzienlijk ruimer dan de hokken van de 19e eeuwse revolutiebouw, grote woonwijken, versnelling van het proces van verenkeling en isolering van het kleine gezin, leidend tot levenloze strokenbouw en galerijflats, wooncomplexen zonder sociale betrekking. De utopieën uit de zestiger jaren verhieven zich te hoog boven het aardse om nog te kunnen worden verwerkelijkt en zijn niettemin onder de druk van de economische crisis bezweken. New Babylon van Constant kan als voorbeeld dienen.
Voor het huidige decennium volstaat voorlopig een verwijzing naar de tentoonstelling Ongewoon Wonen, die in 1982 in Almere werd ingericht. Tentoongesteld werden de inzendingen voor een prijsvraag, uitgeschreven door het Comité De Fantasie, die tot doel had „om hen, die ongewone vindingrijke ideeën hebben over bouwen en wonen een kans te bieden deze ideeën bekendheid te geven en ze desgewenst ook zelf uit te (laten) voeren en te (laten) gebruiken." Gevraagd werd een plan voor een vrijstaande woning of een groepje woningen. De inzenders hadden alle vrijheid, d.w.z. zij waren niet gebonden aan de 'Voorschriften en Wenken', de bouwverordening en het advies van de schoonheidscommissie. Het Comité had de stille hoop dat er iets heel bijzonders zou gebeuren: „Mogelijk voorziet de bouwvorm met veel vrijheid voor de gebruiker in een behoefte, krijgt derhalve vaker een kans en

9. Friedrich Engels, *Der Ursprung der Familie, des Privateigentums und des Staats,* MEW 21, 77, cf. 158.
10. Rudolf Kohoutek/Gottfried Pirhofer, „Utopie: Das blinde Fenster im Massenwohnungsbau", *Kursbuch 52,* 67vv.

behoeft dan niet ongewoon te zijn." De jury moest tot de slotsom komen dat er „geen doorbraak is bewerkstelligd in het Nederlandse bouwen."[11] Hoe kan het anders. Woningen die hun vlucht uit de werkelijkheid ook in hun vorm uitdrukken bestonden reeds, in de vorm van een schip, of van een pantser. Nu zijn daar de vorm van een UFO en van een Space Shuttle aan toegevoegd. Voor een inbraakveilige constructie is gezorgd. De droomwoning bevat uiteraard niet anders dan de clichés en de ideologieën die de maatschappij voor de vervulling van dromen paraat heeft. Architecten ontwerpen maatschappelijk voorgeschreven woningen. Maat houden is het devies.

Toch moet er in de bouwkunst, gezien de betrekkelijke duurzaamheid van bouwwerken, een sterke gerichtheid op de toekomst bestaan, een vooruitziende blik die gevestigd is op het tot stand brengen van een menselijke wereld, op verzoening van de binnenruimte met de buitenwereld. Het euvel is, dat er op kapitalistische grond niet menselijk kan worden gebouwd.[12] Daar zijn geen nieuwe menselijke verhoudingen voorhanden die in het ontwerp zouden kunnen worden opgenomen. Een nieuwe bouwkunst veronderstelt bevrijde subjecten, zij kan deze niet ontwerpen. Het manco van de architectuur is: nieuwe bewoners, bewoners die niet gebukt gaan onder de last, vrij te moeten wonen om gedwongen te kunnen werken, maar die in staat zijn om hun vrijheid ook buiten de woning concreet te maken. Arbeid zou onder hun handen een vrije, bewuste activiteit worden in plaats van opschorting van de vrije tijd. Zij zouden zich de maatschappelijke rijkdom toeëigenen en leven dat het een lust was. Zij zouden in een glazen huis kunnen wonen, omdat zij gezien mogen worden. Dan zou de woning als benarde vrijplaats zijn opgeheven. Maar zij ontbreken.

De bestaande bewoners doen wanhopige pogingen om zich in de beschutting van hun woning thuis te voelen. Hun huis behoedt hen althans voor volledige verlorenheid, en in hun inspanningen om het zich daarbinnen naar hun zin te maken komt iets aan het licht van de wens, om een bevredigende eigen wereld in te richten. Zodra deze inspanningen naar buiten worden verlegd, zodra wordt geprobeerd om, al is het op nog zo kleine schaal, de tegenspraak met de geïnstitutionaliseerde werkelijkheid te articuleren, blijkt het systeem te zijn uitgerust met een arsenaal van mechanismen om deze tegenspraak te vernietigen of te absorberen. Sociale bewegingen, die meer dan enkel het privéleven willen inrichten, die de 'cel der intimiteit' willen overstijgen, ervaren dat als teleurstelling of als nederlaag. Zij bewegen echter, ondanks hun nederlagen. Zij blijven vormen van bewegende subjectiviteit, die op het gladde oppervlak van de objectieve werkelijkheid naar barsten zoeken, naar mogelijke breukvlakken. De *όυ τόπος* is zo'n barst, de utopie, die nergens is, maar die als historisch begrepen categorie het bestaande onder kritiek stelt, het denken vooruit helpt en de wens blijft voeden naar een eigen wereld die de wanden van de woning te buiten gaat. Zolang het zoeken duurt, blijft de kwestie, of er in de woning ook een kern van onvervalste vrijheid schuilt, nog onuitgemaakt.

11. Catalogus bij de tentoonstelling *Ongewoon Wonen,* Almere 1982.
12. Cf. Bloch, o.c., 861

LIJST VAN INTEKENARESSEN EN INTEKENAREN S.S.T.T.

B. J. Aalders	Geldrop
Justine Aalders	Amsterdam
H. Abrahams-Nelson	Amsterdam
T.H.M. Akkerboom	Amsterdam
Hendriek Alberts	Amsterdam
Edith Alleman	Zwolle
M.A. Allewijn	Maasland
J. van Amersfoort	De Bilt
C. P. van Andel	Driebergen
Jodien van Ark	Amsterdam
R. P. Baer	's-Gravenhage
Aukje Bakker	Amsterdam
G. E. Bakker	Veenendaal
Jaap Bakker	Hommerts
Jan T. Bakker	Kampen
L.A.R. Bakker	Amsterdam
N.T. Bakker	Roosendaal
W. Balke	's-Gravenhage
Alb. van den Ban	Nieuwerkerk
M.A. Beek	Amsterdam
A. van den Beld	Bilthoven
R. van den Beld	Maastricht
Bas van den Berg	Utrecht
J. van den Berg	Leiden
Marianne van den Berg-Warners	Zetten
W.J. Berger	Nijmegen
Gert Berkelaar	's-Gravenhage
Klaas Beuckens	Borne
Jurjen Beumer	Krommenie
Bibliotheek Faculteit der Godgeleerdheid K.U.N.	Nijmegen
Bibliotheek Hogeschool voor Theologie en Pastoraat	Heerlen
Bibliotheek Theologisch Instituut van de U.v.A.	Amsterdam
G. Biesbroek	Ede
Janne Bilstra	Eersel
C.C. Bink	Nijmegen

A. J. van Binsbergen	Bolsward
B.J.E. de Blank	Dordrecht
A. Blokker	Schagen
M.B. Blom	Oegstgeest
W.C.B. Boender	Amsterdam
J.P. Boendermaker	Hilversum
Dick Boer	Amsterdam/Berlijn
J.K. de Boer en M. de Boer-Hoornweg	Doorwerth
M.G.L. den Boer en A.M.Ch. den Boer-Konz	Utrecht
S. de Boer	Castricum
M.H. Bolkestein	Zeist
Riet Bons-Storm	Groningen
Annemarie Boomgaard	Amsterdam
J. Boomgaardt	Zeist
R. Boonstra	De Hoeve
Peter Booij	Amsterdam
Jan van Boven	Oisterwijk
Frans Brinkman	Nuis
Jaap Broertjes	Rijswijk Z.H.
A.J. Bronkhorst	Zeist
Jaap Brüsewitz	Hoofddorp
Hilde Burger	Rotterdam
M.A. Cabrera	Driebergen
Els de Clercq	Leiden
Aleida G. van Daalen	Amsterdam
A.C. van Dam, Uitgeverij Kok	Kampen
W.L. Dekker en J. Dekker-Post	Roosendaal
K.A. Deurloo	Amsterdam
Johannes Diepersloot	Wageningen
Willem Dijckmeester	Aerdenhout
F.G. van Dijk-Hemmes	Utrecht
Denise Dijk	Amsterdam
Paul van Dijk	Enschede
G.D.J. Dingemans	Groningen
C.E. Donker	Gouda
H.J.J. Drost	Kerkrade
B.A. Dubbeldam	Lage Zwaluwe
M. den Dulk	Leersum
Olivier Elseman	Beemster
Gerjanne Eppink	Winsum
Henk van Es	Venray
Th.A. Fafíe	Haarlem
D. Fisser	Eefde
G.J. Gerbscheid	Amsterdam

S. Gerssen	Utrecht
J. Geursen	Arnhem
A.C. Grandia en M.C.L. Grandia-Feddema	Amsterdam
Lex Grandia	Utrecht
F.J.A. de Grijs	Zeist
G.A. de Groot en J.A. de Groot-Smit	's-Gravenhage
J. van Haaften	Veghel
Adriaan de Haan	Hilversum
Job de Haan	Amsterdam
C. Hallewas	Haarlem
J.H. Hamoen	Garijp
G.P. Hartvelt	Kampen
J.A. Hebly	Zeist
M.S.H.G. Heerma van Voss	Voorschoten
L.P. Heldring-van Wely	Amsterdam
B. Hemelsoet	Amsterdam
R. Hengstmangers	Bloemendaal
E. Hessel	Middelburg
Franz-Joseph Hirs	Nijmegen
H. Hirsch	Gouda
Bert Hoedemaker	Groningen
G. den Hoedt	Arnhem
D.J. Hoens	Schalkwijk
N. Holtrop	Haarlem
R. Holtrop	Amsterdam
A.G. Honig jr.	Kampen
Anne Hoogendam	Schiedam
Saar Hoogendijk	Amsterdam
Raymond de Hoop	Kampen
I.B. Horst	Heemstede
A.W.J. Houtepen	Utrecht
H.G. Hubbeling	Groningen
J. Irik	Varik
Paula Irik	Amsterdam
G.P. van Itterzon	De Bilt
B. Jager	's-Gravenhage
Daniël Petrus Jans	Bussum
Heidi Jansen	Amsterdam
E. Jansen Schoonhoven	Oegstgeest
G.H.J. Janssens cssr	Heerlen
A.F. de Jong	Bussum
Joop en Martie de Jong	Zoetermeer
H. Jonker	Hilversum
J.H. Kamstra	Abcoude

J.E. van Katwijk-Rutgers	Amsterdam
P. Kikstra	Utrecht
F.R.J. Knetsch	Eelde
Ernst Knijff	Zetten
H.W. de Knijff en M.D. de Knijff-de Jong	Utrecht
Johan Kok	Amsterdam
J.R. Kok	Oss
H. Kooistra	Joure
Rens en Francis Kopmels	Delft
Barbara de Kort	Utrecht
Martine Korteling	Waalre
Henk B. Kossen	Amsterdam
C.J. Kraai	Vlijmen
M.A. Krebber	Amsterdam
Marie-Jantien Kreeft	Amsterdam
J.M. Kriense-Lokker	Schoonhoven
J. Kronenburg	Utrecht
A. de Kuiper	Haarlem
H.M. Kuitert	Amstelveen
S. Lamsma	Amsterdam
C. van Leeuwen	Ermelo
G.H. Lensink	Amsterdam
J.H. Leppink	Enschede
H. Leijdekkers	Oude en Nieuwe Niedorp
Dietmar Lichti	Amsterdam
E. de Liefde	Amsterdam
L. de Liefde	Amstelveen
C.H. Lindijer	Nibbixwoud
W. Logister	Tilburg
P. Lootsma	Amsterdam
A. van Lunteren	Zeist
Huub Luijk	Lisse
Mich. F.J. Marlet, bestuur KTHA	Amsterdam
C.T. Mataheru	Bathmen
Liesbeth Matthijsen	Amsterdam
C. Meijer	Haarlem
H. Meijering	Amsterdam
G.J. Meuleman	Maarssen
C.W. Mönnich	Amsterdam
Menno J. H. Mulder	Amsterdam
Jodien Nak	Amsterdam
G.W. Neven	Kampen
Bartie en Ina Niemeyer-van der Wall	Zwolle
M.B. Nieuwkoop	Zwolle

J. A. Oosterbaan	Heemstede
Klaas van Oosterzee	Rotterdam
Leendert Oranje	Oosterbeek
W.G. Overbosch	Amsterdam
J.J. Overduin	Weesp
G. Pettinga	Utrecht
Els H. Plantenga	Amsterdam
At Polhuis	Rotterdam
C.B. Posthumes Meyjes	Oostvoorne
M.B. Pranger	Amsterdam
Stans Quené	Amsterdam
H.J.J. Radstake	Heinkenszand
Dineke Reefhuis	Amsterdam
P.B.J. Reeling Brouwer	Oostzaan
Kees en Jojo van Rhijn	Apeldoorn
Nico Riemersma	Amsterdam
G.J. Rijks	Santpoort
Jetteke Roobol	Leiden
Willemien Roobol	Langezwaag
C.B. Roos	Amsterdam
Bernard Rootmensen	Ouderkerk a/d Amstel
G.Th. Rothuizen	Kampen
J.G. Schaap	Ede
H. Schamhardt	Zeist
P.M.W. van der Schans en M. A. Verstoep	Utrecht
W.J. van der Schans-den Duyf	Bennekom
G.H. ter Schegget	Doorn
B.J.W. Schelhaas	Den Helder
Niels Scheps	Amsterdam
W. Scheufele	Amsterdam
Maria Schiereck	Alkmaar
Aart Schippers	Amsterdam
Ch. Schlette	Amsterdam
Henk Schoon	IJmuiden
C.A. Schoorel	Eindhoven
O.J. Schrier	Nieuw-Vennep
Egbert Schroten	Driebergen
M.H. Schroten	Utrecht
Simon Th. Sies	's-Gravenpolder
J. Slob	Oegstgeest
J. Slop	Oostzaan
Christine Smalbrugge-Hack	Uithoorn
A. Smit	Amstelveen
Femke Spruit	Rotterdam
Jac. en Maria Spruit	Krimpen a/d IJssel

Fred Staudt	Amsterdam
Dini en Gerben Stavenga-van der Waals	Engwierum
J.P. van der Stee	Utrecht
Bart Stobbelaar	Beets
Fred Stoel	Dronten
Annika Stortelers	Nigtevecht
René Süss	Koog/Zaandijk
Theologisch Instituut	Groningen
A.A. en J.A. Thimm-Richardson	Haarlem
W. Timmerman	Arnhem
R.G.J. Timmers	IJmuiden
P.J. Tomson	Amsterdam
Henk van den Toorn	Zwijndrecht
Rob Treep	Huissen
Enno H. Tuinema	Amsterdam
C.L. Tuinstra	Ommen
J. Veenhof	Amsterdam
A. Verburg	Amsterdam
W. E. Verdonk	Oegstgeest
Arian Verheij	Amsterdam
W.W. Verhoef	Vlaardingen
Frans J. Verstraelen	Leiden
Arie-Cees Verwaal	Amsterdam
M. Vink	Oegstgeest
M.G. Vlaming	Amsterdam
Steven de Vlieger	IJmuiden
T. Vondeling-van't Hof	Leeuwarden
Sj. Voolstra	Landsmeer
Bart Voorsluis	Amsterdam
A. Vos	Bilthoven
Eline Vos	Diemen
H. Vreekamp	Epe
A.T. de Vries	Witmarsum
C. de Vries-Batenburg	Ten Boer
M.A. Vrijlandt	Assen
H.W. Waardenburg	Rotterdam
K. Wagtendonk	Amstelveen
Ernestine G.E. van der Wall	Warmond
J. C.P. Waldram	Amsterdam
Christien M. Warners	Ouderkerk a/d Amstel
J. van de Werf	Peize
E.K. Wessel-Tuinstra	Oegstgeest
Gerben H. Westra	Amsterdam
Tamis Wever	Amsterdam
Herman Wiersinga	Leiden

A.K.J. Witte	Blijham
Theo Witvliet	Naarden
Machteld van Woerden	Amsterdam
Gerrit H. Wolfensberger	Driebergen
Irene van Woudenberg-Meijer	Lathum
Désirée Woudt	Koog aan de Zaan
Anna W. Zegwaard	Montfoort
Th. P. van Zijl	Teteringen
H. Zunneberg	Driebergen
J.J.B. van Zwieten	Alphen a/d Rijn